ΚΑΛΗ ΚΑΡΑΤΖΑ

Εγώ, η Ανατολή

μυθιστόρημα

ΜΟΝΤΕΡΝΟΙ ΚΑΙΡΟΙ

Η πλοκή του μυθιστορήματος όπως και οι χαρακτήρες που εμφανίζονται είναι φανταστικοί.
Οποιαδήποτε ομοιότητα με πραγματικά πρόσωπα και γεγονότα είναι εντελώς συμπτωματική.

Εγώ, η Ανατολή
Κάλη Καρατζά

ISBN: 960-397-864-7
ΜΑΪΟΣ 2004

Εκδότης: Κώστας Γιαννίκος

Επιμέλεια κειμένων: Λύντη Γαλάτη
Δημιουργικό εξωφύλλου: Μανώλης Παναγιωτάκης
Σελιδοποίηση: Ηλίας Σούφρας
Υπεύθυνος Παραγωγής: Λίνος Καμσής
Παραγωγή: Σπύρος Καμσής
Διαχωρισμοί-Εκτύπωση-Βιβλιοδεσία: ΤΥΠΟΕΚΔΟΤΙΚΗ Α.Ε.

ΕΚΔΟΣΕΙΣ ΜΟΝΤΕΡΝΟΙ ΚΑΙΡΟΙ Α.Ε.Ε.
Γ. Παπανδρέου 1, Αθήνα 166 73 Τηλ.: 210 96 59 904-5, Fax: 210 8992101

Published by Costas A. Giannikos for Modern Times S.A.
1, G. Papandreou Str., 166 73 Athens, Greece

€18,00.

Εγώ, η Ανατολή

Στη Ζαφειρίνα μου

*Ε*γώ, η Ανατολή

Κάθομαι απέναντί σας και εξομολογούμαι. Ψαχουλεύω το χθες μου. Γυρίζω τη σκέψη πίσω και πονάω. Δεν μπορώ να δω το αύριο. Είναι σκοτάδι. Μετράω τα λάθη και τα καλά μου. Θρυμματίζω τα συναισθήματά μου. Αγγίζω τις παγωμένες καρδιές. Χαϊδεύω τις τρυφερές. Κραυγές μέσα μου δε φτάνουν στα χείλη.

*Ε*σείς, οι άλλοι

Στέκεστε και με κοιτάτε από τις ασπρόμαυρες φωτογραφίες που εγώ μεγέθυνα για να μη χάσω τη μορφή σας. Σιωπάτε. Κρατάτε τις απαντήσεις στα ερωτηματικά μου. Κοκαλωμένα μάτια στο φλας της φωτογραφικής μηχανής δεν αφήνουν να φανεί ούτε δάκρυ μα ούτε και χαρά.

*Α*υτό είναι το πείραμα

Μια προσπάθεια να ξεφύγω απόψε από σας κι από τους φόβους μου, από τις ανασφάλειές μου. Τα γιατί μου, τα διότι.

Εδώ πάνω, στην ταράτσα

Τουρτουρίζω. Η υγρασία τρυπάει το παλτό που τυλίγει το σώμα μου. Τα μάτια μου ξαφνιάζονται από το φως των πυροτεχνημάτων. Τα τραγούδια του κόσμου γίνονται βοή στ' αφτιά μου. Η μουσική από το ακορντεόν συνοδεύει το *Πάει ο Παλιός ο Χρόνος*. Δεν τολμώ να κοιτάξω κάτω. Φοβάμαι τα ύψη. Δεν μπορώ να γευτώ την αποψινή Πρωτοχρονιά πάνω εδώ στην ταράτσα της εξαώροφης πολυκατοικίας. Δεν μπορώ να φανταστώ τον εαυτό μου μέσα στο αεροπλάνο που διασχίζει τούτη την ώρα το πυκνό μαύρο. Φοβάμαι τα αεροπλάνα. Φοβάμαι το αύριο. Φοβάμαι εμένα.

Εγώ, η Ανατολή

Προσπαθώ να κυριαρχήσω στους φόβους μου, να ισορροπήσω τις καταστάσεις κι εμένα. Ν' αφήσω πίσω αυτούς που θα πονέσουν και θα ξαφνιαστούν. Εσάς που δε θα ξαναβάλω στο μαύρο ξύλινο κουτί να ξεθωριάσετε κι άλλο.

Θέλω ν' αλλάξω τη ζωή μου αυτή τη νύχτα· αυτή την καινούρια χρονιά που ξημερώνει. Αυτό το «θέλω» με κυνηγάει βασανιστικά. Κάποτε ήταν όνειρο μεθυστικό. Ύστερα μπερδεύτηκε, παρασύρθηκε με τα «πρέπει» της ζωής και τα δικά σας. Πήρα μονοπάτια που σας πλήγωσαν και με πλήγωσαν. Το ξέρω.

Έμεινε το «θέλω» μου στην αποθήκη της ψυχής. Είναι τόσο ξεθωριασμένο από τη λησμονιά, τόσο σκονισμένο από τα χρόνια... Τα χρόνια που έσυρα μαζί μου μέχρι ν' ανεβώ αυτή την Πρωτοχρονιά εδώ πάνω, τόσο ψηλά, στην ταράτσα.

Εκεί κάτω, στο δρόμο

Τα φύλλα έπεσαν από το δυνατό αέρα κι άφησαν γυμνά τα δέντρα. Το αυτοκίνητο με αναμμένα τα αλάρμ περιμένει. Τον φαντάζομαι να σβήνει τη μια γόπα πίσω από την άλλη. Τα δάχτυλά του να κινούνται αμήχανα πάνω στο τιμόνι. Το νεανικό, σφριγηλό κορμί του να στριφογυρίζει από αγωνία στο δερμάτινο κάθισμα. Τα σκούρα μάτια του να γυαλίζουν από τα φώτα στα στολισμένα δέντρα.

Το πρόσωπό του δε διακρίνεται πίσω από τα αχνισμένα τζάμια. Αρχίζει και θολώνει η ύπαρξή του στη ζωή μου. Το «όχι» μου είναι δύσκολο να φτάσει έξι ορόφους κάτω για να τ' ακούσει. Κορναρίσματα και φρεναρίσματα δε μ' αφήνουν να καταλάβω αν το αυτοκίνητο έφυγε ή περιμένει ακόμη εμένα...

Εδώ πάνω, στην ταράτσα

Εγώ η Ανατολή δεν έχω τη δύναμη να κάνω τίποτε απ' όλα αυτά που σας είπα. Το «θέλω» μου αυτή τη φορά το κάνω εγώ δικό μου «πρέπει». Το κάνω χρυσόσκονη και το φυσάω μέσα από τις χούφτες μου για να χαθεί στο άγνωστο της καινούριας χρονιάς.

11

*Φ*οβόταν σκοτάδι, κλειστούς χώρους, ψηλές σκάλες, καράβια, σεισμούς και αεροπλάνα! Ένιωθε ασφαλής και ευτυχισμένη όταν πατούσε στη γη. Περπατούσε καμαρωτή με το κεφάλι ψηλά κι ένα αδιόρατο χαμόγελο που έπρεπε να την παρατηρήσεις ώρα για να το δεις... Ίσως έτσι ήθελε να επιβεβαιώσει πως δεν είχε ταραγμένη ψυχή και μυαλό γι' αυτούς τους φόβους. Καμία συμβουλή ή προτροπή ψυχολόγου χρόνια τώρα δεν κατάφεραν να εξαλείψουν αυτό το σύμπλεγμα φόβου και ανασφάλειας. Όλοι κατέληγαν στο ίδιο συμπέρασμα· έφταιγε ο τρόπος που γεννήθηκε, μακριά από τον κόσμο και τη φροντίδα την ώρα που αντίκρισε την πρώτη ηλιαχτίδα. Την πλήγωσε η απόρριψη, η προδοσία. Τριάντα πέντε χρονών, γεμάτα, ένιωθε πιο τρομαγμένη από κάθε άλλη φορά.

Μέρα ζεστή κατά τα μέσα του καλοκαιριού γεννήθηκε η Ανατολή. Χρυσάφι ο ήλιος, έλουζε τα ψηλά κλωνάρια με το χρώμα της ωρίμασης και του τέλους. Έβραζε ο τόπος κι έλιωνε γη και κορμιά. Τίποτα δεν προμηνούσε πως θ' άλλαζε το τοπίο στα καπνοχώραφα, λίγα χιλιόμετρα έξω από τη μεγάλη πόλη· την πόλη που καμάρωνε μ' ένα κάστρο σαν κορόνα στην ιστορία της.

Θάλασσα με χρώματα σε μπλε και πράσινο πήγαινε κι ερχόταν στα πόδια της σαν βάλσαμο, σαν γιατρικό, αιώνες τώρα.

Προσμονή στο κοντινό χωριό για τη νύχτα που έφτανε και θα γέμιζαν πλατεία και στενά από τις φωτιές του Αϊ-Γιάννη.

Στις στοιβαγμένες λυγαριές κορίτσια κι αγόρια έπλεκαν όνειρα και έρωτα για τούτο το βράδυ. Ματιές και υπονοούμενα έφερναν στα χείλη χαμόγελα και έντονους χτύπους στις καρδιές. Έκλειναν τα μάτια οι νιες κι έβλεπαν στεφάνι με λεμονανθούς στα μαλλιά τους. Το όνομα του γαμπρού έλειπε, μα το περίμεναν κι εκείνο να φανεί σαν θαύμα στον ύπνο τους.

Η κραυγή του πόνου και της λύτρωσης απλώθηκε πέρα στο ποτάμι. Το πράσινο, βαθύ νερό του Νέστου φούσκωσε απ' την τρομάρα του κάι πήγε να ξεχειλίσει. Δέντρα, καλαμιές και σκίνα αναταράχθηκαν. Σαν να φύσηξε άνεμος δυνατός που ήθελε να ξεριζώσει τα πάντα. Σαν να έγινε σεισμός στη γη που καμάρωνε εκείνη τη μέρα πιότερο την ομορφιά της.

Κοίταξαν τα πουλιά πάνω ψηλά κι είδαν τον ήλιο, βιαστικό και θυμωμένο, να κρύβεται. Σύννεφα άρχισαν να μαυρίζουν όλο τον ουρανό. Λες κι ερχόταν μεγάλο κακό κι έπρεπε να πάρουν θέση.

Η γυναίκα, ξαπλωμένη πάνω στο ζεστό χώμα, απόμεινε άλαλη μετά τη δυνατή κραυγή της γέννας της. Η φωνή ανακατεύτηκε μαζί με τη βροντή κι έτσι δεν ξεχώριζες ποια από τις δυο ήταν πιο δυνατή. Τα μάτια κάρβουνα, ξαφνιασμένα από τον τρόμο, καρφώθηκαν στην οπτασία που στεκόταν από πάνω της. Δεν ξεχώριζαν πρόσωπο. Δε διέκριναν αν ήταν αγόρι ή κορίτσι μέσα στο μακρύ λευκό που το τύλιγε. Μόνο ένα χαμόγελο έβλεπε· χαμόγελο σαν φως ουράνιο, ζεστό σαν ήλιος, σαν αγκαλιά μάνας, σαν χάδι άντρα που την αγάπησε πολύ κι ήρθε να της συμπαρασταθεί στη δύσκολη τούτη ώρα. Δεν το έψαξε πολύ. Άγγελος είναι, σκέφτηκε, μέσα στη ζάλη της ωδίνης και της μυρωδιάς του καπνού.

Το «ευχαριστώ» βγήκε σαν προσευχή από την καρδιά στα χείλη, καθώς ακούστηκε το κλάμα ανάμεσα απ' τα σκέλια της...

Αεράκι φύσηξε. Χάθηκε η οπτασία μέσα στο γκρίζο. Όλα έγιναν πιο γρήγορα και πιο εύκολα. Άπλωσε το ένα χέρι κι άγγιξε το μαχαίρι στο σακούλι. Τα φρύδια της έσμιξαν από τη βαριά σκέψη. Αν έβλεπε ανθρώπου μάτι τη σκηνή, θα έλεγε πως φονικό θα έκανε η μάνα. Στάθηκε για λίγο έτσι. Μετά έσφιξε χείλη και γροθιά κι έμεινε άλλο λίγο. Τα μάτια γαλήνεψαν ξαφνικά και πήρε βαθιά ανάσα. Φύσηξε όσο αέρα είχαν τα σωθικά της κι έκανε την αποφασιστική κίνηση. Ξεχώρισε την καινούρια ζωή από τη δική της· έκοψε το λώρο και τον τύλιξε σωστά.

Ύστερα άπλωσε και το άλλο χέρι κι ανέβασε σιγά, με προσοχή κι ευλάβεια, στον κόρφο της τούτο το δώρο. Τότε είδε πως ήταν κορίτσι. Μια σταλιά μέσα σε αίμα και ιδρώτα. Μια χούφτα ζωή από τη ζωή της. Τ' απόθεσε αργά πάνω στη σάρκα της και μάλιστα στο μέρος της καρδιάς. Εκεί που είναι μαζεμένα σαν γροθιά η λύπη και η χαρά, ο πόνος και η ανακούφιση, η αγωνία και η γαλήνη.

«Καλώς ήρθες...» ψέλλισε μέσα στα δάκρυά της κι έγειρε το κεφάλι προς το μέρος του παιδιού. Έβαλε τα χείλη της πάνω στα δικά του. Ήθελε να του δώσει πνοή από την πνοή της.

Βγήκε η πρώτη ηλιαχτίδα να ζεστάνει τη γη και νόμισε πως πρόβαλε ανατολή κι ας ήταν δύση. Άνοιξε τα μάτια και κοίταξε τη συνέχειά της. Το όνομά της ήρθε σαν γάργαρη πηγή. «Ανατολή, το όνομά σου...» Και έμεινε το όνομα αυτό και στα χαρτιά. Ανατολή Ιωσηφίδου, του Γιαννακού και της Ευδοκίας.

Η δύναμη και η αντοχή άρχισαν να την εγκαταλεί-
πουν. Και προτού προλάβει ο ύπνος να κλείσει τα βλέ-
φαρα, σκέπασε το νεογέννητο με το πουκάμισό της να
κοιμηθούν αντάμα στη μοναξιά τους. Μεθυσμένες,
μάνα και κόρη, ανάμεσα στα φύλλα του καπνού και
στο ποτάμι.

Η είδηση απλώθηκε από τη μια άκρη του χωριού στην άλλη. Σαν θρόισμα αέρα περνούσε ξυστά από τους τοίχους και τις μάντρες. Έμπαινε μέσα από πόρτες και ανοιχτά παράθυρα. Άφωνοι έμεναν όσοι άκουγαν το ξαφνικό και παράξενο...

— Η Ευδοκία γέννησε!

— Ναι... στα καπνοχώραφα...

— Μόνη...

— Μόνη;

— Ναι... άγγελος την ξεγέννησε, λένε!

Ό,τι μπορεί να φανταστεί κανείς ακούστηκε για τον ερχομό της κόρης της Ευδοκίας. Οι γριές σταυροκοπιόνταν για το θαύμα. Τα παιδιά άκουγαν την ιστορία σαν παραμύθι από τα στόματα των μεγάλων. Οι νιες κουνούσαν το κεφάλι με αμφιβολία.

— Άκου άγγελος έφερε το παιδί στον κόσμο!

— Δεν κολάζομαι εγώ. Δεν είδα, δεν ξέρω...

— Ούτε οκτώ μήνες δεν είναι, καλέ, που χάθηκε ο άντρας της απ' την Καβάλα!

— Σωστά! συμπλήρωνε η μία στην άλλη, για να βγάλουν πως δήθεν το παιδί δεν ήταν δικό του.

Όταν τη βρήκαν με το μωρό στα χωράφια, λίγοι στάθηκαν πλάι της. Εδώ και χρόνια είχαν σε απόσταση την Ευδοκία οι συγχωριανοί της. Από τότε που βρέθηκε εκεί, είκοσι χρονών κορίτσι, μαζί με τον Γιαννακό Ιωσηφίδη. Κατάρα έδιναν οι μάνες στο παλικάρι που χάλασε όλα τα προξενιά και έφερε την ξένη στο χωριό. Πληγώθηκαν κορίτσια σαν τα κρύα τα νερά όταν αγάπησε μια άλλη...

Σαράντα μέρες λεχώνα δε βγήκε από το σπίτι. Καλά που ήρθε ο δάσκαλος, ο Ζήσης Αργυρίου. Ήταν και γραμματέας του χωριού και δήλωσε το κορίτσι.

Δειλά χτύπησε την πόρτα. Σαστισμένος, προχώρησε μέσα. Έσκυψε πάνω από την κούνια της Ανατολής και άφησε ένα μικρό ασημένιο εικόνισμα.

«Όμορφη είναι...» είπε με φωνή που μόλις ακούστηκε. Δεν ήταν γιατί δεν ήθελε να ξυπνήσει το μωρό, από ντροπή και συστολή τού βγήκε έτσι σιγανή. Μάλιστα, δε γύρισε καν να κοιτάξει την Ευδοκία, μήπως και φανεί στα μάτια του ο έρωτας που είχε φουντώσει εδώ και τρία χρόνια γι' αυτή την άγνωστη γυναίκα.

Στα ξαφνικά την έφερε στο χωριό ο γιος του καπνομεσίτη – χωρίς να εξηγήσει πώς και από πού έκλεψε την Ευδοκία. Ήταν φίλοι καλοί ο Ζήσης με τον Γιαννακό. Ήταν και μακρινοί συγγενείς, γεγονός που έδενε ακόμη περισσότερο τη φιλία. Μερικά χρόνια πιο μεγάλος ο Ζήσης και διαφορετικός χαρακτήρας. Τις περισσότερες φορές ήταν κλεισμένος στον εαυτό του· λίγα έλεγε και πολλά εννοούσε. Δεν ήταν όμορφος όπως ο Γιαννακός· πιο κοντός, με μαλλιά καστανά που είχαν αρχίσει να αραιώνουν. Τα μάτια του είχαν μόνο γλύκα – σαν μελωμένα κάστανα σε κοίταζαν βαθιά όταν σου μιλούσε. Ήρεμα κι αργά έβγαιναν οι κουβέντες. Γαλήνη έφερνε στην ψυχή σου, τόσο που ήθελες να κουρνιάσεις κοντά του.

Από μικρά παιδιά μαζί στα γράμματα και στο παιχνίδι, στις βόλτες και στα πανηγύρια. Δε σταματούσαν όμως εκεί. Σκαρφάλωναν πίσω στις καρότσες, να φτάσουν μέχρι κάτω, πέρα μακριά στην άγνωστη και πλανεύτρα θάλασσα. Κι εκεί, πάνω στην άμμο και στον αφρό, έβγαζαν τα όνειρά τους. Εκεί έκαναν ταξίδια μακρινά με το πέταγμα των γλάρων. Μ' αναμμένα τα μάγουλα από τον πόθο, μιλούσαν για τον έρωτα που δεν είχαν γνωρίσει. Κι άλλες φορές για τη γυναίκα που, μες στη φαντασία τους, έπλεκε τα χέρια της στα άγουρα σώματά τους. Ύστερα, έβαζαν το πιο μεγάλο κοχύλι στο αφτί, να ακούσουν το θρόισμα από το κύμα. Όλα τα έλεγαν ο ένας στον άλλο· μόνο για τη γνωριμία του με την Ευδοκία δεν έβγαζε λέξη ο Γιαννακός. Τι έγινε και έχασε τα λογικά του με την ομορφιά της όταν ήταν φαντάρος στη Θράκη.

Σαν μίσχος ήταν το κορμί της. Τα πόδια της σαν μαρμάρινα γλυπτά. Μαλλιά μακριά μέχρι τη μέση, κυμάτι-

21

ζαν σαν μαύρου αλόγου χαίτη. Πρόσωπο μετάξι και μάτια κάρβουνα, αμυγδαλωτά, ταίριαζαν αρμονικά με το κόκκινο φυσικό στα χείλη. Όρκο έπαιρνες πως τη γέννησε μάνα από την Ανδαλουσία.

Μια ευγένεια και μια συμπεριφορά που θύμιζε πριγκιπέσα. Κι ο Γιαννακός όμως ήταν πολύ ωραίο παλικάρι – δυο μέτρα μπόι. Τράνταζε γη και καρδιές σαν περπατούσε. Μαλλιά που χρύσιζαν στον ήλιο. Μάτια, σαν γαλάζιες μεγάλες χάντρες, γεμάτα πονηριά και πείσμα.

Όταν τους πρωτοείδε ο Ζήσης να φτάνουν στο χωριό, νόμισε πως είδε βασιλικό ζευγάρι· τόσο όμορφοι και ταιριαστοί!

— Ζήση, η Ευδοκία θα γίνει γυναίκα μου, είπε μονάχα στο φίλο του.

Άπλωσε το χέρι να πιάσει το δικό της, μα έμεινε ξεκρέμαστο μόλις σήκωσε τα μάτια της επάνω του. Πήγε μπρος πίσω, σαν να τον χτύπησε κεραυνός από τον έρωτα τον ξαφνικό.

Αυτό το πρόσωπο είχε κρυμμένο στην καρδιά του. Αυτή τη γυναίκα περίμενε μέσα από τα όνειρά του για να αγαπήσει.

— Έχω μάθημα... μουρμούρισε κι έφυγε βιαστικός χωρίς να χαιρετήσει.

Με λυγισμένα γόνατα έστριψε στη γωνία κι αντί για το σχολείο μπήκε στο σπίτι του. Κι έμεινε δυο μέρες εκεί, κλεισμένος από φόβο και λαχτάρα μην ανταμώσει πάλι την Ευδοκία.

Μεγάλη φασαρία ξέσπασε στο σπίτι του Γιαννακού. Τέτοια προσβολή ήταν ασήκωτη. Πατέρας και μάνα πάτησαν πόδι.

— Ξένη και κλεμμένη δεν έχει θέση εδώ μέσα!

Ήταν πρώτη στο χωριό η οικογένεια του Γιαννακού. Είχαν και λεφτά πολλά. Μεσίτης στα καπνά ο πατέρας του, είχε συναλλαγές με καπνέμπορους σε Ξάνθη και Καβάλα. Έκαναν σχέδια για το γιο τους, να πάρει την καλύτερη· γιατί όχι και κόρη καπνέμπορου.

Είδε κι απόειδε να τους πείσει ο Γιαννακός πως ήταν από σόι η γυναίκα που διάλεξε. Αλλά από πού, δεν έβγαζε λέξη, ούτε κι όταν ο πατέρας του ξεκρέμασε την καραμπίνα και τον απείλησε στ' αλήθεια.

— Στείλε την πίσω γιατί θα σε σκοτώσω!

— Όχι, δε θα σου κάνω το χατίρι! Δε θ' αντέξω να τη χάσω! Την αγαπώ! Την έκανα γυναίκα μου και θα της βάλω και στεφάνι! επέμενε πεισματικά.

Και για να μη γίνει φονιάς –πατέρας ήταν, μοναχογιός ο Γιαννακός– τη δέχτηκε σαν νύφη και έκαναν το γάμο.

Μυστικό δικό τους έμεινε μέσα στο σπίτι πως ήταν από σπουδαία οικογένεια. Πράγμα που το ομολόγησε στην πεθερά της, μια μέρα, η ίδια η Ευδοκία.

Κάνε κείνο κάνε το άλλο, την ξεθέωνε κάθε μέρα. Τη φόρτωσε με δουλειές που δεν ήξερε, ενώ της μουρμούραγε κι από πάνω.

— Αχαΐρευτη παντρεύτηκε ο γιος μου! Παρακατιανή και άπροικη!

Τότε η νύφη αξιολόγησε την καταγωγή της και μίλησε για πρώτη φορά με θάρρος.

—Θα ντρεπόσουν να μπεις στο αρχοντικό που γεννήθηκα! Όσο για τις δουλειές, μάθε πως εμένα μου τις έκαναν δούλες!

Κουβέντα στην κουβέντα και στον καβγά, της είπε πως ήταν κόρη βιομήχανου με μεταξωτά, από τη Θράκη! Εκεί σαν να θάμπωσε η πεθερά της και σταμάτησε την προσβολή. Δεν την πίστεψε βέβαια και πολύ κι έβαλε δετούς και δεμένους, με τις γνωριμίες του άντρα της, να μάθουν την αλήθεια.

Σκόνταψαν πολλοί απ' αυτούς στο άλλο μυστικό, στο αρχοντικό του Σταύρου στην Αλεξανδρούπολη. Άχνα δεν έβγαλαν πού πήγε η μοναχοκόρη τους. Έφτασαν στο σημείο ν' αρνηθούν ακόμη και την ύπαρξή της! Κι έτσι έμεινε ανεξιχνίαστη η καταγωγή της.

Ε ξι χρόνια είχαν περάσει από τότε που ανάσανε η Θράκη από την κατοχή των Γερμανών και των Βούλγαρων.

Έξι χρόνια, και ο Αναστάσης Σταύρου ίσως ήταν ο μοναδικός που τα κατάφερε, μέσα σ' αυτή τη λαίλαπα των γεγονότων, να μη χάσει ούτε το αρχοντικό ούτε τα εργοστάσια μεταξουργίας και μεταξωτών. Με τενεκέδες λίρες λένε πως λάδωσε τους Βούλγαρους για να μη νιώσει την προσφυγιά η οικογένειά του. Να μη χαθεί τίποτα από την περιουσία του· να μη σβήσει το όνομα Σταύρου.

Ανάμεσα σε σπίτια-φαντάσματα, έρημα από ανθρώπους και πράγματα, το δικό του στεκόταν ανέγγιχτο. Ακόμα και τα εργοστάσια στο Σουφλί δούλευαν ασταμάτητα. Μπορεί να μην έκαναν τα κουκούλια μεταξωτά για τις Θρακιώτισσες, αλλά έφευγαν κιβώτια για να ντύσουν τις φράου και τις φρόιλαϊν στη Γερμανία. Όσο για τα κρασιά από το οινοποιείο μετά τις Φέρες μεθούσαν και τους δυο κατακτητές.

Τέτοιος μπαγαπόντης και προδότης ήταν. Το πλήρωσε με το κεφάλι του, βέβαια, και κυριολεκτικά. Με κομμένο λαιμό τον βρήκαν ξημερώματα Πρωτομαγιάς του '51, σε μια όχθη του Έβρου. Το αίμα του, που κόχλαζε τόσα χρόνια όταν έβλεπε γυναίκα, έτρεχε ποτάμι πάνω στις κόκκινες παπαρούνες.

Σχόλια δεν έγιναν, γιατί όλοι ήξεραν πως αυτός ο θάνατος ήταν δίκαιος. Κι εκεί που κοίταζαν να κρύψουν την ντροπή τους και τον πόνο τους οι δυο γυναίκες, στο αρχοντικό ήρθε και το άλλο ρεζιλίκι.

Ο μεγάλος έρωτας της Ευδοκίας τους έφερε φωτιά κι αντάρα. Δεν είχαν συνέλθει καν από τα τυπικά. Μόλις την προηγούμενη μέρα είχαν κάνει το μνημόσυνο του Αναστάση. Κόσμος και κόσμος ερχόταν για τα συλλυπητήρια. Δεν είχαν τελειώσει από τους ασημένιους δίσκους οι καφέδες, το κονιάκ, τα παξιμαδάκια με το γλυκάνισο και έπεσε ο κεραυνός μέσα στη νύχτα.

—Η Ευδοκία κλέφτηκε μ' έναν άγνωστο φαντάρο! αντιλαλούσαν οι φωνές των γυναικών με τα μαύρα μεταξωτά μες στο αρχοντικό του Σταύρου.

Κουνούσε η Σμαρώ το γράμμα, σε ροζ χαρτί, στα μούτρα της Ραλλούς, χωρίς να υπολογίζει την ταραχή της ευαίσθητης μάνας. Άφριζε, πηγαινοερχόταν και ρουφούσε μια δυο γουλιές Πασιφλορίνη να μην τεζάρει με τα χαΐρια της αδελφής της!

—Μετά το χαφιέ τον άντρα σου δες τώρα και τα χάλια της κόρης σου! Κλέφτηκε, το χαϊβάνι, μ' ένα γύφτο!

Κατέβαζε τα δάκρυα φαρμάκι η Ραλλού, αφού η μια συμφορά την έβρισκε πίσω από την άλλη. Πώς να αντιδράσει όμως; Σαράντα κιλά είχε μείνει από τη φυματίωση. Νεύρα και κορμί αδύναμα, αλλά πού να σταματήσει η Σμαρώ τις υστερίες.

Εκείνη τη στιγμή θυμήθηκε όλες τις αμαρτίες του μακαρίτη.

—Λύσσαξες να τον παντρευτείς! Γινάτι σ' έπιασε να του τα γράψεις με προικοσύμφωνο! Έμεινα ανύπαντρη για να μπορώ να ελέγχω τις ατιμίες του!

Ακόμα και η υπηρέτρια της Σμαρώς, η μουσουλμάνα η Γκιουλέ, λυπόταν την προδομένη κι άρρωστη γυναίκα.

—Σους, μπρε Σμαρώ, θα πλαντάξει πριν της ώρας της η καημένη...

Πού ν' ακούσει, όμως... Αυτή συνέχιζε το βιολί της, τάχα πως από καλό το έκανε.

—Να ξυπνήσει και να καταλάβει πως πρέπει να κοιτάζει μόνο την υγειά της και μένα! Μόνο εγώ της έμεινα! Ακόμη και η κόρη της σαν αυτόν βγήκε... πρόστυχη! Για να μη θυμηθώ και τον μπάσταρδο το γιο του!

Σφράγιζε η Γκιουλέ παράθυρα και πόρτες μην ακουστούν παραπέρα τέτοια λόγια. Ράντιζε και με κάτι πράσινα και κίτρινα νερά να φύγει ο σατανάς από το σπίτι...

Είχε βουίξει ο κόσμος από την Αλεξανδρούπολη ως την Ορεστιάδα γι' αυτή την απαγωγή. Ενώθηκε όλος ο Έβρος με τα σχόλια και τις απορίες.

Για μήνες και χρόνια δεν μπορούσε να το πάρει απόφαση η μάνα της Ευδοκίας, η Ραλλού Σταύρου. Φρέσκια χήρα, εκείνο τον καιρό, πώς δέχθηκε τέτοια προσβολή η οικογένειά της;

Κατέβηκαν οι βελούδινες κουρτίνες στο αρχοντικό της οδού 14ης Μαΐου και δεν άφησαν να μπει ήλιος και φως για πολύ καιρό. Κάποιοι έλεγαν πως τραβήχτηκαν απ' τα παράθυρα όταν πέθανε η αρχόντισσα· η κυρία με κάππα, μάλιστα, κεφαλαίο. Τόσο την εκτιμούσαν και τόσο την πόνεσαν όσοι είχαν καταλάβει τις προδοσίες που είχε περάσει.

Η πρώτη ήταν με τον άντρα της, τον Αναστάση Σταύρου, τον πιο όμορφο μεγαλοβιομήχανο και μπερμπάντη στην πόλη. Το κεράτωμα με τη Γαλλίδα νταντά της Ευδοκίας, μέσα στο ίδιο της το σπίτι, ήταν πολύ βαρύ.

Η δεύτερη, όταν έμπλεξε στην Αθήνα ο θετός γιος της οικογένειας, ο Λάμπρος. Έκανε κι αυτός την αμαρτία και την προσβολή στην οικογένεια. Αγάπησε μια ρεμπέτισσα τραγουδίστρια, εκεί στην πρωτεύουσα, όταν είχε κατεβεί να κανονίσει δουλειές για τα εργοστάσια με τα μεταξωτά Σουφλίου.

Είχε και την πεποίθηση πως ζωγράφιζε όμορφα. Η δουλειά με τα κουκούλια και τα υφάσματα δεν τον αφορούσε. Βολεύτηκε, λοιπόν, με την Αθηναία ρεμπέτισσα και ξέχασε όλους και όλα εκεί πάνω στη Θράκη.

Αυτός, βέβαια, γλίτωσε κάπως από το θυμό και την οργή της αρχόντισσας, αφού αυτή η τραγουδίστρια ήταν απ' τις καλές και γνωστές. Μάλιστα, ένα τραγούδι της σε δίσκο 33 στροφών, που μιλούσε για προδομένη αγάπη, το έβαζε και το ξαναέβαζε κρυφά στο γραμμόφωνο η Ραλλού, γιατί της άρεσε πολύ. Ωστόσο, δεν ήταν μόνο το τραγούδι. Βαθιά μέσα της αγαπούσε αυτό το αγόρι κι ας ήταν ο αμαρτωλός καρπός του Αναστάση.

Όλα τα γεγονότα ξεκίνησαν πριν από τον πόλεμο του '40 και ολοκληρώθηκαν με την εξαφάνιση του «μπάσταρδου» και την απαγωγή της Ευδοκίας, λίγο μετά την απελευθέρωση.

Αργότερα αυτά ξεχάστηκαν, και έμεινε ο Λάμπρος στην Αθήνα με την τραγουδίστρια και η Ευδοκία με τον Γιαννακό στο χωριό έξω από την Καβάλα.

Βέβαια, η αλήθεια για τον Λάμπρο ήταν άλλη... Δεν είχε μπλέξει μόνο με την τραγουδίστρια αλλά και με το ΕΑΜ. Χαφιές ο ένας, πατριώτης ο άλλος. Αυτό μαθεύτηκε πολύ αργότερα, όταν είχαν πεθάνει πια και η Ραλλού και ο Αναστάσης.

Προτού όμως γαληνέψουν τα πράγματα και πάρει ο Λάμπρος το δρόμο του γυρισμού για τη Θράκη, κάποιοι άλλαξαν την πορεία του – με τη συγκατάθεσή του, φυσικά. Ταξίδι πιο μακρινό και πιο πικρό, πάνω ψηλά προς την Τασκένδη.

Παράλληλα, του έδωσαν και πληροφορίες για τα «κατορθώματα» του Αναστάση στον Εμφύλιο.

Κανείς δεν έμαθε στο αρχοντικό, κανείς δεν άκουσε τι συνέβη πραγματικά στον Λάμπρο. Τον ξέχασαν και τον ξέγραψαν, όπως και την Ευδοκία.

Μετά τη βαριά ταπείνωση από την πεθερά της, κάτι άλλαξε μέσα της. Άρχισε να αναλογίζεται το λάθος της... Τότε θέλησε να φύγει από το σπίτι και ζήτησε από τον Γιαννακό να πάνε να μείνουν μόνοι. Δεν της το αρνήθηκε. Μ' αυτή την αφορμή, έγινε άλλη μια φασαρία στο σπίτι του Ιωσηφίδη και τους πέταξαν έξω.

Μπερδεμένος έρωτας, τους μπέρδεψε όλους.

Κουβάλησαν τα απαραίτητα σε μια δίπατη αποθήκη έξω από το χωριό. Μέσα στα στοιβαγμένα καπνά έστησαν το νοικοκυριό τους.

Από τότε δεν υπήρξε τίποτα στη ζωή της Ευδοκίας που να μισήσει τόσο όσο τη μυρωδιά του καπνού. Κι όταν έβλεπε άνθρωπο να καπνίζει, γύριζε τα μούτρα της και έφευγε.

Έμειναν εκεί δυο χρόνια ώσπου ήρθε το κακό· και έμειναν και τ' άλλα...

Νύχτα βαθιά και άγρια από την καταιγίδα. Κεραυνοί όργωναν τον ουρανό και σημάδευαν άψυχα και ζωντανά. Σημάδι ένας απ' αυτούς έβαλε το ηλικιωμένο ζευγάρι. Η αγκαλιά τους έγινε θάνατος ξαφνικός. Καμένους βρήκαν και τους δυο γονείς του Γιαννακού πάνω στο κρεβάτι. Ίσως αυτό έκανε για χρόνια πολλά την Ευδοκία να τρέμει κάθε καταιγίδα. Ακόμα κι όταν μεγάλωσε η Ανατολή, έτρεμε το φυλλοκάρδι της μη βρεθεί η κόρη της κοντά σε τέτοια αντάρα.

Ύστερα άλλαξαν πολλά για εκείνη και τον άντρα της. Δε θέλησε να πάει να μείνει στο σπίτι που καρβούνιασαν τα πεθερικά της. Εξάλλου, όση περιουσία έμεινε πίσω ήταν δεσμευμένη από τους καπνέμπορους που είχε συναλλαγές ο μακαρίτης Ιωσηφίδης. Κάτι λίγα χωράφια με καπνά τούς απόμειναν. Άπειρη απ' αυτά, δε δυσανασχέτησε και πήρε την απόφαση να μάθει την καλλιέργεια και όλα τα άλλα μέχρι να φτάσουν στις καπναποθήκες. Μάλιστα, έλεγαν πως η ποιότητα που φύτεψε ήταν από τις καλύτερες στην περιοχή και ποτέ δεν έμεναν απούλητα.

Από το ξημέρωμα ώσπου χανόταν το δείλι εκεί την έβρισκες. Κι όταν ερχόταν ο καιρός για το βελόνιασμα, το κρέμασμα στις λιάστρες ή το παστάλιασμα δεν έβγαινε από το σπίτι.

Όσο για τον Γιαννακό, άρχισε ν' αλλάζει σε πολλά. Όχι πως δεν την αγαπούσε την κόρη που έκλεψε, αλλά του μπήκε σατανάς μέσα του να γίνει σπουδαίος.

— Εγώ δεν έπαιρνα τα γράμματα να πάω πέρα από το σχολείο, σαν τον Ζήση... ξεστόμιζε αυτά τα λόγια από ζήλια για το φίλο του, που και δάσκαλος ήταν και γραμματέας· και όχι μόνο. Και για την Ευδοκία ήταν οι σπόντες – γιατί κι εκείνη είχε πάει γυμνάσιο και επιπλέον ήξερε γαλλικά και πιάνο.

— Εγώ σ' αγαπώ όπως και ό,τι να είσαι, απαντούσε και τον φιλούσε στο στόμα.

Έπαιρνε αφορμή αυτός και συνέχιζε με δόλο.

— Αν πήγαινες μέχρι την Αλεξανδρούπολη να σε συγχωρήσουν...

— Ξέχασέ το... του το αρνιόταν βουρκωμένη.

Λύσσαγε αυτός που δεν την έπειθε να επισκεφτεί το σπίτι της και τους δικούς της. Οι καβγάδες άρχισαν σιγά σιγά να πυκνώνουν μέχρι που αγρίεψαν μια νύχτα του Φλεβάρη.

— Θα πας και θα πεις κι ένα τραγούδι! Βάρεσε γροθιά στο τραπέζι ο Γιαννακός. Θέλω να προχωρήσω στη ζωή μου και χρειάζομαι λεφτά και υποστήριξη!

— Δεν μπορώ να χτυπήσω την πόρτα τους! Ξεχνάς πως έφυγα στα κρυφά μαζί σου; Πως τους ρεζίλεψα;

— Πέρασαν αυτά! Μάνα σου είναι, θεια σου είναι! Τι θα σε κάνουνε δηλαδή; Στεφανωμένη σ' έχω!

—Καλύτερα να πεθάνω! Τέτοια ντροπή δεν την αντέχω!

Τα δάχτυλά του κόλλησαν στο πρόσωπό της με δύναμη. Τούφα απ' τα μαλλιά της έμειναν στα χέρια του. Το αίμα στα χείλη της, άλικο, σαν εκείνα, κύλησε ως το λαιμό. Ένα κουβάρι το κορμί της, κούρνιασε πάνω στα ξύλα καθώς άνοιξε την πόρτα και την πέταξε έξω. Άνθρωπος δεν περνούσε να τη λυπηθεί. Σύρθηκε σαν το σκυλί μπροστά στο σπίτι. Η παγωνιά τής νάρκωσε τον πόνο.

Η νύχτα από ώρα είχε κατεβεί στη γη και ο Ζήσης δεν είχε ύπνο. Έστριψε πέντε τσιγάρα, τα έβαλε στην τσέπη και βγήκε να περπατήσει στο σοκάκι που ασήμωνε η πανσέληνος.

Τέτοιες ώρες τον έπιανε η νοσταλγία για την Ευδοκία. Τέτοιες ώρες ήθελε να την έχει δική του. Να της μιλάει και να της διαβάζει τα ποιήματα που έγραφε για κείνη. Να ξεδιπλώνει στα πόδια της λόγια που μόνο αυτός ήξερε τόσο καλά να λέει. Να σφίγγει στα δάχτυλά του τα δικά της για να μαντέψει πώς κι από πού βρέθηκε εδώ για να τον αναστατώνει. Τι μεταξωτά και τι βελούδα την άγγιζαν προτού τη βάλει ο Γιαννακός να καλλιεργεί καπνά. Φαινόταν η καταγωγή της... Ήταν αλλιώς μεγαλωμένη.

Περπατούσε δίχως προορισμό. Είχε καπνίσει ήδη τρία τσιγάρα. Άναψε το τέταρτο και φύσηξε ψηλά να στείλει τους κύκλους του καπνού στο φεγγάρι. Βούρκωσαν τα μάτια του και δεν είδε το πεσμένο σώμα στο χιόνι. Ο αναστεναγμός τού φάνηκε γνωστός. Κοίταζε άλαλος, μπροστά στα πόδια του, την Ευδοκία και δεν μπορούσε να κουνηθεί. Στο δεύτερο αναστεναγμό έπαθε πανικό. Έσκυψε πάνω της κι άπλωσε το χέρια του στο πρόσωπό της. Είδε το αίμα και γύρισε το βλέμμα στην αποθήκη. Τα φώτα ήταν σβηστά.

— Ο Γιαννακός; ρώτησε με τρεμουλιαστή φωνή σαν να μην ήθελε να το πιστέψει.

— Ναι... βγήκε με κόπο η φωνή και λιποθύμησε.

Με γρήγορα βήματα, κι ας ήταν το φορτίο βαρύ στην αγκαλιά του, πήγε την Ευδοκία σπίτι του. Από εκεί και πέρα ήταν δουλειά της μάνας του, της Μακρίνας.

Αφού τον καθησύχασε πως όλα θα πάνε καλά, άνοιξε οργισμένος την πόρτα και έφυγε προτού προλάβουν να τον πάρουν είδηση οι δυο γυναίκες.

Με κλοτσιές χτυπούσε την πόρτα. Και μόλις πρόβαλε ο Γιαννακός, έπεσε επάνω του να τον κατασπαράξει. Πάλεψαν σαν λιοντάρια οι δυο άντρες. Ακούστηκαν λόγια βαριά ανάμεσά τους. Ξεχάστηκαν στιγμές που σφράγισαν την παιδική φιλία.

— Θα σε σκοτώσω! Πρόσβαλες ό,τι αγαπώ περισσότερο στη ζωή μου!

Τα μάτια του Γιαννακού γυάλισαν από θυμό και ζήλια. Αυτό δεν το είχε υπολογίσει. Δεν το είχε υποψιαστεί. Τον έπιασε από το λαιμό και τον απείλησε με τη σειρά του:

— Αν την πλησιάσεις ξανά ή της μιλήσεις, εσύ θα μπεις πρώτος στο λάκκο!

Έπειτα απ' αυτό τον καβγά δε βρέθηκαν για πολύ καιρό. Έβαλε, μάλιστα, και όρο στην Ευδοκία να κάνει το ίδιο. «Δε θα τον ανταμώσεις και δε θα έχεις κουβέντες μ' αυτόν και τη μάνα του! Πρόδωσε τη φιλία μας!» της τόνισε άγρια ο Γιαννακός, όταν γύρισε αργά το απόγευμα η Ευδοκία από το σπίτι του Ζήση.

Πλησίαζε στην αποθήκη και λύγιζαν τα γόνατά της από το φόβο. Δεν είχε πού να πάει κι ας επέμενε τόσο η κυρα-Μακρίνα πριν από λίγο...

— Μείνε, κόρη μου, εδώ κι απόψε μέχρι να του περάσει...

— Δε θέλω να συνεχιστεί η οργή του. Τον αγαπώ και είναι άντρας μου, ομολόγησε με πόνο η Ευδοκία. Εκεί είναι το σπίτι μου, πού αλλού να πάω;

Βρήκε την ευκαιρία η μάνα του Ζήση και, πες πες με τη γλύκα της, κατάφερε να της βγάλει από μέσα της από ποια οικογένεια κρατούσε και από πού ερχόταν.

Έμεινε άφωνη η γυναίκα όταν άκουσε τα πλούτη και τα καλά που άφησε πίσω της, στον Έβρο, για να κλεφτεί με τον Γιαννακό! Της ορκίστηκε, βέβαια, πως δε θα έβγαζε κουβέντα παραπέρα για όλ' αυτά. Ούτε στο γιο της κι ας είχε καταλάβει καιρό τώρα πως είχε λαβωθεί από έρωτα για την όμορφη κοπέλα.

Κύλησε έτσι κάποιος καιρός και η παγωμάρα ανάμεσα στους δυο φίλους άρχισε να σχολιάζεται σε όλο το χωριό χωρίς να ξέρουν την αιτία. Απ' την άλλη, η Ευδοκία δεν έβγαινε από το σπίτι παρά μόνο με τον άντρα της κι αυτό για να πάνε και να έρθουν στα χωράφια. Τι γινόταν ανάμεσά τους κανένας δεν έπαιρνε είδηση. Ακόμη και η κυρα-Μακρίνα έλιωνε από την αγωνία της. Όποιον τρόπο κι αν σκεφτόταν, δεν μπορούσε να μάθει πώς περνούσε το ζευγάρι.

Τις ώρες που έμεναν στο σπίτι, και ήταν τόσο λίγες, έμοιαζαν με φυλακή για την ερωτευμένη γυναίκα. Πουθενά δεν την πήγαινε· μονίμως ήταν κλειδωμένη μέσα. Κι αν χρειαζόταν, δίπλα της αυτός, μην τυχόν και ρίξει ματιά αλλού ή πει κουβέντα. Μπορεί να έζησε όσα έζησε εκείνο το βράδυ, αλλά η αγάπη της για τον Γιαννακό δε σταμάτησε να την καίει... Πέντε κουβέντες αντάλλαζαν, όσες χρειάζονταν για να πουν δυο πράγματα για τα καπνά.

Τις άλλες, αυτός έμπαινε στο λεωφορείο και έφευγε μια για την Καβάλα, μια για την Ξάνθη και άλλοτε για τη Χρυσούπολη. Διπλοκλείδωνε την πόρτα και έβαζε στην τσέπη το κλειδί. Βρήκε εύκολα και τη δικαιολογία, γιατί το έκανε αυτό, και της έριχνε στάχτη στα μάτια. «Ζηλεύω και θέλω να είμαι ήσυχος...»

Ξημερώματα γύριζε πίσω. Ιδίως όταν υπήρχαν πανηγύρια στα γύρω χωριά, επέστρεφε με τις τσέπες άδειες. Οι τραγουδίστριες του τα 'τρωγαν, οι λοταρίες ή οι παπατζήδες – λογαριασμό δεν έδινε. Έτσι έγινε η αρχή για να παίζει κάθε σοδειά από τα καπνά στα χαρτιά.

Τα καταλάβαινε όλα, η καψερή, αλλά έδινε τόπο στην οργή μη γίνει πάλι φασαρία.

Μετά άρχισε άλλο βιολί ο Γιαννακός.

—Θα φύγω...

—Να πας πού;

—Στο διάολο! Όπου με βγάλει! Χρειάζομαι λεφτά!

—Καλά τα βολεύουμε... Αγαπιόμαστε κιόλας... Πάντα έλπιζε η Ευδοκία πως μέσα του μπορεί να την αγαπούσε ακόμη.

—Δε ζει ο άνθρωπος μόνο με αγάπη.

—Αλλιώς μου τα έλεγες, Γιαννακέ μου, προτού κλεφτούμε!

—Σκάσε! Δε θα μου πεις εσύ τι έλεγα και τι θα πω!

Μάζευε κι αυτή τα λόγια της και κατέβαζε το κεφάλι. Δεν είχε από πού να κρατηθεί, έτσι που την έμπλεξε ο αλόγιστος έρωτας της νιότης.

Γκρίνια στην γκρίνια, δεν τα έβγαζε πέρα με τον άντρα της. Έτσι, ένα πρωινό, αναγκάστηκε να συμφωνήσει μαζί του. Θα πήγαινε να δοκιμάσει την τύχη και την εξυπνάδα ως την Καβάλα.

—Για πού, Γιαννακέ, με δυο βαλίτσες; τον ρώτησαν συγχωριανοί το πρωί, ενώ έπαιρνε το πρώτο λεωφορείο.

—Στην πόλη! κορδώθηκε με το ψέμα του. Με κάλεσαν για συνεργασία παλιοί φίλοι του πατέρα μου, καπνέμποροι!

—Και η γυναίκα σου; Όμορφη, νέα... Μόνη; του κόλλησε κάποιος.

— Εγώ ξέρω τι γυναίκα παντρεύτηκα...

— Εσύ... Εμείς... συνέχισε τα υπονοούμενα ο άλλος. Κι εκεί που περίμεναν να του δώσει μια γροθιά στα μούτρα, άρχισε να γελάει ο ηλίθιος μαζί τους.

Η κατάσταση ήταν δύσκολη για την Ευδοκία όταν έμεινε μόνη. Σούσουρο έγινε στο χωριό πως δεν τα πήγαινε καλά το ζευγάρι. Δεν τολμούσε να περάσει ούτε ένα μέτρο από άντρα κι έπεφταν οι σπόντες. Έτσι αναγκαζόταν να φεύγει προτού ξημερώσει για τα χωράφια· μην τη δει ανθρώπου μάτι. Και όταν τελείωνε, περίμενε να πέσει η νύχτα. Κόντευε να στοιχειώσει στη μοναξιά της, αλλά πάλι παράπονο δεν ξεστόμιζε στον Γιαννακό.

Πρώτη δουλειά που βρήκε ήταν καπνεργάτης. «Καλύτερα ν' αρχίσω έτσι», υπολόγισε, «και μετά προχωρώ και για καπνέμπορος!» Το στάδιο του καπνομεσίτη απέφευγε και να το σκεφτεί – κατευθείαν για τα ψηλά.

Η νονά του, που ήταν και θεία του Ζήση, είχε ένα δωμάτιο εκεί στη συνοικία, στα Πεντακόσια. Την έπεισε ο δάσκαλος να το παραχωρήσει στον Γιαννακό, χωρίς να ξέρει τίποτα εκείνος για τη μεσολάβηση του φίλου του.

Ο Ζήσης καταλάβαινε πως είχαν αλλάξει πολλά ανάμεσα στο ζευγάρι. Πίστεψε, λοιπόν, πως με την αναχώρησή του θα ησύχαζε για λίγο η Ευδοκία απ' αυτόν το βραχνά. Μπορεί να είχε και την ελπίδα πως μια μέρα θα έβλεπε με ποιον είχε μπλέξει και θα ξεκαθάριζε η κατάσταση για να την κάνει δική του.

Στο μεταξύ, τα πράγματα κάπως είχαν ηρεμήσει. Σταμάτησε να της ζητάει να πάει στο αρχοντικό για να διεκδικήσει την προίκα της. Έλιωνε από τη ζήλια και την αγωνία εκείνη για το τι έκανε στην πόλη ο άντρας της, αλλά και πάλι δεν τολμούσε να το εξομολογηθεί ούτε στον εαυτό της. Το μυαλό της ήταν καρφωμένο στο απόγευμα του Σαββάτου που θα γύριζε ο Γιαννακός της. Ξεχνούσε τι τραβούσε μέρα νύχτα τυλιγμένη στη μυρωδιά του καπνού. «Αυτή τη φορά μπορεί να μ' αγαπήσει πάλι», έλεγε από μόνη της και έβαζε τα δυνατά της να γίνει πιο όμορφη και να βρεθεί στην αγκαλιά του.

Ψυχρός κι απόμακρος αυτός. Το πρώτο που έκανε, μόλις έφτανε στο σπίτι, ήταν να ρωτήσει πόσα ξόδεψε και πώς, κι έπειτα την ξεγελούσε πάντα με τις ίδιες λέξεις: «Λίγα χρόνια θα δουλέψω έτσι. Μετά έχω σχέδιο μεγάλο, Ευδοκία μου! Εσύ μη σηκώνεις κεφάλι από τα καπνά μας και θα δεις... Άσ' τα όλα σε μένα!»

Τα άφηνε, λοιπόν, και ξεχνούσε, πιστεύοντας πως μέσα στο σχέδιό του ήταν κι εκείνη. Η ευτυχία της κρατούσε μέχρι την Κυριακή το βράδυ που έπαιρνε πάλι ο Γιαννακός το τελευταίο λεωφορείο για την Καβάλα.

Ανάσταση ήταν. Όλο το χωριό είχε μαζευτεί στην πλατεία της εκκλησίας. Το ζευγάρι έκανε να φανεί στον κόσμο ένα χρόνο. Τα μάτια των συγχωριανών καρφώθηκαν επάνω τους. Ψίθυροι ακούγονταν παντού. Ο Ζήσης διάβαζε εκείνη την ώρα τον *Απόστολο*, δίπλα στον παπά, και κόλλησε στην ίδια λέξη. Δεν πίστευε στα μάτια του. Ένα αγκάθι σκάλισε την καρδιά του, μήπως ήταν όλα μέλι γάλα ανάμεσα στην Ευδοκία και τον Γιαννακό.

Το *Χριστός Ανέστη* μπερδεύτηκε με τον ήχο της καμπάνας. Κι έτσι, μόνο εκείνος και η μάνα του είδαν το δυνατό φιλί που έδωσε επιδεικτικά ο άντρας στη γυναίκα εκείνο το χαρμόσυνο βράδυ. Σαν πάγος που τον τσακίζεις με δυνατό σφυρί έσπασε και η σιωπή ανάμεσα σε όλους. Χαιρετίσματα και ευχές έφεραν την κατάσταση σαν να μην είχε συμβεί τίποτα. «Από το μεγάλο έρωτά τους, καλέ, κρυφτήκανε τόσο καιρό...» είπε μια γριά και έκλεισε το μάτι πονηρά στις πιο νέες.

Λίγο η αναστάσιμη γιορτή, λίγο οι κοινές γνωριμίες έφεραν κοντά τον Ζήση, τον Γιαννακό και την Ευδοκία.

Πλησίασε και η κυρα-Μακρίνα και πήρε και ένωσε τα χέρια τους βουρκωμένη.

—Ανάσταση στις καρδιές σας... Χριστός Ανέστη!

—Αληθώς! ευχήθηκε και η Ευδοκία συγκινημένη.

—Ξεχασμένα όλα... Αφήστε το θυμό...

—Γεια σου, Γιαννακέ, έκανε πρώτος την αρχή ο δάσκαλος, έτοιμος να σωριαστεί σαν άκουσε τη φωνή της Ευδοκίας.

—Γεια σου κι εσένα... είπε και ο άλλος κι έφυγαν παρέα, μετά την πρόσκληση της Μακρίνας να φάνε όλοι μαζί τη ζεστή της μαγειρίτσα.

Από εκείνο το βράδυ άρχισε δειλά δειλά η Μακρίνα να πηγαίνει να βλέπει την Ευδοκία. Ο Ζήσης δεν τόλμησε. Όσο για τον Γιαννακό, καρφί δεν του καιγόταν.

Κόντευαν τρία χρόνια παντρεμένοι και παιδί δε φούσκωνε την κοιλιά της.

«Είναι από την ταλαιπωρία και τα όσα πέρασες...» την παρηγορούσε με λόγια και χάδια ο Γιαννακός που τελευταία είχε αλλάξει.

Κι αυτό δεν το πήρε είδηση, πως θέατρο έπαιζε ο άνθρωπος. Εδώ και καιρό, κρυφά μες στη νύχτα, ανηφόριζε προς τη συνοικία του Αγίου Παύλου – στο πλούσιο σπίτι του καπνέμπορου που ήταν και αφεντικό του. Εκεί την κεράτωνε. Εκεί μεθούσε από τον έρωτα της γυναίκας του καπνέμπορου. Τρελή και παλαβή αυτή, μόλις ξεμάκραινε από την Καβάλα ο άντρας της –που την περνούσε και τριάντα χρόνια– έμπαζε στο σπίτι τον Γιαννακό. Είχε ξεμυαλιστεί με τα νιάτα και το δυνατό κορμί του.

Η γνωριμία τους έγινε μια παραμονή Πρωτοχρονιάς. Κατηγορούσαν τον καπνέμπορο για πολύ τσιγκούνη. Μια βδομάδα πριν είχε δει και άσχημο όνειρο που το ερμήνευσε η γυναίκα του, λέγοντας πως αν δε μοιράσει στους φτωχούς λεφτά μπορεί και να πεθάνει. Έτσι της είπε να ετοιμάσει γιορτή στο καπνομάγαζό του.

Παραξενεύτηκαν, βέβαια, οι καπνεργάτες και πήγαν όλοι. Πρώτος και καλύτερος ο Γιαννακός. Μάτι δεν ξεκόλλησε από τη γυναίκα με το κόκκινο ταγέρ και το λευκό γούνινο παλτό στην πλάτη. Φαινόταν καμιά δεκαριά χρόνια μεγαλύτερή του, στρουμπουλή και τσαχπίνα. Όση ώρα έβγαζε λόγο ο καπνέμπορος, να οι κλεφτές ματιές, να τα χαμόγελα στον ξανθό άντρα με τα γαλάζια μάτια. Κι όταν αυτός κέρδισε το φλουρί της πίτας, πλησίασε με ύφος...

—Συγχαρητήρια για την τύχη σας! Είμαι η κυρία καπνεμπόρου! συστήθηκε αμέσως και δεν άφηνε το χέρι της από το δικό του, περιμένοντας τα παρακάτω.

—Ευχαριστώ... Καλή χρονιά να έχετε! είπε περήφανος και τότε κατάλαβε το νόημα που του έκανε και δεν έλεγε να ξεκολλήσει το χέρι της από το δικό του.

— Μια που είστε ο τυχερός, ελάτε μια μέρα και από το σπίτι. Το όνομά σας;

— Γιαννακός, κυρία... Ιωσηφίδης.

Θεώρησε πως, μαζί με το φλουρί, του ήρθε και το ανέλπιστο τυχερό. Άρπαξε, λοιπόν, την ευκαιρία. Η πρώτη επίσκεψη στο σπίτι της ήταν τυπική. Η δεύτερη και όσες ακολούθησαν μετά την έριξαν γρήγορα στην αγκαλιά του. Δεν είναι πως την ερωτεύτηκε· κολακεύτηκε από το δικό της έρωτα και τα δώρα που τον γέμιζε. «Εδώ είναι το μέλλον μου», συλλογιζόταν κι έτσι προχώρησε την ιστορία.

Εκείνο το δωμάτιο στα Πεντακόσια απόκτησε όλα τα καλά. Τα δέκα τετραγωνικά δε χωρούσαν έπιπλα, κοστούμια, πουκάμισα και σκαρπίνια. Όσο για τα χρυσαφικά, τον στόλισε με καδένα στο λαιμό, δαχτυλίδι με μπλε πέτρα στο δεξί χέρι και αναπτήρα χρυσό! Άλλο να τα βλέπεις κι άλλο να σ' τα λέει ο άλλος. Τα καλύτερα· από μαγαζιά της Θεσσαλονίκης!

Πρώτη στήθηκε η καινούρια παγωνιέρα.

— Κουράζεσαι, αγόρι μου. Γεμίζουν τα πνευμόνια σου κάπνα. Να δροσΐζεσαι τουλάχιστον! Έφερε και μπουκάλια με βυσσινάδα. Απ' τα χεράκια μου, να σε γλυκάνω!

— Γι' αυτό σ' αγαπώ! Ξέρεις τι θυσιάζω εγώ για σένα; Δεν εξηγούσε βέβαια τις θυσίες του, αλλά ούτε που ένοιαζε την καπνεμπόρισσα. Ξετρελαμένη ήταν μαζί του.

Πολλές προσφορές η κυρία. Μέσα σ' όλα, πλήρωνε με το μήνα τις κολόνες του πάγου στο κοντινό μαγαζί. Και να 'ταν μόνο αυτά; Κάθε δεκαπέντε ξοφλούσε το τεφτέρι με τα ψώνια του στο μπακάλικο της γειτονιάς. Τα ήξεραν και τα έβλεπαν οι γείτονες, αλλά πού να τολμήσουν να βγάλουν άχνα.

Δύσκολα χρόνια εκεί στις αρχές της δεκαετίας του '50. Κοίταζαν όλοι τα βάσανα και τη φτώχια τους. Ακόμη και δυο καπνεργάτες από εκεί κοντά που δούλευαν στο ίδιο καπνομάγαζο με τον Γιαννακό, δεν τολμούσαν να κάνουν σχόλιο όταν, τυχαία στο διάβα τους, έπεφταν πάνω στην καπνεμπόρισσα. Έσκυβαν το κεφάλι, σαν να μην την ήξεραν, και συνέχιζαν τη διαδρομή τους.

Τα είχε κανονίσει μια χαρά με τον άντρα της που είδηση δεν έπαιρνε γι' αυτή την ιστορία. Εξάλλου, τις περισσότερες φορές, πήγαινε εκείνη και τον συναντούσε στα Πεντακόσια. Τον περίμενε με μοσχοσάπουνα και αρώματα να βγάλει από το σώμα του τη βρομιά από τον καπνό. Μετά τον έτριβε με λάδι που είχε μέσα λεβάντα και χαμομήλι. Και όσο τα δάχτυλά της ανεβοκατέβαιναν στο μυώδες κορμί του τόσο αναστέναζε από τη φωτιά που την έκαιγε για τούτο τον άντρα... Κι όταν αυτός γύριζε και την άρπαζε στα δυνατά του χέρια, τότε, ό,τι κι αν της ζητούσε, το είχε την άλλη μέρα. Ιδίως λίρες. Ναι, αυτό ήταν το πάθος

47

του· να μαζεύει λίρες! Κάθε δώρο της ερωτευμένης γυναίκας συνοδευόταν κι από μία ή δύο λίρες. Τα μάτια του έπαιρναν γυαλάδα σαν του χρυσού που κρατούσε στα χέρια.

Για να συνέλθει από το πάθος του αυτό πάντα έκανε μια χαρακτηριστική κίνηση: σάλιωνε και έγλειφε με ικανοποίηση το λεπτό μουστάκι που είχε αφήσει τελευταία. Μετά με δυο τρεις κινήσεις το στέγνωνε με το δείκτη κι ύστερα απαντούσε στην αγωνία της γυναίκας: «Έχω το λόγο μου που σου ζητάω χρυσάφι, ψυχή μου. Αν μια μέρα φύγουμε από 'δώ, για να κρύψουμε αλλού τον έρωτά μας, θα μας χρειαστεί».

Άλλη κοροϊδία και σ' αυτή, μετά την Ευδοκία. Πάντως, και στις δυο, έταζε αλλιώτικη ζωή με αγάπη κι ευτυχία. Το 'χε βάλει σκοπό να φύγει μακριά μια μέρα, και από γυναίκα και από ερωμένη. Και δεν άργησε να γίνει αυτό όταν έμαθε το νέο. Μόνο που δεν τα μέτρησε σωστά...

Γι' άλλη μια φορά άλλαξαν όλα στη ζωή της. Η μυρωδιά του καπνού άρχισε να της φέρνει ανακάτεμα και ζάλη. Δεν πήγε το μυαλό της εκεί που έπρεπε να πάει... Ωστόσο, το ανέφερε στη μάνα του Ζήση, η μόνη που της στεκόταν σαν δικός της άνθρωπος.

«Καλέ, είσαι έγκυος εσύ!» βρήκε αμέσως την αιτία.

Έπειτα μίλησαν σαν γυναίκες και για τα υπόλοιπα και σιγουρεύτηκαν προτού η Ευδοκία το πει στον Γιαννακό.

Ο πρώτος που το άκουσε ήταν ο δάσκαλος. Έμπαινε στο σπίτι από το σχόλασμα του σχολείου, την ώρα που η μάνα του αναφωνούσε τα καλά νέα στην Ευδοκία. Σαν να κιτρίνισε λίγο, έσκυψε και το κεφάλι, αλλά αλλού το απέδωσαν οι δυο γυναίκες.

— Δεν είναι ντροπής πράγματα αυτά, γιε μου! Στεφανωμένη είναι η κοπέλα και έστειλε ο Θεός το δώρο του στο ζευγάρι!

— Ναι... Ναι... ψέλλισε εκείνος και μετά, χωρίς να κοιτάξει στα μάτια την Ευδοκία, συμπλήρωσε: Συγχαρητήρια και με το καλό!

Εκείνη τη στιγμή, καλύτερα να τον κατάπινε η γη. Ως και τα βιβλία Ιστορίας που κρατούσε έπεσαν από τα χέρια του.

— Δε θέλω να το μάθει από σένα ο άντρας μου... είπε γρήγορα, μην προλάβει ο φίλος του το χαρούμενο μυστικό.

Εκείνη ήθελε να δει τα γαλάζια του μάτια να λάμπουν από χαρά καθώς θα του μιλούσε για το παιδί που περίμενε.

— Δεν είναι κουβέντες για άντρες αυτά... παρατήρησε η Μακρίνα. Μείνε ήσυχη. Μπορεί να αγαπάει το φίλο του, αλλά αγαπάει κι εσένα.

Για άλλου είδους αγάπη μιλούσε, φυσικά, η γυναίκα. Γιατί έβλεπε πως τώρα η ελπίδα για τον ερωτευμένο γιο της ξεμάκραινε πολύ και φοβόταν μην κάνει καμιά τρέλα.

Ήρθε, όμως, κάποτε ο καιρός για το δάσκαλο να της το ομολογήσει. Και τότε άλλαξαν πάλι πολλά στη ζωή της Ευδοκίας και όχι μόνο... Ήταν και η Ανατολή που γεύτηκε αυτές τις αλλαγές – την αγάπη και την αφοσίωση που έδειξε ο δάσκαλος και στις δυο.

Κανόνισε να είναι τακτοποιημένα όλα στο σπίτι εκείνο το σαββατόβραδο. Έτριψε και γυάλισε τις δυο κάμαρες. Μαγείρεψε και το καλύτερο φαγητό – κοτόπουλο με μπάμιες, το αγαπημένο του. Φόρεσε το νυφικό της – καλό φουστάνι δεν της είχε πάρει τόσα χρόνια. Τέντωνε βέβαια επάνω της, αλλά τύλιξε ένα σάλι στους ώμους της και έκρυψε την ατέλεια. Σήκωσε ψηλά κοτσίδα τα μαύρα της μαλλιά κι έβαλε τα νυφικά παπούτσια. Στενά τής ήταν κι αυτά, τα είχε γεμίσει όμως από το πρωί με βρεγμένα χαρτιά να ξεχειλώσουν λιγάκι. Σαν νιφάδα του χιονιού φάνταζε μέσα στο χειμώνα. Δε χρειάστηκε να βάλει άλλο στολίδι, γιατί και αυτά μόνο την έκαναν πιο όμορφη από ποτέ. Έτριψε καλά καλά, με λεμόνι, τα δάχτυλά της που είχαν πάρει χρώμα σκουριάς από τα καπνά. Ακόμη κι εκείνη τη στιγμή δε θυμήθηκε πως αυτά τα κρινένια δάχτυλα κάποτε γλιστρούσαν πάνω στα πλήκτρα του πιάνου, εκεί στο αρχοντικό της. Τόση τύφλα από τον έρωτα! Έβαλε και μπόλικο άρωμα βαρύ, να φύγει η μυρωδιά του καπνού από εκεί μέσα. Της το είχε φτιάξει η κυρα-Μακρίνα. «Ειδική κατασκευή για την περίπτωσή σου!

51

Γιασεμί, τριαντάφυλλα και κρίνα... Μ' αυτό μπορείς να μεθύσεις σαν σειρήνα τον άντρα!»

Προκομμένη γυναίκα σε όλα, έφτιαχνε μόνη της και αρώματα. Δεν άντεχε να μυρίζει τις γυναίκες σαν να ήταν ζωντανά τσιγάρα. Πού τις έβρισκε τις συνταγές; Αυτή, βέβαια, έλεγε πως ήταν της γιαγιάς της, που καταγόταν από τη Ρωσία. Δεν ήθελε να αποκαλύψει πως μια μέρα που βρέθηκε στην Ξάνθη μαζί με τον Ζήση –ο δάσκαλος έψαχνε σ' ένα παλαιοπωλείο για παλιά ιστορικά βιβλία– βρήκε κι αυτή ένα με κιτρινισμένες σελίδες που έγραφε στο εξώφυλλο: *Συνταγές Αρωματοποιίας & Καλλωπισμού του Φαρμακοποιού Χρύσανθου Ιωαννίδη.* Ήταν γραμμένο σε άπταιστη καθαρεύουσα και δυσκολεύτηκε να το διαβάσει. Τα γράμματα τα είχε μάθει σιγά σιγά από το γιο της. Εδώ όμως δεν καταλάβαινε τα «καθαρευουσιάνικα», όπως έλεγε. Έσκασε, λοιπόν, τον Ζήση μέχρι να της τα εξηγήσει. Πήρε και ένα τετράδιο καπλαντισμένο κι άρχισε την έρευνα!

Πρώτα φύτεψε σε γλάστρες όλων των ειδών τα λουλούδια. Τι μενεξέδες, τι γαρίφαλα, τριαντάφυλλα, αγιόκλημα και γιασεμιά. Μέχρι που έβαλε νούφαρα ν' ανθίσουν σε μια στέρνα με νερό! Έπιασε με το καλό και τις γειτόνισσες, που είχαν λεμονιές και νεραντζιές, και είχε κι από 'κεί την προμήθειά της. Πήγε ήρθε στην Καβάλα να βρει και τα άλλα υλικά, όσα μπορούσε φυσικά.

Νευρίαζε τον Ζήση γιατί ξόδευε τα στυπόχαρτα που

είχε για τη μελάνη του. «Να τα σουρώνω πρέπει, βρε παιδάκι μου! Να παίρνω το απόσταγμα, γράφει!»

Επειδή, όμως, ήταν δύσκολο να κάνει όλες τις συνταγές, όπως έγραφε το βιβλίο, άρχισε τα δικά της παρασκευάσματα. Με το πρώτο που έφτιαξε αρωμάτισε το πουκάμισο του γιου της. Τρελάθηκε ο άνθρωπος από τη βαριά μυρωδιά... «Βρε μάνα, σαν κοκότα μυρίζω!»

Ένα μήνα έπλενε το πουκάμισο μα πού να ξεβρομίσει! Στο τέλος, το έκανε σφουγγαρόπανο και μοσχοβολούσε το σπίτι!

Θέλει αραίωμα με μπόλικο οινόπνευμα, σκέφτηκε και κουβάλησε την νταμιτζάνα. Από 'κεί και πέρα ανάρπαστα τα αρώματα της κυρα-Μακρίνας. Δύο δεκάρες πουλούσε το μπουκαλάκι κι έβγαζε και λεφτά. Μάλιστα, μια μέρα πειραματίστηκε και με τα φύλλα του καπνού· κι εκεί τα κατάφερε μια χαρά! Το άρωμα ταίριαζε πολύ στους άντρες.

Η Ευδοκία κάθισε και περίμενε, μετρώντας πόσες φορές μπήκε και βγήκε ο κούκος από το ξύλινο ρολόι στον τοίχο.

Ήρθε ο Γιαννακός από την Καβάλα και αμίλητος, για πρώτη φορά, πήγε ν' αλλάξει ρούχα και να πλυθεί. Ούτε που τη ρώτησε τι κάνει, πώς πέρασε η βδομάδα της, πώς πήγαν τα καπνά του.

Απόρησε που φερόταν έτσι, αλλά κουβέντα δεν είπε. Έφαγαν, ήπιαν και κόκκινο μπρούσκο κρασί, πάλι χωρίς λέξη.

Δεν τον παραξένεψε που φορούσε νυφικό μέσα στο Νοέμβρη. Δεν ανάσανε το βαρύ άρωμα. Ακόμα και για τα άσπρα παπούτσια της που είχε ώρα καρφωμένο επάνω τους το βλέμμα, λέξη δεν είπε. Σαν να βρισκόταν αλλού· σαν να ήταν μαγεμένος. Είδε και απόειδε η Ευδοκία και, την ώρα που άναβε τσιγάρο, άρχισε να του μιλάει δισταχτικά. Μην τον λαχταρήσει με το καλό νέο.

— Αν θες, Γιαννακέ μου, μην το ανάβεις... και συνέχισε βλέποντας την απορία του. Δεν αντέχω όχι μόνο αυτό, αλλά ούτε τη μυρωδιά στο χωράφι. Και πάλι δε μίλησε αυτός, μόνο τράβηξε δυο ρουφηξιές. Περιμένω παιδί, αγάπη μου...

Κατάπιε τον καπνό και πνίγηκε από την έκπληξη. Τα μάτια του πετάχτηκαν έξω από θυμό κι όχι από χαρά.

Εκείνη δεν το πρόσεξε και συνέχισε χαρούμενη και βουρκωμένη:

— Μου το επιβεβαίωσε και η κυρία Μακρίνα. Ξέρει αυτή...

Σηκώθηκε αμίλητος κι άρχισε να φέρνει βόλτες πάνω κάτω. Χάιδευε και ξαναχάιδευε με το δείκτη του το στεγνό μουστάκι. Πράγμα που δήλωνε δυσαρέσκεια, κι όχι χαρά, όπως όταν έβλεπε τις λίρες της καπνεμπόρισσας.

Τον κοίταζε κι έτρεμε όση ώρα κράτησε αυτό. Χοντρές σταγόνες άρχισαν να κυλάνε στο στήθος της από την αγωνία.

Και ξαφνικά τα μάτια του άστραψαν σαν γαλάζιος ουρανός που προμηνούσε μπόρα.

— Εγώ δεν το θέλω αυτό το παιδί... ούτε τώρα ούτε ποτέ! είπε αργά, με θυμό τις λέξεις και, έχοντας το κεφάλι κάτω, έκανε μεταβολή και πήγε προς την κάμαρά τους.

«Άρρωστος είναι ή τρελάθηκε», σκέφτηκε στα γρήγορα η Ευδοκία. Τινάχτηκε από τη θέση της και, καθώς έκανε το πρώτο βήμα, παραπάτησε, μπερδεύτηκε και σκίστηκε το άσπρο ρούχο. Σημασία δεν έδωσε. Πέταξε και τα νυφικά παπούτσια και τον ακολούθησε, τρεκλίζοντας, με τα λόγια του σταματημένα στο μυαλό της.

Στάθηκε στην πόρτα και της ήρθε κεραυνός. Δεν καταλάβαινε γιατί μάζευε τα κολλαριστά πουκάμισα, τις δύο καλές κόκκινες γραβάτες, τα γαμπριάτικα λουστρινένια παπούτσια κι έπειτα εκείνο το μπλε πουλόβερ – δώρο του Ζήση σε μια γιορτή του. Φανέλες και σώβρακα, ασπρισμένα όλα με αλισίβα και λουλάκι από τα καπνισμένα χέρια της, συμπλήρωσαν τον μπόγο πάνω στο κρεβάτι· ό,τι είχε αφήσει στο σπίτι τους να της κρατούν συντροφιά. Τ' άλλα τα είχε πάρει μαζί του στην Καβάλα.

Μετά, με μια κίνηση, εκείνος κατέβασε από τη δίφυλλη καρυδένια ντουλάπα τη μικρή, ακριβή δερμάτινη βαλίτσα. Σαν μπαουλάκι έμοιαζε με τα μπρούντζινα καρφιά της – δική της αυτή. «Ένας Εγγλέζος μου τη χάρισε προτού φύγει για τη Μέση Ανατολή!» είχε πει ο πατέρας της, όταν την είχε φέρει στο αρχοντικό τους. Την έκανε δώρο στην κόρη του.

Εκεί μέσα στην αρχή έβαζε τις κούκλες και τα παιχνίδια της. Αργότερα, σαν μεγάλωσε και γνώρισε τον Γιαννακό, άρχισε να μαζεύει πράγματα κρυφά για την ημέρα που θα κλεβόταν· μια πετσέτα, ένα νυχτικό, παντόφλες, δυο τσίτια, ένα σάλι μεταξωτό και άλλα. Η μοναδική της προίκα μαζί με τον έρωτά της... Τη φυλούσε σαν θησαυρό, τυλιγμένη σε καθαρό άσπρο σεντόνι, να προστατεύει τα όνειρα που κουβάλησε μαζί της.

Μανιακός να ήταν δε θα στοίβαζε τα ρούχα μέσα σ' αυτή με τέτοια γρηγοράδα. Το μυαλό της συνέχιζε να μην καταλαβαίνει. Ήταν πολύ βαρύ αυτό που έβλεπε και δεν ήθελε να το πιστέψει. Ο άντρας που αγαπούσε τόσο πολύ την άφηνε μόνη!

—Πού πας; ρώτησε με τρόμο.

Εκείνος αμίλητος, συνέχισε χωρίς να την κοιτάξει. Έκλεισε αργά το μπρούντζινο κλείδωμα και πήγε ν' αγγίξει το χερούλι.

—Φεύγω...

Τότε άλλαξε το σκηνικό. Η Ευδοκία πετάχτηκε σαν τρελή τραβώντας τα μαλλιά της. Σαν μανιασμένο ζώο όρμησε πάνω του να τον κατασπαράξει. Δάγκωσε τα χέρια του που κρατούσαν τη βαλίτσα. Την άρπαξε σαν λάφυρο από την άγρια μάχη...

—Άσ' την κάτω! Είναι δική μου! Δε θα φύγει από 'δώ μέσα!

—Ευδοκία... Τα έχασε από την αντίδρασή της και πήγε να την ησυχάσει.

—Τη θέλω εδώ, μαζί μου! Αυτός ετοιμαζόταν να την

εγκαταλείψει κι εκείνη του ζητούσε να μείνει η βαλί-
τσα; Άρχισε να πετάει και να ξεσκίζει με λύσσα ό,τι
ρούχο βρισκόταν μέσα. Εδώ μέσα είναι η ντροπή, η
αγάπη και τα όνειρά μου!

—Ευδοκία... επανέλαβε πάλι αυτός, το ίδιο σαστι-
σμένος.

—Δε θα κάνει άλλο ταξίδι! Τα μάτια της είχαν πετα-
χτεί σαν βόλια να τον κάψουν. Θα φύγει από 'δώ μόνο
με μένα. Τη δική μου υπόλοιπη ζωή θα κουβαλήσει!
Φύγε!

Δεν είπε άλλη λέξη ο Γιαννακός. Αν έμενε κι άλλο,
ίσως άλλαζε γνώμη. Τη μόνη δύναμη που είχε εκείνη την
ώρα, ήταν να κατεβάσει το κεφάλι και να φύγει χωρίς
αποσκευές· χωρίς τη γυναίκα που τον αγαπούσε τόσο.

Έκλεισε την πόρτα πίσω του κι εκείνη έκλεισε τη
βαλίτσα και την πήρε αγκαλιά. Τα δάκρυα ξεθώριασαν
το καφέ σκούρο δέρμα της. Τα λεκιασμένα από τον
καπνό δάχτυλα κόλλησαν πάνω στο μπρούντζινο χερού-
λι και άφησαν σημάδια που έμειναν για χρόνια επάνω.

Έμεινε έτσι, εκεί, για μια νύχτα και μια μέρα. Έκανε τη βαλίτσα ταξιδιάρικο σκαρί, όσο χωρούσε, ίσα ίσα, και μπήκε μέσα. Έκλεισε τα στεγνά μάτια κι έβαλε πλώρη για το ταξίδι στο όνειρο...

Ξεμάκρυνε το μικρό πλεούμενο από τα καπνοχώραφα. Μπήκε στο ποτάμι. Χωρίς πανιά και αέρα, αργά βούτηξε στο απέραντο γαλάζιο λιβάδι...

Η αύρα είχε θαλασσινή μυρωδιά κι όχι του καπνού που μισούσε τόσο. Αλμύρα και ήλιος τύλιξε το ερωτευμένο κορμί στη μοναξιά του. Κυλούσε η βάρκα στο νερό χωρίς να την ταράζει φουρτούνα... Γέμιζε η ψυχή της δροσιά και γαλήνη. Χάιδευε το κύμα σαν να χάιδευε τον Γιαννακό της. Έπινε τον αφρό σαν να έπινε τα φιλιά του. Γλυκά τραγουδούσε στα πουλιά, που συνόδευαν το ταξίδεμά της. Τραγούδι για το παιδί που κουβαλούσε στην κοιλιά της. Κοίταζε πέρα μακριά και στεριά δε φαινόταν. Κανένα λιμάνι δεν υπήρχε για κείνη ν' αράξει τη βαρκούλα.

Ήταν ευτυχισμένη εκεί και αφέθηκε στη θάλασσα να την πάει όπου θέλει...

Αστέρια βούτηξαν στο νερό, μα δεν τα είδε να κάνει την ευχή της. Η νύχτα προχωρούσε κι άφηνε το φεγγάρι να μαλώνει με τον ήλιο που ήρθε η ώρα του να ζεστάνει τη γη.

Τέντωσε το κορμί της μα δε χωρούσε. Άπλωσε τα πόδια και τα έκανε κουπιά στο υγρό μονοπάτι. Σειρήνες και γοργόνες βγήκαν να τη συντροφεύουν μέχρι να έρθει βάλσαμο ο ύπνος. Για πρώτη φορά, ένιωσε το λάθος της που αγάπησε και πίστεψε τον Γιαννακό σε μια άλλη θάλασσα, εκεί στον Έβρο...

Ήταν αργά για τη συγχώρεση. Ήταν αργά για να γυρίσει πίσω στο αρχοντικό. Ν' αγκαλιάσει τη μάνα της που έλιωνε από τον πόνο, την ντροπή και τη νοσταλγία για τη μοναχοκόρη της. Είχαν περάσει χρόνια από τότε που τα μεταξωτά την τύλιγαν από την κορυφή ως τα νύχια.

Τα πρώτα δείγματα από το εργοστάσιο τα έβαζε επάνω της σαν νυφικά και την καμάρωνε ο πατέρας της. Ο Αναστάσης Σταύρου τη λάτρευε κι ας ζήλευε τόσο η θεια της η Σμαρώ, με τα σφιγμένα από κακία βαμμένα μπορντό χείλη...

Το τελευταίο μεταξωτό που φόρεσε ήταν μαύρο, τη μέρα της κηδείας του, δυο μήνες προτού γνωρίσει τον Γιαννακό· τον άλλο άντρα που πήρε τη θέση του πεθαμένου στην καρδιά της. Ίσως γι' αυτό θέλησε να φύγει έτσι στα κρυφά μαζί του, να κλείσει την απουσία.

Τα μάτια της, θολά από τη μνήμη, παιχνίδισαν τρομαγμένα από το δυνατό φως μπροστά της. Σήκωσε το κεφάλι και είδε το φάρο. Τότε κατάλαβε πως είχε φτάσει στην Αλεξανδρούπολη. Έμεινε άλαλη κι άργησε να φανεί το χαμόγελο από τη λαχτάρα. Χαμόγελο που είχε αφήσει ξεχασμένο εδώ από τη νιότη. Ο φάρος, ίδιος και κουρασμένος από τις κινήσεις που δεν άλλαξαν στο χρόνο, σαν να την περίμενε, σαν να καρτερούσε με υπομονή το γυρισμό της. Νόμισε πως της έκανε σινιάλο, πως σταμάτησε το φως του πάνω της λίγο περισσότερο απ' ό,τι έπρεπε να κάνει... Σηκώθηκε με σεβασμό και ντροπή πάνω στη βαλίτσα να τον ευχαριστήσει Έβγαλε το μαντίλι και τον χαιρέτησε. Τον ρώτησε αν είναι καλά. Αν όλοι είναι καλά στο αρχοντικό της. Εκείνος δεν απάντησε αμέσως. Γρήγορα τράβηξε το φως. Ήθελε να σκεφτεί, να ετοιμάσει τη συγγνώμη του... Καλό ή κακό σημάδι αναρωτήθηκε η Ευδοκία.

Έπειτα τη φώτισε ξανά, αλλά και πάλι δεν πήρε την απάντησή του. Κράτησε ώρα αυτό το παιχνίδι με το φάρο. Κι όσο κρατούσε, βρήκαν την ευκαιρία οι θύμησες, που είχε θάψει η αγάπη της για τον Γιαννακό, να της γεμίσουν μυαλό και καρδιά...

Είδε τον εαυτό της άγουρο κορίτσι ακόμα, να στέκεται βράδια καλοκαιρινά κάτω από το φάρο. Να ονειρεύεται στο φωτεινό του μονοπάτι μέσα στη μαύρη θάλασσα τον άντρα που θα την έκανε δική του... Μετρούσε λεπτό προς λεπτό το χρόνο που χρειαζόταν για να φτάσει η λάμψη του από τη μια άκρη του λιμανιού ως την άλλη.

Κι επειδή δεν είχε μιλιά, έκανε αυτή το καλωσόρισμα στα καράβια που έφταναν στην αγαπημένη πόλη. Κι όταν έπαιρναν το δρόμο του γυρισμού, αυτή πάλι τα κατευόδωνε δακρυσμένη.

Μεγάλη λύπη γέμιζε την ψυχή της κι έβρισκε παρηγοριά μόνο στη μεγάλη αγκαλιά του Αναστάση – με την υπόσχεση πως μια μέρα θα την ταξιδέψει μαζί του σε άγνωστα μέρη.

Το ταξίδι αυτό με τον πατέρα της δεν έγινε ποτέ. Κάθε φορά και μια δικαιολογία. Μόνος έφευγε, μόνος γυρνούσε κι εκείνη έμενε εκεί να περιμένει. Το ήξερε πως την αγαπούσε, αλλά δεν ήξερε πως αγαπούσε και κάθε όμορφη γυναίκα που έριχνε επάνω του το βλέμμα της στη βόλτα κάτω στην παραλία.

Το χέρι της Ευδοκίας κρατούσε σφιχτά. Σ' εκείνη έριχνε το χαμόγελο της περηφάνιας του που είχε κόρη ίδια στην κοψιά μ' αυτόν. Άργησε όμως να το καταλάβει. Στα πρώτα της χρόνια υπήρχε μεταξύ τους μεγάλη απόσταση· σαν παιδί δε γεύτηκε την αγάπη του.

Στα δεκατρία έγινε η αλλαγή χωρίς να της εξηγήσει... Ήταν τότε που αρρώστησε βαριά και είπαν πως θα πεθάνει. Έφερε γιατρούς και γιατροσόφια ως κι από τη Θεσσαλονίκη. Έταξε και πλήρωσε να κάνουν καλά την κόρη του.

Και όταν έγινε το θαύμα, πρώτη φορά πήγε και άναψε κερί σε εκκλησία, μόνος. «Θέατρο παίζει!»

είπε τότε η Σμαρώ από κακία. «Μην τον πιστεύεις, αδελφή!»

Στ' αλήθεια όμως ένιωθε συντετριμμένος ο Αναστάσης. Δεν παιδεύτηκε να πείσει ούτε τη Σμαρώ ούτε και τη γυναίκα του τη Ραλλού. Κράτησε την αγάπη του για την Ευδοκία – μοναδική λύτρωση στην κολασμένη ψυχή του.

Προχώρησε η μέρα κι άραξε το σκαρί σε μια άκρη καθώς έφτανε αγκομαχώντας η ταχεία στο Γαλλικό Σταθμό. Κατέβηκε δειλά και προχώρησε στην πόλη. Γνώριμα όλα. Οι άνθρωποι έμοιαζαν διαφορετικοί· πιο σκυθρωποί και πονεμένοι. Κατακτητές είχαν σβήσει τη χαρά και το χαμόγελό τους.

Έφτασε στο διώροφο που στεκόταν καμαρωτό στη 14ης Μαΐου. Το ίδιο πάντα. Το θυμόταν σαν να ήταν χθες. Κάτω η μεγάλη σάλα με τα λουλούδια και τους αγγέλους στο ψηλό ταβάνι. Στη μέση, ξεχώριζε το πιάνο με ουρά από μαύρο έβενο και πλήκτρα από ελεφαντόδοντο. Απέναντι, η τραπεζαρία με το μεγάλο τραπέζι, μ' εκείνα τα σκαλιστά λιονταρίσια πόδια. Το χειμώνα σκεπασμένο με το βαθυκόκκινο ανάγλυφο βελούδο κι επάνω η ασημένια φρουτιέρα. Το καλοκαίρι με άσπρο κουκουλάρικο σεμέν, από την παραγωγή τους. Ανέμιζαν οι μεταξωτές σουφλιώτικες κουρτίνες στα παράθυρα με τα βιτρό τζάμια. Κρύσταλλα και ασημικά λαμπύριζαν μέσα στις βιτρίνες. Έπιπλα καρυδένια καμάρωναν από την αξία τους. Όλα ακριβά και σπάνια εκεί μέσα.

Η ξύλινη αρχοντική σκάλα από ατόφιο μαόνι οδηγούσε στις κρεβατοκάμαρες. Πίσω το πλυσταριό και τα δωμάτια για το προσωπικό. Και γύρω απ' το αρχοντικό δυο στρέμματα γης· ο ανθισμένος κήπος. «Ο παράδεισός μου!» έλεγε η μάνα της η Ραλλού και κρεμούσε μπλε χάντρες – μη μαραθούν τα ρόδα και τα ζουμπούλια από το κακό μάτι, μη δε βγάλουνε καρπό τα δέντρα.

Στάθηκε απέναντι με πίκρα και σεβασμό, βλέποντας με νοσταλγία όσα έγιναν τα χρόνια που έζησε εκεί, προτού αγαπήσει τον Γιαννακό, προτού γίνει γυναίκα...

Η Ανατολή φοβόταν ακόμα και τη θάλασσα. Μπορεί να έφταιγε γι' αυτό το πρώτο της θαλασσινό ταξίδι που το έκανε μες στην κοιλιά της μάνας της. Μ' εκείνη τη βαλίτσα, που έγινε στο όνειρο μικρό σκαρί, για να τη φέρει πίσω στα λάθη της όταν την εγκατέλειψε ο Γιαννακός.

Στο ταξίδι αυτό, κρυμμένη βαθιά στα σπλάχνα της Ευδοκίας, έμαθε όλα τα μυστικά της προδομένης γυναίκας. Ποια ήταν κι από πού καταγόταν. Τι ήθελε να γίνει παραπέρα μετά την ανεξήγητη φυγή του άντρα της. Υπήρχαν φορές που ακόμα και το δυνατό νερό, το οποίο έπεφτε επάνω της για να πλυθεί, τρόμαζε την Ανατολή. Νόμιζε πως θα πνιγεί, πως θα χαθεί μέσα σε υγρό τάφο.

Έτσι ένιωθε κι αυτό το πρωινό μέσα στο μαρμάρινο μπάνιο, ανήμερα Πρωτοχρονιάς. Ρίγος και τρέμουλο την έπιασε. Στην αρχή υπέθεσε πως είναι από την κούραση και το ξενύχτι πάνω στην ταράτσα· εκεί όπου μίλησε μ' αυτούς που έφυγαν και μ' αυτούς που έμειναν. Δεν είχε βρει, όμως, τη λύτρωση ακόμα... Ύστερα σκέφτηκε πως είναι από την τρομάρα που άφησε να τρέξει έτσι ορμητικά το νερό πάνω στο κορμί της.

Έβαζε κάθε πιθανότητα στο μυαλό της για να ξεγελάσει τον εαυτό της, μα σαν τον κοίταξε στον καθρέφτη, ομολόγησε την αλήθεια... Έκλεισε με το χέρι σφιχτά το στόμα για να μη φτάσει η κραυγή στα χείλη και ξεχυθεί σ' όλο το σπίτι.

Τυλίχτηκε στην πετσέτα και κούρνιασε στο βρεγμένο πλακάκι. Άφησε τα δάκρυα να κυλήσουν από τα κλειστά της μάτια.

Όσο περνούσε η ώρα τόσο τα έσφιγγε για να νιώσει πώς είναι να μη βλέπεις το φως, τον κόσμο, τον ήλιο, τα σχήματα, την ομορφιά ή την ασχήμια. Τίποτε δεν την ένοιαζε πια. Τίποτε...

Ένιωθε κουκούλι τυλιγμένο στο αραχνοΰφαντο πέπλο του. Την περιγραφή γι' αυτά τα μικρά ζωντανά τα ήξερε από την Ευδοκία. «Σκέψου πως αυτό το παίρνουν και το κάνουν κλωστή. Μετάξι απαλό σαν χιόνι, Ανατολή μου. Ξέρεις πόσο δύσκολα κόβεται;» Ακριβώς σαν αυτή την κομμένη κλωστή έμοιαζε τώρα και η μεταξένια ζωή της.

Ήθελε τόσο πολύ να αγγίξει τη μάνα της και το θείο Ζήση, να μουσκέψει τις αγκαλιές τους με τα δάκρυα που έτρεχαν ποτάμι. Εξομολογήθηκε και έκρυψε τόσα μυστικά της εκεί μέσα... Κι άλλα πάλι τα έκρυψε καλά μόνο για τον εαυτό της. Τους πλήγωσε πολύ. Παράπονο, όμως, δεν άκουσε από τα χείλη τους. Τέτοια αγάπη... Τόση υπομονή...

Από τότε που περπάτησε, μικρό παιδί, ο κυρ δάσκαλος ήταν το στήριγμά της... Της έλειψε πολύ, όπως και στην Ευδοκία. Ποτέ δε λυτρώθηκε από κείνο το κακό που προκάλεσε στη ζωή της μάνας της και του Ζήση. Έκανε πως το προσπέρασε, αλλά ακόμη τη βασάνιζε βαθιά μέσα της.

Και να που ήρθε τώρα η κακιά στιγμή να νιώσει κι άλλη έλλειψη – εκτός του Ζήση. Κι άλλη απουσία, πιο κοντινή, σαν να έχασε την ίδια τη ζωή της...

Αναβοσβήνει στο μυαλό της ο κόκκινος σταυρός της κλινικής. Εικόνες πάνε κι έρχονται. Θυμάται και πονάει. Μια βδομάδα κι ακόμα σαν να 'ναι τώρα...

Ξημερώνουν Χριστούγεννα. Της κρατάει τα χέρια η μάνα της και την παρακαλάει με όση φωνή τής έχει απομείνει:

—Μην ξεχνάς να μνημονεύεις και τον Ζήση...

—Ναι...

—Πατέρας σού στάθηκε.

—Ναι...

—Θα φύγω... Να προσέχεις...

—Καλά... απαντά μονολεκτικά. Άλλες λέξεις περιττεύουν, μα ούτε και μπορεί να τις βρει. Έχει εξαντληθεί από την προσμονή του τέλους.

—Δυο, τρεις μέρες... Άντε μια βδομάδα... προφέρει τις λέξεις με αμηχανία ο γιατρός. Αρνείται να το δεχτεί εκείνη. Ασήκωτη είδηση.

Δες πώς περιορίζει ο χρόνος τη ζωή μέσα σε τόσο μικρά νούμερα. Σου αφαιρεί το δικαίωμα να ελπίζεις... «Ας ήταν χρόνια αυτό το δυο, τρία», εύχεται μέσα της. Μετά σιωπή.

Κόσμος πηγαινοέρχεται στους διαδρόμους· περνάει από δίπλα της με το δικό του πόνο. Δεν τη νοιάζει. Δεν την παρηγορεί. Εκείνη έχει το δικό της...

Πλαστικά ποτήρια του καφέ, θρυμματισμένα στα χέρια. Από το θυμό και το γιατί... Ύστερα, πάλι, δίπλα στο κρεβάτι. Αγωνία καθώς ισιώνει τα τσαλακωμένα σεντόνια μην τυχόν και πληγώσουν το αγαπημένο σώμα. Μια σταλιά έχει απομείνει η Ευδοκία.

Περπατούσε και βροντούσε ο τόπος από το ανάστημα και την ομορφιά της. Ζαλιζόταν ο αέρας από την αρχοντιά της.

Δέσιμο σφιχτό τα χέρια τους. Ομφάλιος λώρος τα δάχτυλα μάνας και κόρης τυλιγμένα.

—Μην κάνεις στο παιδί όλα τα χατίρια, της δίνει πάλι συμβουλές.

—Ας γεννηθεί πρώτα...

—Άμα το 'χει ταγμένο ο Θεός ένα παιδί, θα γεννηθεί, Ανατολή μου. Αύριο κλείνεις τους έξι μήνες.

—Ναι...

Θάνατος και γέννα. Κουβάρι το μυαλό της. Σκέψη σταματημένη στο τώρα· το αύριο είναι μακριά και δύσκολο. Γιατί χρειάζεται να το σκεφτεί;

Ύπνος γέρνει τα βλέφαρα της άρρωστης. Ταραχή

γεμίζει το κορμί της Ανατολής μη δε γυρίσει πίσω... Μια μέρα ακόμη έχει περάσει. Πώς θα κυλήσει η νύχτα; Ξυλιάζουν τα πόδια της. Αδειάζει ολόκληρη. Το παιδί μες στην κοιλιά της δε βολεύεται στην πολυθρόνα. Αρχίζει να περπατάει. Το πράσινο φως στο δωμάτιο την τρελαίνει. Γυρίζει πίσω με βγαλμένα τα κόκκινα παπούτσια. Σηκώνει τα σκεπάσματα, σπρώχνει σωληνάκια, λευκοπλάστ και γάζες. Βάζει τα πόδια ανάμεσα στα δικά της – σκελετωμένα, μικρά. Σαν λυγαριές, κάποτε, τρέλαιναν τους άντρες... όπως τώρα τα δικά της.

«Πήρες το μπόι μου και τα ψηλά μου πόδια. Στα χρώματα πήρες του πατέρα σου κι έγινες όμορφη, Ανατολή μου».

«Μη μου μιλάς γι' αυτόν! Εσένα μοιάζω μόνο!» Συχνά την είχαν αυτή την κόντρα. Το μίσος είχε ζυμωθεί με την ψυχή της. *«Εγώ γεννήθηκα μόνο από μάνα! Έτσι δεν είναι, θείε Ζήση;»*

«Έτσι...» συμφωνούσε μαζί της. Στα παράδοξά της δεν έφερνε αντίρρηση.

Η λευκή φιγούρα μπαίνει την ίδια ώρα που χαράζει.
— Πώς ήταν η νύχτα της;
— Τα ίδια...
— Πονάει;
— Όχι...
— Βάλτε της θερμόμετρο.

«Δε θέλω θερμόμετρο! Δε θέλω ν' αρρωστήσω! Φοβά-
μαι, μαμά...» Γυρίζει πίσω.

«Άσ' το κορίτσι, Ευδοκία, αύριο θα είναι μια χαρά.
Έλα να σε φιλήσω να φύγει ο πυρετός». Γλυκά και δρο-
σερά τα φιλιά του θείου Ζήση, έσβηναν τον πυρετό.

Ζαλίζεται από τον υδράργυρο που δείχνει σαράντα!
Αρχίζει ο πανικός της. Μπαινοβγαίνουν γρήγορα για-
τροί και νοσοκόμες. Περιμένει έξω. Μία ώρα, δύο
ώρες... Περιμένει...

— Αφήστε με να μπω!

Την εμποδίζουν. Σε λίγο υποχωρούν.

— Είναι έγκυος, δε χρειάζεται η σύγχυση.

— Μην της μιλάτε! τη συμβουλεύει η προϊσταμένη.
Άκου απαίτηση! Και πότε σταμάτησαν να μιλάνε για να
το κάνουν τώρα; «Αχ!» έκανε η μία. «Τι έχεις;» ρωτού-
σε η άλλη. Κι έπειτα κουβέντα, ώρες ατελείωτες. Αυτό
έτσι, εκείνο αλλιώς. Άπλωμα ψυχής και μυαλού σε όλα.

Υπακούει στη συμβουλή. Δε μιλάει. Ούτε τη λέξη
«μαμά» δε λέει.

Το παιδί ταράζεται μέσα στην κοιλιά από τούτη τη
συγκίνηση. Σαν να θέλει να πεταχτεί έξω και ν' αγκα-
λιάσει την Ευδοκία. Να μην πάει σ' αυτό το ταξίδι. Έξι
μηνών σήμερα.

Σημείωνε ανελλιπώς τις ημερομηνίες η Ευδοκία.
Πρωί πρωί την έπαιρνε τηλέφωνο, κάθε φορά που
άλλαζε μήνα.

«Καλημέρα, Ανατολή μου».

«Καλημέρα, μαμά».

«Πάει και ο τρίτος. Στον τέταρτο μπαίνεις... Κουράγιο και υπομονή, φως μου».

«Καλά που δε με παίρνεις χαράματα προτού μπει η μέρα!» Το γέλιο της μαζί με τα λόγια έφτανε σαν αντίδωρο στην Ευδοκία.

«Πρόσεχε, χρυσό μου».

«Σ' αγαπώ, μαμά».

Η Ανατολή παραβαίνει την εντολή της προϊσταμένης. Το «σ' αγαπώ» σκύβει και το λέει ψιθυριστά στο ανοιχτό στόμα της Ευδοκίας. Τόσο, που να μην ακουστεί. Θέλει να το στείλει μέσα της βαθιά, να μην το ακούσει άνθρωπος κι αέρας. Ελπίζει να της δώσει δύναμη να κρατηθεί. Ν' αρνηθεί τούτο το μακρινό ταξίδι· ταξίδι που οδηγεί στο τέρμα. Εκεί που σίγουρα την περιμένει ο Ζήσης με το δικό του «σ' αγαπώ» και μια αγκαλιά λουλούδια. Το δικό της, όμως, είναι αλλιώτικο «σ' αγαπώ»... Διπλό – απ' αυτήν και το παιδί της, από κόρη και εγγόνι.

Η νύχτα πέφτει βαριά. Ο ύπνος έρχεται αργά και κλείνει και τα δικά της βλέφαρα. Δεν έχει κουράγιο να κρίνει αυτή τη συμφορά. Ερωτηματικά χωρίς απάντηση. Μήπως έκανε λάθος να κρατήσει αυτό το παιδί που αρνιόταν με τόσο πείσμα ο Νικηφόρος; Μήπως αυτός έδωσε την κατάρα να γίνει έτσι; Γιατί αν δεν ήταν κατάρα ανθρώπου, τότε τι ήταν;

Ύστερα περνά απ' το νου της σαν σίφουνας ο τρόμος μήπως φταίει η ίδια. Μήπως μέσα από τους έρωτες προσπαθούσε να τονώσει τις ανασφάλειες και τους φόβους της. Πολλά λάθη. Πολλές αμαρτίες.

Ως την ώρα που κατάλαβε πως είναι έγκυος. Τότε άλλαξαν όλα, όπως άλλαξε και η ίδια η Ανατολή.

Η ζωή που μεγάλωνε μέσα της έδινε καινούρια πνοή και στην ίδια. Μα περισσότερο ήταν εξιλέωση στις πίκρες που είχε δώσει στην Ευδοκία. «Σαν κάθαρση ήρθε, μάνα μου...» έλεγε στην αγκαλιά της κι εκείνη κοίταζε ψηλά, με υγρά μάτια, για το θαύμα που έγινε.

Πάντα έλπιζε και πάντα περίμενε πως κάτι καλό θα 'ρθεί και θ' αλλάξει την Ανατολή της. Γι' αυτό υπόμενε καρτερικά την επιπόλαιη συμπεριφορά της. Ναι, το πίστευε βαθιά αυτό, γιατί δεν μπορούσε να γίνει κι αλλιώς. Άγγελος είχε σταθεί στη γέννα της. Άγγελο είχε φύλακα από την πρώτη ώρα εκεί στα καπνοχώραφα. Πόσο να την είχε ξεχάσει, λοιπόν; Αργά ή γρήγορα θα γύριζε να τη σκεπάσει με τις μεγάλες του φτερούγες.

Αυτές οι σκέψεις περνούσαν από το μυαλό της Ευδοκίας εκείνο το πρωί βγαίνοντας από το μαιευτήριο μαζί με την Ανατολή. Χλομή, έτοιμη να καταρρεύσει, έσφιξε το μπράτσο της γυναίκας που λάτρευε όσο τίποτε στον κόσμο.

Για άλλη μια φορά μπορούσε να το παραδεχτεί και να μετανιώσει για τις στενοχώριες που τη γέμισε ως τώρα. Κανένας δεν την πόνεσε, δεν της στάθηκε όπως αυτή· ούτε κι ο Νικηφόρος που αγάπησε τόσο.

Δεν της είπε για τον καβγά, ούτε για τα χαστούκια όταν, πρωί πρωί, σηκώθηκε για να τρέξει κοντά της. Μόλις συνάντησε εκείνο το χαμόγελο, μέσα στο ρυτιδωμένο αγαπημένο πρόσωπο, κατάπιε όλη την πίκρα και τον πόνο της προηγούμενης βραδιάς. Μόνο της ζήτησε να πάνε μαζί στο γιατρό γιατί είχε ενοχλήσεις και κάποιους πόνους. Ήταν στον τρίτο μήνα. Ήταν και τα όσα περνούσε τον τελευταίο καιρό με τον Νικηφόρο κι ανησύχησε πολύ.

Προτού φύγουν από το μαιευτήριο, ο γιατρός ήταν κατηγορηματικός: «Ξεκούραση να μην έχουμε επιπλοκές».

Τη σκέπασε σαν μωρό στην κούνια. Της έβαλε σεντόνια λινά και μαξιλαροθήκες με δαντέλες. Έλυσε τα ξανθά της μαλλιά από το σφιχτό δέσιμο και τ' άπλωσε πάνω στο άσπρο. Μαλλιά σαν χρυσάφι· δεν είχαν το χρώμα του Γιαννακού, μα ούτε το δικό της. «Κι αυτά του αγγέλου είναι...» έλεγε όταν τη χτένιζε μικρή και της τα έπλεκε κοτσίδα.

Την καμάρωσε, τη σταύρωσε μια φορά και προτού προλάβει να τρέξει δάκρυ, το έπιασε και το έκανε μαργαριτάρι στα λόγια της.

— Έφτυσα αίμα αλλά σαν πριγκίπισσα σε μεγάλωσα! Κρατήθηκα στα πόδια μου για να ζήσω αυτή την ώρα. Να κρατήσω παιδί σου στα χέρια μου κι ύστερα ας πεθάνω.

73

—Σ' αγαπώ, μάνα...

—Θα μείνεις εδώ κι εγώ κολόνα δίπλα σου!

—Είναι και ο Νικηφόρος... ψιθύρισε.

—Δεν είναι πια, κόρη μου... Δεν πρέπει να είναι...

Πού βρήκε τη δύναμη να το πει αυτό; Πώς ξέχασε τα δικά της; Μόνη κι αυτή έμεινε μ' ένα παιδί στην κοιλιά όταν την άφησε ο άντρας της ο Γιαννακός. Πώς τολμούσε τώρα να ξεστομίσει αυτές τις λέξεις; Μήπως η ζωή δίπλα στον Ζήση της μαλάκωσε και της απάλυνε την προδοσία;

Η Ανατολή την κοίταξε ξαφνιασμένη. Δεν ήξερε τίποτα. Δεν της είχε πει πως είχε αποφασίσει να φύγει μετά την επίσκεψη της μητέρας του εκείνο το πρωί της Κυριακής. Ήταν θέμα λίγου χρόνου για εκείνη. Πώς της μιλούσε λοιπόν έτσι για τον Νικηφόρο;

—Μαμά...

Δεν την άφησε να πει άλλη λέξη και πήρε η Ευδοκία πάλι το λόγο.

—Καταλαβαίνω όσα δε θέλεις να μου πεις... Καιρό τώρα... Εσύ δεν έχεις αντιληφθεί ακόμα πως είναι άνανδρος... Τα έχω ζήσει κι εγώ...

Δεν της επιβεβαίωσε τίποτε γιατί δεν είχε το κουράγιο. Της έφτασε που άνοιξε η Ευδοκία την αγκαλιά της και την έβαλε μέσα σαν να 'ταν μωρό. Σαν να 'ταν εκείνη η στιγμή που πρώτα αντάμωσαν μάνα και κόρη μέσα στα άνθη και τα φύλλα του καπνού, κοντά στο μεγάλο ποτάμι.

Ο Νικηφόρος δεν της φερόταν καλά από την αρχή. Το πάθος της δεν την άφηνε να το δει.

Δεν είχε περάσει πολύς καιρός από τότε που είχαν κατεβεί μάνα και κόρη από τη Θεσσαλονίκη στην Αθήνα. Ήταν τότε που είχαν μαζευτεί όλα τα γεγονότα μαζί κι έπρεπε ν' αλλάξουν τόπο και ζωή, να κρύψουν ντροπή και πόνο από τον εαυτό τους και τους άλλους.

Το πείσμα της πότισε χολή τον Ζήση και την Ευδοκία. Ένας διαλυμένος αρραβώνας με άντρα ψεύτη. Εξευτελισμός και ταπείνωση. Θάνατος παγερός και η έκτρωση εκείνη.

Μέσα σε δυο χρόνια αυτά. Δεν προλάβαινε το ένα, η έρημη η Ευδοκία, ερχόταν το άλλο. Ξέχασε πόσες φορές είχε αλλάξει τη ζωή της μέχρι τώρα· το ένα σπίτι έστηνε το άλλο μάζευε.

Πόσο μακρινά φαντάζουν αυτή την ώρα... Πώς τα ρούφηξε ο χρόνος γρήγορα; Και να που στέκονται οι δυο τους τώρα ένα βήμα πριν από το χωρισμό. Ποτέ δεν υπολόγισαν πως θα έφτανε έτσι γρήγορα και ξαφνικά. Γυναίκα δυνατή ήταν η μάνα της. Σήκωσε και σήκωσε δοκιμασίες, φτώχια, αγάπες και προδοσία...

Δεν την τσάκισαν άνθρωποι και καταστάσεις. Από τότε που γεννήθηκε η Ανατολή σκοπός και πάλεμά της μόνο γι' αυτήν. Κι εκείνη για αντίκρισμα, τι; Αμυαλοσύνη και το εγώ της...

Η κυρία στο διπλανό κρεβάτι παραμιλάει. Η πόρτα ανοίγει και προβάλλει η αποκλειστική.

— Ήρθα, ώρα να ξεκουραστείτε...

— Καλά...

Η ίδια διαδρομή. Αλλάζει πολυθρόνες. Δωμάτιο - σαλόνι. Καταρρέει. Οι φόβοι της μαζεύονται και κάνουν το μυαλό της να διαλύεται.

Τι προσευχή να πει και ν' ακουστεί; Άργησε η καρδιά της ν' αγγίξει τον Θεό. Ντρέπεται να ζητήσει... Φοβάται το βλέμμα Του. Αν θέλει Εκείνος, θα το κάνει για την ίδια την Ευδοκία...

Σηκώνεται. Ανοίγει το παράθυρο να φέρει φρέσκο αέρα. Το φως από τον κόκκινο σταυρό της κλινικής τη θαμπώνει. Κοιτάζει στο δρόμο κάτω από τον πέμπτο όροφο. Πώς το αντέχει απόψε αυτό το ύψος; Το συνειδητοποιεί και γυρίζει πίσω. Πρέπει κάποια στιγμή να βρει την αιτία· τι έφταιξε και πορεύτηκε έτσι.

Το μικρό κοριτσάκι, κουλουριασμένο κάτω από το τραπέζι της κουζίνας, αρνιόταν να βγει από την κρυψώνα του.

—Βγες από 'κεί, Ανατολή μου.

—Φοβάμαι...

—Τι, χαρά μου;

—Δεν ξέρω, μαμά... Τα παιδιά...

—Θα τους μιλήσω εγώ.

—Όχι... Δε μ' αγαπάνε, δε με παίζουνε...

—Γιατί, μωρό μου;

—Δεν έχω μπαμπά...

—Έχεις το θείο Ζήση...

Τα χέρια της ήταν δεμένα, το ήξερε καλά η Ευδοκία. Δεν είχε θέση στο χωριό. Προδομένη και άγνωστη μ' ένα παιδί, την περιμάζεψε στο σπίτι του ο δάσκαλος και κουμπάρος. Ένιωθε μεγάλη προσβολή αλλά δεν είχε και λύση.

Μετά έγινε και το άλλο το παράξενο... Όσο μεγάλωνε η Ανατολή τόσο έμοιαζε πιο πολύ στον Ζήση παρά στον Γιαννακό!

Δυο χρόνια μετά, αφότου έφυγε ο άντρας της από το χωριό και γέννησε μόνη κι εγκαταλειμμένη, ο Ζήσης βρήκε τον τρόπο να της μιλήσει για την αγάπη του.

Έπρεπε να βαφτιστεί το παιδί. Επέμενε κι η κυρα-Μακρίνα σ' αυτό, που της στεκόταν στα βάσανα και στη μοναξιά της σαν μάνα. Νονός, φυσικά, προθυμοποιήθηκε ο ίδιος να γίνει.

Γύρισαν από τη βάφτιση και κάθισαν να φάνε οι τρεις τους γιορτάζοντας επίσημα το γεγονός. Μπουκιά δεν κατέβαινε της Ευδοκίας. Αλλιώς ήταν τα όνειρά της και αλλιώς γέννησε και βάφτισε την κόρη της. Με κείνον τα είχε ονειρευτεί όλα αυτά.

Τότε τόλμησε ο δάσκαλος...

— Από την πρώτη ώρα που ήρθες στο χωριό σ' αγάπησα. Έτσι φανταζόμουν τη γυναίκα που θα έπαιρνα... Σαν εσένα, Ευδοκία... Τα όσα πέρασες μαζί του, τα ξέρω καλά, της είπε με ειλικρίνεια.

— Με ξεγέλασε.

— Ναι, δεν το περίμενα... Από παιδιά μαζί...

— Τι άλλαξε, Ζήση;

— Άβυσσος η ψυχή...

— Μ' αγαπούσε, όμως...

— Μπορεί... της είπε αμφισβητώντας τα λόγια της.

— Ναι, σου λέω! επέμεινε η Ευδοκία. Αλλιώς ήταν στην Αλεξανδρούπολη.

Ο Ζήσης πετάχτηκε από την καρέκλα του. Πρώτη φορά του εξομολογούνταν πώς συνάντησε τον Γιαννακό.

—Από 'κεί είσαι;

—Ναι...

—Το σπίτι σου; Οι δικοί σου;

—Ναι.

—Δε σε ψάξανε;

—Δεν ξέρω τι έγινε όταν κλεφτήκαμε...

Κι έτσι άρχισαν με την κουβέντα να ξεδιπλώνουν το κουβάρι της ζωής της. Έλεγε η Ευδοκία κι εκείνος κουνούσε μόνο το κεφάλι.

Άρχισε να του διηγείται την ιστορία της από τότε που πέθανε ο πατέρας της. Τότε, είπε, ένιωσε ξεκρέμαστη. Χάθηκε ο κόσμος όλος. Ο Γιαννακός σ' αυτό το σημείο έπαιξε το ρόλο του.

—Καλά, η μάνα σου;

—Αυτή σαν να τα 'χε χαμένα... Πάντα έτσι ήταν, δηλαδή.

—Δε σ' αγαπούσε;

—Ναι...

—Αλλά;

—Τι να πω, Ζήση. Ακόμα και γι' αυτό –πώς έπρεπε και πότε να μου δείξει την αγάπη της– κανόνιζε η θεία Σμαρώ. Στρίγκλα...

Δεν ήξερε τι να πει ο άνθρωπος. Δεν καταλάβαινε πώς άφησε τόσα καλά και πλούτη κι ακολούθησε έναν ξένο ως εδώ, στο χωριό του. Τι σόι ήταν αυτή η θεία Σμαρώ; Ό,τι κι αν είχε συμβεί, τώρα έβλεπε πως ήταν η σειρά του να ψάξει, να βρει και να μάθει τι άφησε πίσω της η Ευδοκία.

Πήρε την απόφαση να πάει στη Θράκη. Συνεννοήθηκε με την κυρα-Μακρίνα για τις λεπτομέρειες του ταξιδιού. Πρώτα, βέβαια, έγινε κι ένας καβγάς, μόλις του εξομολογήθηκε πως, πριν από καιρό, κάτι της είχε πει η Ευδοκία για την καταγωγή της. Ήταν εκείνο το βράδυ που την είχε δείρει ο Γιαννακός.

—Εγώ δεν προδίδω τα μυστικά των άλλων! του τόνισε με ύφος.

Στο τέλος, έδωσε τόπο στην οργή και της ζήτησε να κρατήσει τώρα το δικό του μυστικό. Θα έφευγε για τον Έβρο, να δει τι μπορούσε να κάνει για να πείσει τους δικούς της να τη συγχωρήσουν.

—Έχει κι ένα παιδί... Πρέπει να τη στηρίξουν, μάνα!

—Σωστά τα λες... Είσαι και υπεύθυνος, γιατί βάφτισες την Ανατολή· δεύτερος πατέρας.

Η κυρα-Μακρίνα συγκινήθηκε από το ενδιαφέρον του και έδωσε τη συγκατάθεσή της. Έβγαλε, μάλιστα, και του έδωσε και λίγες οικονομίες που είχε για το ταξίδι. Και ώσπου να γυρίσει τού υποσχέθηκε πως θα κρατούσε κοντά της τη μάνα και το κορίτσι. Όσο για τα καπνοχώραφα του Γιαννακού, θα έβαζε άνθρωπο να τα φροντίζει.

—Κάν' το! Μία δραχμή δεν της άφησε ο αλήτης!

—Πού, στα τσακίδια, χάθηκε;

—Ρώτησα και έμαθα πού πήγε...

—Ζει, δηλαδή; χαμογέλασε με πίκρα ο Ζήσης.

—Ζει και βασιλεύει! Έφυγε με γυναίκα και λεφτά...

Πολλά λεφτά! Εκείνου του καπνέμπορου, θυμάσαι; Δούλευε για δαύτον.

— Να μη στεριώσει ώρα! Και για πού;

— Κατά Αργεντινή, λένε... Κατά Αυστραλία, κάποιοι άλλοι...

Έκλεισαν τη συζήτηση εκεί και ο Ζήσης ετοιμάστηκε, αλλά δεν ανέφερε τίποτε γι' αυτό στην Ευδοκία. Ήθελε πρώτα να δει τι συνέβαινε εκεί πάνω κι ύστερα να της μιλούσε. Ακόμα και για το πού θα πήγαινε, της είπε άλλα... Μάλιστα, βρήκε τη δικαιολογία ότι δήθεν το δημοτικό του χωριού από τριτάξιο θα έπρεπε να γίνει εξατάξιο. «Θα το κάνω αυτό το ταξίδι στην Αθήνα, Ευδοκία μου. Αναγκαστικά, αφού εκεί βρίσκεται το υπουργείο Παιδείας...»

Όταν έφτασε ο Ζήσης στην Αλεξανδρούπολη, δεν ήξερε ποιον να βρει και πού να ρωτήσει για να συγκεντρώσει πληροφορίες.

Απόγευμα μπήκε στο ξενοδοχείο *Majestic* και έσπαγε το κεφάλι του πώς έλεγαν κάποιον από εκεί, με τον οποίο ήταν μαζί στο στρατό. Το όνομα θυμόταν μόνο· Νίκος. Επίθετο...

Σκεφτικός βγήκε να πάει μια βόλτα προς την παραλία, όταν σκόνταψε πάνω στον άντρα.

—Συγγνώμη... πρόλαβε να πει ο άγνωστος. Μέσα σ' ένα δευτερόλεπτο άνοιξε την αγκαλιά του. Και να τα φιλιά και τα χτυπήματα στην πλάτη. Ζήση! Βρε Ζήση, εσύ εδώ; Βρε φίλε, τι θαύμα ετούτο!

Δεν πέρασε λεπτό και συνήλθε από την έκπληξη. Ήταν ο φαντάρος που είχαν μοιραστεί τόσα και τόσα.

—Αν ήξερες τι χαρά πήρα, Νίκο. Το επίθετό σου μεγάλο και δεν το θυμάμαι...

—Παρασκευόπουλος.

—Σωστά! Άλλαξες...

—Μας άλλαξαν όλους... Κατοχή, πόλεμος...

—Σε σκεφτόμουν. Θα έψαχνα να σε βρω...

— Δε μένω πια εδώ, ζω στη Θεσσαλονίκη.

— Και τώρα;

— Για λίγες μέρες έχω έρθει.

— Ααα... Απογοητεύτηκε ο Ζήσης. Ποιος ξέρει πόσα χρόνια λείπει, σκέφτηκε. Δε θα ξέρει...

Έφυγαν μαζί για την ταβέρνα του Μπίζου. Άρχισε δειλά τη συζήτηση για να μάθει τι γινόταν με την οικογένεια της Ευδοκίας. Λίγα πράγματα ήξερε ο άλλος. Είχε φύγει για Θεσσαλονίκη από τις πρώτες μέρες του πολέμου, ωστόσο είχε ακουστά για το βιομήχανο Σταύρου και για το ότι είχε βρεθεί σφαγμένος. Δε γνώριζε, όμως, καμιά άλλη λεπτομέρεια.

— Έχεις σχέση κι εσύ με τα μεταξωτά; τον ρώτησε ο Νίκος.

— Όχι...

— Τότε γιατί ρωτάς;

Έπρεπε να στήσει το παραμύθι.

— Μια κοπέλα είχε βαφτίσει από 'δώ... Την κάναμε νύφη στο χωριό μας και μου είπε να δώσω χαιρετίσματα.

— Διέλυσαν αυτοί... Πέθανε και η γυναίκα του. Εκεί ο δάσκαλος κατάπιε τα μύδια που έτρωγε χωρίς ανάσα. Κάτι άκουσα όμως...

— Δηλαδή;

— Η κουνιάδα του ζει. Καπάτσα γυναίκα, κράτησε όλη την περιουσία.

Από 'κεί και πέρα τα πράγματα ήταν πιο εύκολα για τον Ζήση. Βέβαια, το μόνο που έμαθε ήταν η διεύθυνση του αρχοντικού, αφού όλα τα παλιά και τα σκάνδαλα είχαν ξεχαστεί σιγά σιγά. Άλλωστε, η Σμαρώ είχε περάσει προς τα έξω πως αυτή και η αδελφή της ήταν τα θύματα σε όλες τις ιστορίες. Ακόμη και η εξαφάνιση της Ευδοκίας καταλάγιασε. Άλλαξαν και οι άνθρωποι που είχαν δει τόσο κακό μεγάλο στον τόπο τους, από την προσφυγιά και τον πόλεμο, που δεν τους ένοιαζε πια τι είχε γίνει εκεί μέσα.

Όσο για τα εργοστάσια, τα κληρονόμησε όντως η κουνιάδα του μακαρίτη του Σταύρου, η Σμαρώ. Τα έφερε από 'δώ τα πράγματα τα έφερε από 'κεί, έκανε τις μαλαγανιές της και περιήλθαν στα χέρια της όχι μόνο αυτά, αλλά και το οινοποιείο και το αρχοντικό!

Μέσα σε τρεις μήνες αφότου κλέφτηκε η Ευδοκία, τα κατάφερε μια χαρά! Πήρε ό,τι υπογραφές χρειαζόταν από την αδελφή της τη Ραλλού κι έγινε ιδιοκτήτρια στα άψυχα και στα ζωντανά.

Βοήθεια στο σχέδιο αυτό είχε μόνο την Γκιουλέ, την πιστή της δούλα. Μια γυναίκα με μάτια σατανικά στο χρώμα και το σχήμα. Περπατούσε η Σμαρώ κι έγλειφε πίσω της το χώμα που πατούσε.

Ήταν δεν ήταν πενήντα. Πάνω από εκατό κιλά, δεν άφηνε την κυρά της να κάνει κίνηση αν δεν το ενέκρινε εκείνη· τόσο της είχε κλέψει την εμπιστοσύνη. Σαν θηλυκός Ρασπούτιν την κατεύθυνε, πείθοντάς την με τα χαρτιά που της έριχνε. Πάντα τα είχε κρυμμένα στην τσέπη μέσα στα μαύρα τσερτσέφια της, όπου κι αν πήγαιναν.

Η τράπουλά της είχε μόνο τους τέσσερις βαλέδες, τις τέσσσερις ντάμες και τους τέσσερις ρηγάδες. Κι από τ' άλλα χαρτιά το δύο κούπα, το τέσσερα σπαθί, το εννέα μπαστούνι, το δέκα καρό, όλους τους άσους και όλα τα εξάρια.

Είκοσι τέσσερα χαρτιά όλα κι όλα!

Μόλις παρουσιαζόταν, λοιπόν, το πρόβλημα, έβγαζε την τράπουλα και ερμήνευε με ύφος και σκέψη. Πρώτα τους βαλέδες, ακολουθούσαν οι ντάμες και οι ρηγάδες και πάνω σ' αυτά έριχνε τα υπόλοιπα.

—Θα κοιτάς το χαρτί που βγάζω, ακούνητη, και θα μελετάς τι θες να γίνει!

—Εντάξει, Γκιουλέ μου...

—Πρόσεχε, γιατί ψέματα θα μας δείξουνε. Εκεί είναι η επιτυχία τους! Να δώσεις την ψυχή σου στο χαρτί! Αγλαντούν μου;

Ακούνητη, λοιπόν, η Σμαρώ κι αμίλητη, να πνιγόταν εκείνη την ώρα ή να την έπιανε φαγούρα, προτιμούσε να σκάσει παρά να πουν ψέματα τα τραπουλόχαρτα.

Έλεγε πως ήταν Αιγύπτια, που έμεινε όμως και στην Αττάλεια καιρό, ώσπου να βρεθεί στη Θράκη. Το πώς και από πότε δεν είχε πει ποτέ η Γκιουλέ.

—Αυτά τα ξέρει μόνο ο Αλλάχ! Αυτός ορίζει το κισμέτ μας! αποστόμωνε τη Σμαρώ που την είχε γνωρίσει στο εργοστάσια.

Την είχαν εργάτρια. Από την πρώτη στιγμή τής έκαναν εντύπωση τα αετίσια μάτια της και το αφράτο λευκό πρόσωπό της· ίδιο με τη μεταξωτή άσπρη μαντίλα, τυλιγμένη στο κεφάλι.

—Καινούρια είσαι; Κούνησε το κεφάλι καταφατικά έχοντας τα μάτια κάτω. Κάτι προσπαθούσε να μαζέψει από τα πόδια της εκείνη την ώρα που της μιλούσε η Σμαρώ. Μιλάς ελληνικά; Πάλι σκυμμένο το κεφάλι. Τι κρύβεις εκεί; Σου μιλάω, μωρή!

Εκείνη τη στιγμή κάνει μια η Σμαρώ και βάζει τα χέρια της ανάμεσα στα πόδια της χοντρής. Σκόρπισαν τα τραπουλόχαρτα πάνω στο τσιμέντο. Φούσκωσε, ίδρωσε η Γκιουλέ.

—Ρίχνεις πασιέντσες την ώρα της δουλειάς; Μίλα, Τουρκάλα! Και μίλησε, και εξήγησε, και έπεισε τη Σμαρώ για τη δύναμη που είχαν τα χαρτιά της.

—Σε είδα και προχθές, γιαβρούμ, και σε καμάρωσα με την ομορφιά σου. Είπα, λοιπόν, να σ' τα ρίξω να δω τι σε περιμένει μ' αυτόν τον αφέντη που έχεις στο σβέρκο σου! Μη σκας, μια μέρα θα τον βρούνε σφαγμένο σαν τ' αρνί στο χώμα!

Και εννοούσε τον Αναστάση. Και άρεσε πολύ στη Σμαρώ αυτή η πρόβλεψη. Μια και δυο, απαίτησε να την πάρει στο σπίτι να την υπηρετεί. Όσο για το μισθό της, θα έπαιρνε από το ταμείο του εργοστασίου τα διπλάσια!

Όταν, μάλιστα, βγήκαν αληθινά τα λόγια της, για το θάνατο του Αναστάση, έδωσε και την ψυχή της στη δούλα.

Λογική και ξύπνια, και με τη βοήθεια της Γκιουλέ, η

Σμαρώ κατάφερε να κρατήσει την επιχείρηση σε άνθηση μέχρι το 1980 περίπου, ώσπου πέθανε η πιστή χοντρή, ένα βράδυ, σ' ένα ραμαζάνι. Έσκασε τρώγοντας πέντε πιάτα πιλάφι με μέλι κι από πάνω ένα κιλό καβουρντισμένα καρύδια και μπόλικο σουσάμι!

Δεν παντρεύτηκε, αν και ήταν καλλονή. Μέρα νύχτα δεν είχε μάτια για πουθενά αλλού, παρά μόνο για τα κουκούλια και το μετάξι. Μάλιστα, στο αρχοντικό των Σταύρου, πίσω στο πλυσταριό, είχε κάνει και πρατήριο μεταξωτών, μετά το θάνατο του Αναστάση.

Και όταν πήραν όλα πάλι τη σειρά τους, δεν υπήρξε πλούσια κυρία στη Θράκη που δεν πέρασε από εκεί για να αγοράσει *Τα Μεταξωτά & Τα Κουκουλάρικα* της Σμαρώς Σταύρου!

Πρώτη και καλύτερη, φυσικά, η Σουλτάνα Τοπούζογλου! Το πρώτο ύφασμα που σύστηνε σε όποια έμπαινε στο *Atelier La Belle Vie* ήταν αυτό της φιλενάδας της. Η μόδα και το καλό γούστο ήταν κοινό πάθος και για τις δυο.

Απ' την πρώτη στιγμή που γνωρίστηκαν αυτές οι δυο γυναίκες, στο ξενοδοχείο *Τοπαλιάν* στην Κωνσταντινούπολη, εκεί γύρω στο 1953, δέθηκαν με μεγάλη φιλία. Την ίδια εποχή, η Σουλτάνα είχε βρεθεί, έπειτα από χρόνια, «στα πάτρια και λαβωμένα εδάφη», όπως έλεγε, για να κάνει μνημόσυνο στους εκεί πεθαμένους.

Γύριζε κατάκοπη, ένα μεσημέρι, από τη συγκίνηση που έβλεπε τα αγαπημένα μέρη. Μικρό κορίτσι είχε φύγει από εκεί το '22. Σκέφτηκε, λοιπόν, να πιει κάτι δροσιστικό στο σαλόνι του ξενοδοχείου.

Έκανε την κίνηση να βγάλει το καπέλο της και τότε την είδε. Το βλέμμα της κόλλησε σαν βδέλλα στη μελαχρινή γυναίκα. Η Σμαρώ προχωρούσε από τη ρεσεψιόν κι αυτή στον ίδιο χώρο. Όχι πως θαμπώθηκε από την ομορφιά και το παράστημά της, αλλά από το καπέλο που φορούσε η άγνωστη μπροστά της. Ζαλίστηκε από το σχέδιο και το χρώμα. Κάτι σαν μελί οργαντίνα με πράσινο βαθύ γκρο, σε πιέτες γύρω γύρω. Και μια αγκράφα χρυσή με διαμάντια στο πλάι.

> Φούντωσε, ίσιωσε το κορμί, θαρρείς και θα συναγωνιζόταν ποιας ήταν το καλύτερο. Άρχισε να κάνει βόλτες γύρω της, κουνώντας μάλιστα και τη βεντάλια επιδεικτικά. Έκανε δήθεν την αδιάφορη, σαν να έψαχνε κάποιον. Στο τέλος, η μελαχρινή, ενοχλημένη ελαφρώς, την παρατήρησε:

—Για όνομα του Θεού, μαντάμ, με τα φυσερά σας! Με ζαλίσατε και μ' αυτό το γύρω γύρω, σαν σβούρα!

—Πρώτον, όχι μαντάμ! Δεσποινίς, παρακαλώ! Δεύτερον, Σουλτάνα Τοπούζογλου. Και τρίτον, φαίνεται πως οι Έλληνες της Πόλης έχασαν πια την ευγένειά τους!

Σηκώθηκε η άλλη σαν ντερέκι και στάθηκε μπροστά της.

—Σας λέει κάτι το «Σταύρου»; Σμαρώ Σταύρου εξ Αλεξανδρουπόλεως!

Έπαιξε τα γκρίζα τσακίρικα μάτια της έκπληκτη δήθεν κι άνοιξε την αγκαλιά της η Σουλτάνα σαν να την ήξερε χρόνια. Της έδωσε και δυο φιλιά σταυρωτά και προτού συνέλθει η άλλη από την ξαφνική εγκαρδιότητα, την κάθισε με το ζόρι στην πολυθρόνα.

— Θρακιώτισσες κι Εβρίτισσες! Δε χωράει καβγάς ανάμεσά μας! Τι χαρά πήρα, μπρε! Τι χαρά! Σταύρου, είπατε;

— Μάλιστα! απάντησε η Σμαρώ όλο περηφάνια. Σαν να είχε παντρευτεί αυτή τον Αναστάση!

Από τη μέρα που πήρε στα χέρια της τα εργοστάσια, έδωσε διαταγή σε όλους να τη φωνάζουν «δεσποινίς Σταύρου»! Από το μαράζι που δεν τον παντρεύτηκε, έβαλε πείσμα να κληρονομήσει και το επίθετο μαζί με όλα τα υπόλοιπα. Όσο για την αδελφή της, τη Ραλλού, την έπεισε, όπως πάντα, πως καλύτερα θα ήταν έτσι. Θα συνεχιζόταν η παράδοση!

Κουβέντα στην κουβέντα, ήταν και γνωστά τα *Μεταξωτά Σταύρου* στη Σουλτάνα –λόγω της δουλειάς της–, κόλλησαν αυτές οι δυο.

Έδωσαν λοιπόν τα χέρια να συνεργαστούν και να γίνουν και φίλες. Προτού σηκωθούν να πάνε στα δωμάτια, τους πλησίασε φουρκισμένη η χοντρή Γκιουλέ. Κάτι της ψιθύρισε στο αφτί με επιτακτικό ύφος. Αμέσως, σαν υπνωτισμένη, την ακολούθησε η Σμαρώ αφήνοντας σύξυλη τη Σουλτάνα!

Τις υπόλοιπες μέρες που έμειναν στην Πόλη δε χώρισαν ούτε στιγμή. Μπρος αυτές πίσω η Γκιουλέ. Νευρίαζε, ξενευρίαζε η Σουλτάνα, η άλλη δεν υποχωρούσε.

—Τι τη θες την Οθωμανή, ουρά πίσω μας; Δε σου καίγεται η καρδιά που χάσαμε την Πόλη μας απ' αυτούς;

Δεν μπορούσε «τουρκόσπορο», όπως έλεγε, ούτε να τον βλέπει. Ανένδοτη η Σμαρώ.

—Τη δουλειά σου εσύ! Η Γκιουλέ δεν είναι Τουρκάλα!

—Ναι! Σε παραμύθιασε πως είναι απόγονος των φαραώ!

—Αν δεν ήταν αυτή...

—...Δε θα έβαζες χέρι στην περιουσία! Αυτά τα λόγια τα έλεγε σιγά χωρίς να τα πάρει είδηση η άλλη. Κάτι λίγα είχε ακούσει η Σουλτάνα τότε για τους Σταύρου. Σκόρπια πράγματα.

Όταν ανέβαινε στο Διδυμότειχο κάποια πελάτισσά της να ραφτεί, πάνω στην πρόβα γινόταν και το κουβεντολόι. Δεν είχε δώσει όμως σημασία.

Κι επειδή με την ξιπασιά της Σμαρώς έκανε κέφι και ήθελε να έχει κάποιον για να λέει τα καλαμπούρια της, προσπερνούσε το σκόπελο της Τουρκάλας. Πέρασε καιρός για να καταλάβει και να μάθει τι έκρυβε η ιδιοκτήτρια των εργοστασίων *Μεταξουργείο* και *Μεταξωτά Σταύρου*!

Μέσα στην καλή χαρά ήταν όσες μέρες έμειναν στην Πόλη. Γύριζαν στις αγορές για υφάσματα που χρειαζόταν η Σουλτάνα και στα μαγαζιά με τα μπαχαρικά που λάτρευε η Σμαρώ.

—Τι τα κουβαλάς, μπρε Σμαρώ, το σοφρά, το μοσχοκάρυδο και την κανέλα με την οκά;

— Δεν είμαι μόνο καλή βιομηχάνισσα εγώ. Είμαι και καλή μαγείρισσα, να ξέρεις!

—Σώπα, καλέ! Με νοστιμιές, δηλαδή, θα τον τυλίξεις το λεγάμενο; της έλεγε, ενώ της έκλεινε πονηρά το μάτι μήπως και ξεγελαστεί η άλλη και της ξεφουρνίσει τον αγαπητικό.

Σφίγγα, όμως, η Σμαρώ. Χαμογελούσαν πονηρά τα μαύρα της τα μάτια και κουβέντα δεν έβγαζε. Ομολογουμένως, ήταν καλή μαγείρισσα. Είχε και το γινάτι της· δεν άφηνε καμιά άλλη να μαγειρέψει στο δικό της σπιτικό. Μπέρδευε συνταγές γνωστές μαζί με της φαντασίας της κι έβγαζε ένα αποτέλεσμα... να γλείφεις τα δάχτυλά σου! Σ' εκείνο όμως που ήταν ασυναγώνιστη ήταν το γαρνίρισμα στο πιάτο. Ακόμα και στην κουζίνα να έτρωγες μια σκέτη φασολάδα, το στόλισμα σ' έκανε να σκεφτείς αν έπρεπε να το φας ή να το καμαρώσεις.

Όταν γύρισαν από την Πόλη, η διαδρομή Διδυμότειχο – Αλεξανδρούπολη έγινε συνήθεια και για τις δυο. Ένα σαββατοκύριακο η μία, το επόμενο η άλλη. Τα βρήκαν και τα ταίριαξαν μια χαρά! Να οι βόλτες στον

Καλέ του Διδυμότειχου... Να τα γλέντια και τα σινεμά. Τα μπάνια στο Καλαμάκι, στο Φλοίσβο και στη Μάκρη.

Πολύ συχνά έπιναν και κανένα κρασί από το οινοποιείο στις Φέρες. Τάραζαν τους δρόμους και τους άντρες της Αλεξανδρούπολης όταν περπατούσαν αγκαζέ στη Βασιλέως Γεωργίου. Θαύμαζαν και ζήλευαν οι κυρίες τα βραδινά τους ρούχα. Δεν έχαναν παράσταση αθηναϊκού θεάτρου στην πόλη. Κάποιοι θυμούνται ακόμα πόσο καμαρωτές πήγαιναν να δουν τις αδελφές Καλουτά!

Η μια μελαχρινή η άλλη στο ξανθοκόκκινο, κάπου ταύτιζαν τον εαυτό τους με τις μεγάλες πρωταγωνίστριες! Κι όταν έδεσαν κι άλλο και αφού είχε περάσει καιρός από το θάνατο της Ραλλούς, έκαναν και τις βεγγέρες και τις χοροεσπερίδες στο αρχοντικό!

Εκεί να δεις τουαλέτες κεντητές από το *Atelier La Belle Vie* της Σουλτάνας Τοπούζογλου!

Χειραφετημένες και ωραίες, άναβαν τα Santé τους και απολάμβαναν η μια την μπουγάτσα κι η άλλη τους εργολάβους από το *Ελβετικό*, με το *Amado Mio* στο γραμμόφωνο. Άλλες φορές έπαιρνε το μαντολίνο η Σμαρώ και η Σουλτάνα καθόταν στο πιάνο. Δικό τους γλέντι έκαναν με τραγούδια παθιασμένα, ερωτικά. Και με ονειροπόλο ύφος για τον άντρα που αγάπησαν, έπιναν γουλιά γουλιά και το λικέρ βισόν!

Έτσι έλεγε η Σμαρώ εκείνο το κατασκεύασμα από βύσσινα λιασμένα μέσα στο μπουκάλι, με κονιάκ, γαρίφαλα και κανέλα. Νόμιζε πως έδινε ένα παριζιάνικο στυλ με τη λέξη «βισόν»! Γιατί αν κάτι λάτρευε αυτή η γυναίκα ήταν το Παρίσι και τα γαλλικά. Πέντε λέξεις ήξερε και καμάρωνε γι' αυτό.

Μια φορά είχε βρεθεί εκεί, προτού γνωρίσει τη Σουλτάνα, και μετά χρόνο παρά χρόνο πήγαιναν παρέα. Το γεγονός ότι ήξερε φαρσί τα γαλλικά η φιλενάδα της, την έκανε να πιστεύει ότι είχε πάρει κι αυτή το Baccalauréat! Εξάλλου, ήταν όνειρό της να κάνει μια μέρα εξαγωγές των μεταξωτών Σταύρου μόνο στο Παρίσι!

Όταν ζούσε ο Αναστάσης, γίνονταν εξαγωγές στην Ευρώπη. Αργότερα, όμως, η Σμαρώ τις σταμάτησε γιατί δεν ήθελε να μπερδεύεται με τέτοιες έννοιες...

Τελευταία τής είχε μπει στο μυαλό η ιδέα να στέλνει απευθείας στους γαλλικούς οίκους μόδας τα προϊόντα της!

—Για να πιάσεις αλισβερίσι με τους διάσημους, δηλαδή; της έμπαινε η Σουλτάνα.

—Χρειάζονται οι υψηλές γνωριμίες! απαντούσε και κορδωνόταν κι άλλο.

Της το είχε εξομολογηθεί ένα μεσημέρι σ' ένα ταξίδι τους εκεί. Έτρωγε με νωχελικό ύφος μια tarte fromage στο καφέ, με το βλέμμα καρφωμένο στον Πύργο του Άιφελ!

—Λες, βρε Σουλτάνα, να το προτείνω στη Σανέλ τώρα που θα πάμε να πάρεις εκείνο το λιλά ταγέρ της με τις χρυσές πασμαντερί;

—Σούρντισες τελείως, μπρε;

95

—Γιατί, καλέ; Μεγάλη μοδίστρα εσύ στη Θράκη μεγάλη κι αυτή στη Γαλλία... Θα το πεις εσύ!

—Ναι! Και θα πει αμέσως «oui, mademoiselle», και την άλλη βδομάδα θα 'ρθεί στον τόπο μας να φάει λουκάνικα με λάχανο τουρσί και να χορέψει σουφλιώτικο με τις γκάιντες!

Δεν το έβγαλε όμως από το μυαλό της. Και όταν πήγαν στον οίκο Chanel για το ταγεράκι, όλο τη σκούνταγε η Σμαρώ και της έκανε νόημα να ειδοποιήσει η πωλήτρια την κυρία Σανέλ πως ήθελαν να της μιλήσουν! Είδε και έπαθε η Σουλτάνα να φέρει τα πράγματα σε ισορροπία –ευτυχώς, απέδειξε τα καλά γαλλικά της– και δε ρεζιλεύτηκαν κι άλλο.

Μέσα στις έννοιες της, η Σουλτάνα περνούσε καλά μ' αυτή την ξιπασμένη. Άλλωστε, αυτός ο χαρακτηρισμός της Σμαρώς ήταν γεγονός που δεν αρνιόταν κανένας στην Αλεξανδρούπολη. Μάλιστα, της είχαν βγάλει και παρατσούκλι: ο ξιπασμένος βόμβυξ! Περπατούσε και με το ζόρι έριχνε ματιά στον άλλο. Όσο για το καλημέρα, καλησπέρα ή καληνύχτα, αυτή το μουρμουρούσε αυτή το άκουγε. Ανοιχτόκαρδη και κιμπάρισσα ήταν σε λεφτά και συναισθήματα η Σουλτάνα. Στυφή και τσιγκούνα η άλλη.

Πάντως, αυτή η φιλία, παρ' όλες τις αντιθέσεις της, κράτησε πολλά χρόνια. Ακόμα κι όταν έφυγε για Θεσσαλονίκη η Σουλτάνα και μετά για Αθήνα, πάντα έβρισκαν τον τρόπο να συναντηθούν. Λένε, μάλιστα, πως την εποχή που πούλησε η Σουλτάνα την περιουσία της, όταν τη βρήκαν τα δύσκολα, η Σμαρώ αγόρασε πολλά, ακόμα και το *Atelier La Belle Vie!* Και όταν αργότερα επέστρεψε η ανιψιά της, η Αλεξάνδρα, στη Θράκη, το βρήκε γραμμένο στο όνομά της όπως και πολλά άλλα.

Έκανε την καλή πράξη στη φιλενάδα της η Σμαρώ. Αυτό που αρνήθηκε για χρόνια πολλά, με τόσο πείσμα, για την Ευδοκία και την Ανατολή ήταν ν' αφήσει κληρονομιά σε μάνα και κόρη.

Ωστόσο, στ' αλήθεια θα βούρκωνε κάποιος αν αναλογιζόταν πόσο δίπλα στάθηκε η Σουλτάνα στα γεράματα της φίλης της.

Σ' αυτή τη φιλία ίσως βοήθησε και το γεγονός ότι έμειναν ανύπαντρες αυτές οι όμορφες και πετυχημένες γυναίκες. Η καθεμία, βέβαια, για το δικό της λόγο. Η Σουλτάνα για την πληγωμένη της αγάπη και την προδοσία του Στράτου Μαρτίνη. Η Σμαρώ για το πάθος της με τα μεταξωτά και για την απιστία του κουνιάδου της, του Αναστάση.

Αυτόν, από τότε που πέθανε και η αδελφή της, δεν τον ανέφερε σχεδόν ποτέ. Δεν ήθελε να θυμάται ούτε εκείνη, μα ούτε και ο κόσμος το σκάνδαλο για τη σχέση του με τη Γαλλίδα νταντά του αρχοντικού. Έριχνε πέπλο στο μυαλό της για κείνα τα γεγονότα και άφριζε απ' το κακό της όταν τα θυμόταν. Μόνο η Γκιουλέ καταλάβαινε τον καημό της κι έβραζε βοτάνια για να την καλμάρει.

Πώς βούλωσαν τότε τα στόματα, ένας Θεός το ξέρει μόνο... Να 'ναι καλά τα λεφτά! Μοίρασε λίρες και σουφλιώτικα μεταξωτά για να μη βουΐξει άλλο ο κόσμος. Βοήθησε, όμως, όσο μπορούσε τη Ραλλού να βγει από το αδιέξοδο, όταν έμαθαν για το γκάστρωμα της Γαλλίδας από τον ομορφονιό, τον Αναστάση.

Προσέχει την ανάσα που βγαίνει βαριά από τα στήθη της μάνας της και τρομάζει. Κάτι προσπαθεί να ψελλίσει αλλά δεν τα καταφέρνει. Κάτι σαν «Λάμπρος» ακούγεται...

—Εδώ είμαι, μαμά... της επιβεβαιώνει την παρουσία της. Διώχνει την αποκλειστική. Καλύτερα οι δυο τους τούτες τις στιγμές.

Πάντα είχαν τις αγαπημένες τους στιγμές κι ας γκρίνιαζε εκείνη.

«Είμαστε μόνες, Ανατολή μου, ούτε συγγενείς ούτε φίλοι...»

«Δε χρειάζεται. Φτάνει η μία στην άλλη...»

«Η ζωή έχει τα ξαφνικά της. Χρειάζεται... Έψαξα να βρω τον αδελφό μου. Δύσκολα τα πράγματα εκεί στο Παραπέτασμα... Λάμπρο τον λένε. Σταύρου. Να το θυμάσαι».

«Καλά...»

Πάχνη απλώνεται έξω στις στέγες. Παγωμένα τα χέρια που αγγίζει. Τα τρίβει με τα δικά της.

«Ναι... η ζωή έχει τα ξαφνικά της».

—Τον Λάμπρο... Μόλις και ακούγεται η φωνή της.

—Θα ψάξω, μαμά. Μπορεί να μάθω κάτι. Ησύχασε τώρα... της το υπόσχεται σιγά.

Έτυχε μια φορά στην Ομόνοια η Ευδοκία να συναντήσει έναν από τα μέρη τους, ο οποίος ήξερε για τον Λάμπρο. Κι αυτός στο Κόμμα τότε...
—Γύρισαν κάποιοι, της είπε.
—Ακόμα κι αν γύρισε, πού να με βρει εμένα;

Καταριέται τη Σμαρώ που διέλυσε έτσι την οικογένεια. Τη φαντάζεται κουβαριασμένη γριά μέσα σε κάποιο γηροκομείο. Μακάρι να έχει πεθάνει! Ευχή από την ψυχή της. Κάποτε είχαν μάθει από τη Σουλτάνα πως ζούσε εδώ στην Αθήνα.

Η αποκλειστική μπαίνει στο δωμάτιο. Συμβουλεύει την Ανατολή να πάει να ξεκουραστεί. Εκείνη θυμώνει, την πληρώνει και τη διώχνει. Μόνο αυτή θέλει να μείνει δίπλα στη μάνα της κι όσο αντέξει.
—Σκεφτείτε το παιδί σας... της λέει καθώς μαζεύει την άσπρη της μπλούζα μέσα στην πλαστική τσάντα.
—Μια χαρά είναι. Να μάθει από τώρα τι σημαίνει μοναξιά και πόνος!

Την κοιτάζει παράξενα. Τρελά τής φαίνονται τα λόγια της γυναίκας. Αγέννητο ακόμα, το δασκαλεύει σκληρά το παιδί της...

Κοιτάζει το μαύρο ουρανό. Πουθενά αστέρι και φεγγάρι... Κόλαση μοιάζει αυτή η νύχτα. Έρχεται στο νου της η Σμαρώ. Τη βλέπει μέσα στα μεταξωτά, γριά γυναίκα, να τυραννιέται μες στο αρχοντικό. Να την τυλίγουν σαν δαίμονες οι μεταξοσκώληκες. Σίγουρα θα έχει πεθάνει...

«Δεν πρέπει να ζει και να φεύγει η μάνα μου!» λέει δυνατά τα λόγια αυτά, με κακία. Μίσος που δεν έβγαλε ποτέ από μέσα της γι' αυτήν, κι ας μην την είχε συναντήσει ποτέ. Ακόμα και μια παλιά φωτογραφία της την έκανε κομμάτια.

«Μην τη μισείς, κορίτσι μου... Η συγχώρεση είναι για τους ανθρώπους».

«Σας κατάστρεψε, μαμά!»

«Δεν είδε λογικά και με αγάπη τους άλλους».

«Μην τολμήσεις να τη δεις ποτέ! Ποτέ! Εντάξει;»

Κρυφά η Ευδοκία συνάντησε τη Σμαρώ. Και ήταν μια συνάντηση που πέρασε καιρός για να τη μάθει η Ανατολή.

Τεσσάρων μηνών ήταν κιόλας η Γαλλίδα όταν έμαθαν για το γκάστρωμά της από τον Αναστάση. Τινάχτηκε το σπίτι στον αέρα από τα κλάματα της Ραλλούς και τις βρισιές της Σμαρώς.

— Τώρα έγινε... έδωσε απλώς μια εξήγηση εκείνος κι ύστερα τις απείλησε: Σκάστε και βουλώστε το μη σας πετάξω στο δρόμο!

Το βούλωσαν και έσκασαν οι δύο αδελφές και, άρον άρον, πήγαν στη Θεσσαλονίκη την έγκυο νταντά της Ευδοκίας.

Πρώτα όμως εξηγήθηκαν με τον Αναστάση –με πρωτοβουλία της Σμαρώς– πως θα έκαναν δικαστήρια να πάρουν πίσω την πατρική περιουσία και θα τον πετούσαν αυτές, τον προικοθήρα, στο δρόμο! Έπειτα απαίτησαν να οριστεί η Σμαρώ πρόεδρος στο εργοστάσιο, αλλιώς θα τον έβγαζαν στα πέντε παζάρια! Κι ύστερα ακολούθησε το τελειωτικό χτύπημα από τη Σμαρώ... Δε θα ξαναζητούσε από τη γυναίκα του να κοιμηθούν μαζί!

— Ούτε θα την αγγίξεις άλλη φορά! Δε σου επιτρέπω να τη βρομίσεις, μοιχέ! Κατάλαβες; Συμφωνείς,

Ραλλού, δε συμφωνείς; ρώτησε, κάνοντας συγχρόνως και νόημα στην αδελφή της να πει το «ναι».

Και το είπε, βέβαια, η καημένη η Ραλλού... Έτσι κι αλλιώς, πότε τον είχε στο κρεβάτι; Πότε χόρτασε τον έρωτά του; Είχε κι ένα μωρό κορίτσι, την Ευδοκία, σκληρό να είναι ζωντοχήρα και άσχημη...

Συμφώνησε θέλοντας και μη ο Αναστάσης. Και για να μη χάσει την ηρεμία του και να συνεχίσει να ζει όπως ζούσε, γίναν όλα μέλι γάλα.

Άλλωστε, μια περιπέτεια ήταν με τη Γαλλίδα, όπως και με τόσες άλλες που τρύπωνε στα κρεβάτια τους κρυφά από ανθρώπου μάτι. Τα είχε καλά σχεδιασμένα όλα ο μπερμπάντης. Έφτανε κι ως την Αθήνα, ο αφιλότιμος, να κάνει τις απιστίες του.

Μόλις περνούσε το Νέστο, έλεγε μέσα του: «Αναστάση, δε μαγαρίζεις τη Θράκη! Εμπρός, λοιπόν!» Δεν ήθελε να στερηθεί με τίποτα όσα κέρδισε μόνο με την ομορφιά του. «Γυναίκες, ποτό και χαρτιά· τα τρία μπαλαντέρ», όπως έλεγε στους φίλους του, «για να κερδίζεις τη ζωή!»

Στη Θεσσαλονίκη πήγαν και βρήκαν μια Αρμένισσα γριά, παλιά γειτόνισσά τους από την Αλεξανδρούπολη. Της έταξαν πολλά, της έδωσαν και λίρες να αναλάβει την έγκυο και σε δυο μέρες γύρισαν πίσω.

Ύστερα διέδωσαν πως η νταντά το έσκασε μ' έναν αγαπητικό και σαν χριστιανές και φιλεύσπλαχνες σκέφτηκαν και το άλλο... Η Ραλλού, εξακριβωμένα από γιατρό, δε θα έκανε άλλο παιδί μετά την Ευδοκία. Έπεισαν λοιπόν και το μοιχό τον Αναστάση πως, για να βολευτούν όλα, έπρεπε να υιοθετήσουν ένα αγόρι για κληρονόμο. Κατά βάθος, φοβούνταν μήπως κάποτε η Γαλλίδα χρησιμοποιήσει το νόθο και απειλήσει την περιουσία τους.

Όλα τα είχαν αναλάβει η Ραλλού με τη Σμαρώ ή μάλλον η δεύτερη με τη μουσουλμάνα την Γκιουλέ. Τόσο θάρρος είχε αποκτήσει αυτή που νανούριζε την Ανατολή ακόμα και με αμανέδες!

— Μετά τα γαλλικά τα τούρκικα, βρε Σμαρώ μου; διαμαρτυρόταν δειλά η μάνα.

— Σιωπή εσύ! Εγώ τα κανονίζω όλα! Εσύ δε θα κουνάς ούτε το δαχτυλάκι σου! Φτάνει που είσαι και καχεκτικιά! τόνιζε με προστακτικό ύφος στην αδελφή της, θυμίζοντάς της πως μικρή είχε περάσει ελαφρά και παράτυφο.

Ένιωθε πως είχε την υπεροχή σε όλα. Και όμορφη, και ξύπνια, και δυναμική! Κατάφερε, η άτιμη, με πολλούς τρόπους να κάνει άβουλη και κομπλεξική τη Ραλλού. Τα γόνατά της λύγιζαν και έτρεμε όταν μιλούσε η Σμαρώ.

Έκαναν άλλο ένα ταξίδι στη Θεσσαλονίκη να πάρουν το νεογέννητο μωρό της Γαλλίδας.

— Πρέπει να την ξαποστείλουμε από την Ελλάδα. Φτάνει που μας άφησαν το Γαλλικό Σταθμό οι Φραντσέζοι!

Δε θα μας μείνει αμανάτι και η Γαλλίδα! Συμφωνείς, αδελφή;

—Συμφωνώ...

Σιγά που δε θα συμφωνούσε. Και τι να έκανε, δηλαδή; Να μη συμφωνούσε; Δεν κατάλαβε που δεν κατάλαβε τι σχέση είχε ο Γαλλικός Σταθμός και η νταντά της κόρης της, θα διαφωνούσε και από πάνω; Πάντως, σωστά τα τοποθέτησε η Σμαρώ. Η Γαλλίδα ήταν απόγονος ενός Γάλλου μηχανικού και μιας προσφυγοπούλας από την Αδριανούπολη εκεί στα Καραγατσιανά.

Τακτοποίησαν, λοιπόν, διαβατήριο και τα υπόλοιπα, και την έβαλαν στο τρένο για Αθήνα. Από 'κεί και πέρα ας έφτανε με όποιον τρόπο ήθελε στη χώρα της.

—Στο France! Εκεί να πας, τροτέζα του *Moulin Rouge*! φώναξαν και φούντωσαν κουνιάδα και γυναίκα. Και την ξαπόστειλαν, αφού την απείλησαν πως, αν ξαναφανεί, θα τη σκοτώσουν και θα τη ρίξουν στον Έβρο να τη φάνε τα χέλια!

Ακόμα κι αυτό το μπλέξιμο της Σμαρώς με το «France», δε στάθηκε εμπόδιο στην αγάπη της για το Παρίσι.

Ευτυχώς το παιδί δεν έμοιαζε στο σόι τους, ούτε θύμιζε και πολύ τη μάνα του την νταντά. Έτσι, μπαλώθηκαν σιγά σιγά όλα με την υιοθεσία του Λάμπρου. Έβγαλαν και το όνομα του πατέρα τους, για να είναι όλα καταπώς πρέπει για το διάδοχο του Αναστάση και της Ραλλούς Σταύρου!

Μ' αυτόν τον τρόπο πήρε και την εκδίκησή της όπως νόμιζε η Σμαρώ. Γιατί, βαθιά μέσα της, χρόνια έλιωνε από αγάπη κρυφή.

Όταν παντρεύτηκε η αδελφή της, κόντεψε να πεθάνει απ' τη ζήλια και το κακό της. Πρώτον, γιατί ο πατέρας τους έδωσε σχεδόν όλη την προίκα στη Ραλλού και, δεύτερον, γιατί ο Αναστάσης ήταν παρακατιανός. Μόνο την ομορφιά του είχε προίκα και μια αποθήκη μικρή με κουκούλια!

Άλλο, βέβαια, αν κατάφερε να στήσει αργότερα ολόκληρο εργοστάσιο μεταξωτών δίπλα στο προικώο εργοστάσιο μεταξουργίας! Διατήρησε και το μεγάλο οινοποιείο· προίκα κι αυτό από τον πεθερό του. Το ένα εργοστάσιο αβγάτιζε το άλλο. Έφτασε να ασχοληθεί και με την παραγωγή κουκουλιών. «Πούλησε όσα είχαμε και δεν είχαμε να θρέφει τους μεταξοσκώληκες!» φώναζε η Σμαρώ στην αδελφή της μέρα νύχτα όταν έστησε τα μεταξωτά ο «άλλος»· έτσι τον αποκαλούσε όταν δεν ήταν παρών ο Αναστάσης.

Τι να έλεγε στη μουρμούρα της κι αυτή; Έβλεπε τα μούτρα της στον καθρέφτη και κατέβαζε τα μάτια με την ασχήμια της. Ούτε στον εαυτό της δεν ήθελε να το παραδεχθεί πως την παντρεύτηκε ο Αναστάσης μόνο για τα λεφτά που πήρε προίκα.

Καρτερικά τα δεχόταν και τα άκουγε όλα. Θαρρείς πως τα βάσανά της έκαναν ζυμάρι την ψυχή και το μυαλό· τέτοια ηρεμία και γαλήνη. Είχε μια γλύκα η ομιλία της και μια χροιά η φωνή της, που έμοιαζε με πασπαλιστή άχνη ζάχαρη και σκέπαζε την ασχήμια της.

Άνθρωπος να χτυπούσε την πόρτα του αρχοντικού και να έλεγε «πεινάω» ή «πονάω», η Ραλλού γέμιζε τις τσέπες του λεφτά και την καρδιά παρηγοριά. Και αυτά κρυφά από τη Σμαρώ, που μετρούσε ακόμα και το δράμι στη φακή!

Ως τη στιγμή που πέθανε η δύστυχη, θυμόταν εκείνον τον καβγά, λίγες μέρες πριν από το γάμο της, όταν υπογράφτηκε το προικοσύμφωνο. Όταν υπογράφτηκε η καταδίκη της, θα έλεγε κανείς. Όταν παντρεύτηκε αυτόν τον άντρα που αγάπησε και έκανε αφέντη και Θεό της. Τον άντρα που, για να βρεθεί στο κρεβάτι μαζί της, κατέβαζε μια νταμιτζάνα κρασί για να μην καταλαβαίνει. Κι αυτό έγινε μια φορά, τη βραδιά του

γάμου, και μια άλλη, ένα χρόνο μετά, τότε που συνέλα-
βε την κόρη τους την Ευδοκία.

Τραβούσε τα μαλλιά της η Σμαρώ. Έπρεπε να βρει
τρόπο να ακυρωθεί και προικοσύμφωνο και γάμος.
Όχι γιατί διαισθανόταν πως ο Αναστάσης έκανε αυτόν
το γάμο από συμφέρον, αλλά για το δικό της.
— Θα πιω φαρμάκι, αν τον πάρει! φώναζε.
— Τι σε νοιάζει εσένα;
— Άλλη αγαπάει, να το θυμάσαι, πατέρα...
Αν δεν έτρωγε δυο μπάτσους από τον πατέρα τους
δε θα ησύχαζε.
— Τριαντάρισε η Ραλλού, που να σκάσεις! Είναι η
μεγαλύτερη και πρέπει να αποκατασταθεί! Έχει περά-
σει και παράτυφο! Εσύ έχεις την ομορφιά σου!
— Μην κάνεις προικοσύμφωνο!
— Δικά μου τα χωράφια και τα μποστάνια! Δικό μου
το οινοποιείο και τα κουκούλια! Ό,τι θέλω και όπου
θέλω τα δίνω, βρόντηξε και πάτησε πόδι ο πατέρας.

Έτσι έγινε ο γάμος, φανταχτερός και πλούσιος, που
τον θυμούνταν σαν παραμύθι για χρόνια όλοι στην
περιοχή. Όσο για τη Σμαρώ, το βούλωσε, έσφιξε
δόντια και καρδιά και κανένας δεν έμαθε ποτέ πως
αγαπούσε με πάθος το γαμπρό της!
Μόνο αυτή ήξερε τι πέρασε όταν, δύο χρόνια αργό-
τερα –λίγες μέρες αφότου πέθανε ο πατέρας τους– το
νιόπαντρο ζευγάρι τής ζήτησε επίμονα να μείνει μαζί

τους. Παρ' όλ' αυτά δέχτηκε, αφού έκανε δήθεν πείσματα και αντιρρήσεις.

Της έδωσαν το απέναντι από την κρεβατοκάμαρά τους δωμάτιο. Εκεί όπου πέρασε το ερωτικό της μαρτύριο.

Μετρούσε κάθε βράδυ αναστεναγμούς και βήματα που δεν μπορούσε να ξεχωρίσει. Έκλεινε τα μάτια και στέγνωνε πάνω στα σεντόνια τον ιδρώτα του δικού της πόθου. Εκεί μέσα έδωσε όρκο να μην παντρευτεί ποτέ... Εκεί έκανε συμβόλαιο με την εκδίκηση για τον κουνιάδο της.

Κι όλα αυτά τα συναισθήματα φούντωσαν κι άλλο όταν ένα βράδυ γύρισε σπίτι πιωμένος ο Αναστάσης. Αυτό ήταν ένα από τ' άσχημά του. Και για να μην κόψει αυτό το πάθος του που τόσο στενοχωρούσε τη Ραλλού, της είχε προτείνει να κοιμούνται σε χωριστά αλλά διπλανά δωμάτια. Το άλλο πάθος του ήταν η χαρτοπαιξία. Δήθεν πήγαινε στο κυνήγι μία φορά το μήνα, πάντα σαββατοκύριακο, φυσικά, γιατί έπρεπε να επιβλέπει τα εργοστάσια. Σ' αυτό δεν μπορούσε να του καταλογίσει κανένας τίποτα! Άξιος στη δουλειά και την επένδυση.

Αντί όμως να τραβήξει προς τα πάνω, στο Γκιαούρ Αντά*, που είχε πλούσιο κυνήγι, τραβούσε για κάτω με προορισμό την Καβάλα!

Είχε ανοίξει παρτίδες με κάποιους καπνέμπορους και ήθελε να πραγματευτεί καπνά που είχε φυτέψει σε

110

κάμποσα χωράφια κοντά στην Ξάνθη. Γραμμένα κι αυτά στο προικοσύμφωνο της Ραλλούς. Και ανάμεσα στα φαγοπότια και στις συμφωνίες, έριχναν στο τραπέζι της χαρτοπαιξίας το μετάξι από τη μια ο Αναστάσης και τα καπνά από την άλλη οι καπνέμποροι. Και γινόταν μεγάλος τζόγος στο πόκερ και στην πόκα. Κερδισμένος έβγαινε τις περισσότερες φορές ο «βιομήχανος των μεταξοσκώληκων», όπως τον αποκαλούσαν ειρωνικά οι εχθροί του.

---

* Γκιαούρ Αντά, το δέλτα του Έβρου. Σημαίνει *Το Νησί των Απίστων*.

111

Εκείνο το βράδυ, στο σπίτι βρίσκονταν μόνο η Σμαρώ, η Γαλλίδα νταντά, η Γκιουλέ και η μικρή Ευδοκία. Η Ραλλού έλειπε στην Ορεστιάδα. Πήγε να βαφτίσει το παιδί μιας φίλης της, της Ουρανίας. Ο άντρας της την παρότρυνε να κουμπαριάσουν, γιατί η Ουρανία ήταν η σύζυγος του δημάρχου και γιατί ο Αναστάσης είχε στο μυαλό του να βγει και στην πολιτική μια μέρα. Τον πρόλαβε όμως ο πόλεμος του '40 και ο ξαφνικός θάνατός του, λίγο καιρό αφότου είχαν φύγει οι Βούλγαροι και οι Γερμανοί από τον Έβρο.

Καλοκαίρι και τα σώματα κολλούσαν από τη ζέστη. Παράθυρα, πόρτες, όλα ανοιχτά. Τριζόνια, φεγγάρι και γιασεμιά μεθούσαν τη Σμαρώ. Δεν την έπιανε ύπνος όσο σκεφτόταν μονάχο στο κρεβάτι το μεθυσμένο άντρα.

Κάτι η βαριά μυρωδιά από το ποτό που έβγαζαν τα χνότα του καθώς έμπαινε και έβγαινε από την κάμαρα, κάτι η μυρωδιά από το χαρμάνι του πούρου του, την έφεραν σε κατάσταση να μην μπορεί να ελέγξει κορμί και μυαλό.

Κι εκεί, μέσα στην παραζάλη της, ακούστηκε χτύπημα σιγανό, συνθηματικό. Ύστερα άλλες δυο φορές, πιο δυνατό. Σηκώθηκε στις μύτες και μισάνοιξε την πόρτα του υπνοδωματίου της. Κρύφτηκε από τη σκιά της και παρακολουθούσε την κίνηση στο διάδρομο. Ο Αναστάσης έβγαινε από το μπάνιο με το σώβρακο και προχωρούσε προς την κάμαρά του. Δυο πόδια πρόβαλαν από την απέναντι πόρτα, λεπτά και γυμνά –κατάλαβε πως ήταν της Γαλλίδας– και μετά φάνηκε το βολάν από άσπρη δαντέλα. Τα πόδια έκαναν διστακτικά ένα βήμα προς τα έξω. Τεντώθηκε με τρόπο να δει καλύτερα. Η Γαλλίδα προχώρησε σιγά σιγά και μπήκε στην κάμαρα που περίμενε ο μεθυσμένος.

Η Σμαρώ νόμισε πως τη χτύπησε αστροπελέκι. Ευχήθηκε να πεθάνει εκείνη την ώρα παρά να φανταστεί τη Γαλλίδα στην αγκαλιά του Αναστάση. Ποια δύναμη τη συγκράτησε και δεν όρμησε να στραγγαλίσει το παράνομο ζευγάρι, δεν μπόρεσε να το εξηγήσει.

Γύρισε στο κρεβάτι της με όση δύναμη της απόμεινε. Διπλή απιστία· μια για την αδελφή και μια για την αρρωστημένη αγάπη της για τον ίδιο άντρα. Προτού ξαπλώσει, μύρισε λίγο αιθέρα να κρατηθεί και να σκεφτεί για τα υπόλοιπα.

Έμεινε έτσι, ζαλισμένη, για μια δυο ώρες – δεν μπορούσε να υπολογίσει. Σύγχυση, ταραχή, μίσος, αγάπη κι εκδίκηση, έρχονταν και έφευγαν από το μυαλό της. Δεν άκουσε την απέναντι πόρτα που άνοιξε. Μπερδεύτηκε ο ήχος μαζί με το σφύριγμα του τρένου που απλωνόταν στην πόλη την ώρα εκείνη, ενώ το φεγγάρι έγερνε και ετοιμαζόταν ο ήλιος να χαράξει.

Φαίνεται ότι μύρισε κι άλλες φορές το μπουκαλάκι με τον αιθέρα, γι' αυτό όταν πήγε να σηκωθεί, σωριάστηκε ξερή κάτω.

Τα χέρια που την έτριβαν στο πίσω μέρος του λαιμού έκαναν το αίμα της να κοχλάσει από το κεφάλι μέχρι τα νύχια. Το στήθος της ανεβοκατέβαινε γρήγορα, πετώντας τις ρώγες έξω. Άπλωσε αποφασιστικά το χέρι της και έπιασε το χέρι του άντρα. Το έβαλε ανάμεσα στα σκέλια της κι έβγαλε βαθιά ανάσα... Το χέρι δεν τραβήχτηκε. Ίσα ίσα, έμεινε εκεί και προχώρησε κι άλλο... Ανασηκώθηκε αργά και τον κοίταξε. Τα μάτια του κλειστά απολάμβαναν το χάδι. Έγλειψε τα στεγνά από την ηδονή χείλη της και τα κόλλησε στα δικά του. Η γεύση απ' το κρασί, το χαρμάνι και τα φιλιά της Γαλλίδας έγιναν νέκταρ στην καρδιά της. Τα ρούφηξε όσο μπορούσε πιο βαθιά μέσα της, όπως ρούφηξε και τον έρωτά του, ως την ώρα που ο ήλιος σηκώθηκε ψηλά.

Ό,τι έγινε εκείνο το βράδυ ως το ξημέρωμα μες στο αρχοντικό του Σταύρου ανάμεσα στη Γαλλίδα, τη Σμαρώ και τον Αναστάση, που πήρε από δυο μεριές έρωτα, κρατήθηκε επτασφράγιστο μυστικό· χωρίς εξηγήσεις και λόγια.

Μόνο οι ενοχές, η λαχτάρα και η αγωνία έμειναν στα μάτια τους. Γιατί και η Γαλλίδα ξημέρωσε βουρκωμένη στο κρεβάτι της, για τη δική της προδοσία.

Όσο για την Γκιουλέ, ό,τι είδε και άκουσε το έβαλε βαθιά στο κεφάλι της και το κράτησε άσο στο μανίκι της. Κι όσες φορές μετά τις έριχνε τα χαρτιά, πετούσε με νόημα το βαλέ σπαθί, που αντικατόπτριζε τον Αναστάση.

— Άντρα κοντινό σου ερωτεύτηκες, κυρά μου, και μου το κρύβεις...

— Όχι...

— Σους! Να και το κρεβάτι σου! Σε πόθησε πολύ και μη μου το αρνείσαι!

Μπροστά σ' αυτή την αποκάλυψη, η Σμαρώ έδινε ρέστα στις μαντικές γνώσεις της Τουρκάλας.

Η Ραλλού γύρισε ικανοποιημένη που πρόσφερε κατιτί στην επαγγελματική εξέλιξη του άντρα της με την κουμπαριά.

«Τέτοια περιποίηση, αδελφή μου, ούτε που να το φανταστείς! Καλέ, μέχρι ασημένιες μπομπονιέρες είχαν! Αν δεις και το βραχιόλι που με χάρισαν, θα μουρλαθείς! Ορίστε! Αντίκα από την εποχή του Κεμάλ!»

Το καμάρωσε πολύ το κόσμημα η Σμαρώ και, για να ξεπλύνει την ντροπή της με τον Αναστάση, της υποσχέθηκε πως την επομένη κιόλας θα έψαχνε να της βρει και τα ίδια σκουλαρίκια. Δώρο δικό της, για να 'ναι ασορτί!

Μόλις ξεμπέρδεψαν με τη Γαλλίδα νταντά, αφοσιώθηκαν στη μικρή Ευδοκία· ιδίως η Γκιουλέ. Μάλιστα, υπήρξαν και φορές που τη θήλασε η χοντρή!

— Πώς έγινε αυτό; χτυπιόταν έκπληκτη η Σμαρώ.

– Τα μαγιοβότανά μου όλα μπορούν να τα καταφέρουν! έδινε την απάντηση.

Το αγόρι το φρόντιζαν όποτε χρειαζόταν, ίσα ίσα για να μην προκαλούν τα σχόλια. Γι' αυτό δε νοιάστηκε η Σμαρώ, μέσα σ' όλες αυτές τις φασαρίες, όταν έμαθε από καλοθελητές –που πληρώθηκαν μάλιστα με χρυσάφι– τα νέα για τα καμώματα του Λάμπρου στην Αθήνα με τη ρεμπέτισσα. Έδωσε εντολή, μάλιστα, στην αδελφή της να τον αποκληρώσει κι εκείνη το έκανε αλόγιστα. Το ίδιο συνέβη και όταν κλέφτηκε η Ευδοκία με τον Γιαννακό· πάλι την ίδια εντολή έδωσε.

— Τέτοιες ντροπές δεν τις σηκώνει η οικογένεια! Εσύ κι εγώ φτάνουμε για να κρατήσουμε την περιουσία. Είμαι και δέκα χρόνια πιο νέα από σένα... και έχω τις δυνάμεις.

— Παιδιά είναι...

— Από άντρα κολασμένο! Σατανάδες είναι! δήλωσε στην αδελφή της και η Ραλλού κατέβασε το κεφάλι και συμφώνησε μαζί της – άλλωστε, δεν είχε κι άλλη επιλογή...

Εκείνο το διάστημα είχε παρουσιάσει τα πρώτα συμπτώματα της ασθένειας του Πάρκινσον και ως εκ τούτου είχε ανάγκη και την αδελφή της και τα εργοστάσια.

Έπνιξε λοιπόν τον πόνο που δεν έβλεπε την Ευδοκία της. Ξέχασε και το μπάσταρδο του μακαρίτη. Έμεινε σαν απολίθωμα μέσα στο αρχοντικό με τη φροντίδα της Σμαρώς και μιας γυναίκας. «Δε θέλω να πεθάνω στα χέρια της Τουρκάλας», της είχε πει η Ραλλού, κι έτσι της πήρε μια άλλη. Ήταν η μόνη επιθυμία της αδελφής της που σεβάστηκε.

Κλεισμένη σαν αράχνη στο επάνω δωμάτιο με τις μοβ μεταξωτές κουρτίνες, τα λίγα χρόνια που έζησε μετά, ύφαινε στον ιστό της τα πεθαμένα όνειρα και τις λύπες της.

Στην κηδεία της ούτε ο Λάμπρος ήρθε ούτε η Ευδοκία. Δεν τους ειδοποίησε η Σμαρώ, για να μη θυμηθεί ο κόσμος τα σκάνδαλα της οικογένειας Σταύρου!

Από όλα αυτά τίποτε δεν έμαθε ο Ζήσης – βουλωμέ-να στόματα, σκόρπιες πληροφορίες. Ωστόσο, βρήκε εύκολα το σπίτι της Ευδοκίας και ήταν ακριβώς όπως του το είχε περιγράψει ο Νίκος. Δεν μπορούσε να πιστέψει πως είχε φύγει από τέτοιο αρχοντικό η Ευδοκία. Από τι πλούτη και τι καταγωγή! Τόση αγάπη για τον Γιαννακό;

Δυσκολευόταν να χτυπήσει την πόρτα, δεν ήξερε τι να πει... Πώς να δικαιολογήσει την επίσκεψή του; Θυμόταν, άραγε, την ανιψιά της η Σμαρώ; Ήταν άτυχος που δε ζούσε η Ραλλού. Μάνα ήταν, θα συγχωρούσε πιο εύκολα· θα καταλάβαινε...

Έμεινε ώρες εκεί κάνοντας βόλτες πάνω κάτω, μέσα στη βροχή. Το ένα τσιγάρο άναβε, το άλλο έσβηνε.

Η Γκιουλέ τον πρόσεξε από την πρώτη στιγμή. Κάτι δεν της άρεσε. Τόσες ώρες, με τέτοιον καιρό, τι ζητούσε ο άγνωστος απέναντι από το σπίτι; Κρύφτηκε πίσω από τις κουρτίνες και παρακολουθούσε τις κινήσεις του.

Η Σμαρώ γύριζε από το εργοστάσιο όταν είδε τη χοντρή να τρέχει αλαφιασμένη προς το μέρος της.

— Έλα γρήγορα να ρίξουμε τα χαρτιά! Προαισθάνομαι πως θα έχουμε μπελάδες! Έριξε γρήγορα την τράπουλα και έπεσε πρώτα ο άσος μπαστούνι!

Πάγωσε η Σμαρώ από τα λόγια τούτα.

— Τι συμβαίνει;

Εκείνη τη στιγμή έπεφτε και ένας βαλές καρό επάνω.

— Από άντρα ξένο έρχεται το κακό μαντάτο!

Δεν πρόλαβε να τελειώσει και χτύπησε η πόρτα. Αναρωτήθηκε με το βλέμμα της η Σμαρώ. Αλλά αμέσως σηκώθηκε ν' ανοίξει.

— Μην ανοίγεις! την πρόσταξε η Γκιουλέ.

— Γιατί;

— Ο ξένος που φέρνει το κακό μαντάτο.

Κοντοστάθηκε για λίγο και το δεύτερο χτύπημα ακούστηκε πάλι. Τότε σηκώθηκε και η Γκιουλέ και της έκανε νόημα πως θα ανοίξει αυτή.

Στην πόρτα εμφανίστηκε ο Ζήσης. Προσπαθούσε με αδέξιες κινήσεις να μαζέψει την ομπρέλα του, καθώς συστηνόταν.

— Καλησπέρα σας... Λέγομαι... Δεν τον άφησε να ξεστομίσει άλλη λέξη κι άρχισε τα τούρκικα – δήθεν πως δεν καταλάβαινε γρι ελληνικά. Πίσω από τον όγκο της, η Σμαρώ φαινόταν να τα έχει χαμένα.

Μόνο όταν επέμεινε ο Ζήσης να δει την κυρία του σπιτιού, τότε έκανε πέρα την Γκιουλέ και ρώτησε:

— Τι θέλετε, κύριε; Εγώ είμαι!

Συνέχισε τα νοήματα και τα ακαταλαβίστικα η άλλη.

—Σταμάτα, εσύ! Μπορεί να είναι έμπορος ο άνθρωπος! Τη διέταξε ν' αποσυρθεί και του έκανε νεύμα να περάσει μέσα.

Ο τρόπος του και η εμφάνισή του την κέρδισαν από την πρώτη στιγμή.

—Σας ευχαριστώ που με δεχθήκατε, κυρία...

—Σταύρου! Σμαρώ...

Έπαιξε τα μάτια του δυο τρεις φορές από την έκπληξη. Αυτό το «Σταύρου» τον μπέρδεψε. Έτσι έλεγαν τον πατέρα της Ευδοκίας. Αυτή πώς συστηνόταν με το ίδιο επίθετο;

—Μάλιστα... είπε καταπίνοντας το σάλιο του.

—Έμπορος μεταξωτών;

Δεύτερη παύση του Ζήση.

—Όχι...

—Τότε;

—Δάσκαλος...

—Δεν είμαστε καλά! Και ήρθατε να κάνετε τι εδώ; Δεν έχουμε μικρά παιδιά!

Πήρε βαθιά ανάσα και ξεστόμισε ανάκατα κάποιες φράσεις.

—Έχετε... Δεν πάει ακόμη βέβαια σχολείο, αλλά έχετε, κυρία...

Η Σμαρώ πετάχτηκε σαν ελατήριο. Τόσο απότομα που τις έφυγαν και οι φουρκέτες από τον κότσο.

—Αν σας έστειλε εχθρός μου να με ζουρλάνετε, καλύτερα να φύγετε αμέσως!

—Πρέπει να με ακούσετε, σας παρακαλώ...

121

Δεν έδωσε σημασία στα λόγια του και προχώρησε γρήγορα προς την πόρτα. Δεν άκουσε τα βήματά του πίσω της και γύρισε το κεφάλι περιφρονητικά.

— Τι περιμένετε; Έξω, σας είπα! Ακούς εκεί... Έχουμε εμείς μικρό παιδί!

— Της ανεψιάς σας, την κόρη της Ευδοκίας... Έριξε την κουβέντα του πριν προλάβει η άλλη. Κιτρίνισε και πρασίνισε. Χάθηκε το μπορντό κοκκινάδι από τα μάγουλα και τα χείλη. Πήγε μπρος πίσω σαν εκκρεμές... Άπλωσε το χέρι να κρατηθεί στον τοίχο. Και προτού φτάσει κοντά της ο Ζήσης για να την κρατήσει, σωριάστηκε πάνω στο περσικό χαλί με τους κόκκινους μιναρέδες. Ώσπου να τη μαζέψουν η χοντρή κι ο δάσκαλος, να τη μεταφέρουν στην κρεβατοκάμαρά της, λύσσαξε να χτυπάει η πόρτα και ν' ακούγεται η φωνή της Σουλτάνας.

— Άνοιξε, καλέ Σμαρώ! Γκιουλέ; Πανάθεμά σας! Πούντιασα, μπρε, μέσα στη βροχή και το αγιάζι!

Μόλις την έβαλαν στο κρεβάτι, η Γκιουλέ άρπαξε από το χέρι τον Ζήση κι άρχισε να τον τραβάει από τις σκάλες κάτω. Δε χρειαζόταν έτσι κι αλλιώς μ' αυτή την κατάσταση να μείνει κι άλλο και, προτού τον πετάξει έξω η χοντρή, πρόσθεσε και τα τελευταία:

— Άφησα την κάρτα μου στο κομοδίνο.

Καθώς έβγαινε κακήν κακώς ο Ζήσης, τρύπωσε η Σουλτάνα αγανακτισμένη από την αναμονή.

— Χαζέψατε, μπρε; Έχετε και ξένο σπίτι σας και δεν απαντάτε; Κάντε στην άκρη να περάσω! Έσπρωξε το δάσκαλο και την Γκιουλέ και μπήκε, τινάζοντας καπέλο και μαντό που ήταν μουσκίδι.

Όσο γίνονταν αυτά στο κάτω πάτωμα, η Σμαρώ άρχισε να συνέρχεται και μόλις έκανε να πάρει την Πασιφλορίνη της, είδε την κάρτα...

Σ' αυτή τη θέση τη βρήκε η Σουλτάνα μπαίνοντας σαν σίφουνας στο δωμάτιο· άφωνη, με την κάρτα στο χέρι.

— Αγαπητικός ήτανε, καλέ Σμαρώ, και δεν άνοιγες; Βλέπει και το ηρεμιστικό δίπλα της και τρελαίνεται κι άλλο. Μη χειρότερα! Πήρες και σύγχυση; Κουβέντα η άλλη, ξεράθηκε ξανά στα μαξιλάρια και έπεσε η κάρτα από το χέρι της. Χριστός κι Απόστολος! Λιποθύμησε η μουρλή! Οθωμανή, τρέξε!

Ώσπου να φτάσει πάνω η Γκιουλέ, η Σουλτάνα χούφτωσε την κάρτα. Ανησύχησε μήπως και δεν ήξερε τίποτε από τα πονηρά της φίλης της η υπηρέτρια, και την έκρυψε στην τσέπη της.

Έκανε τα γιατροσόφια της η χοντρή μάγισσα και την ανάστησε.

— Θα μου πείτε τι αντάρα έγινε εδώ μέσα και τέζαρες σαν τη Μαργαρίτα Γκοτιέ;

— Εσύ πώς έτσι ξαφνικά εδώ; Άλλα λόγια η Σμαρώ να τα μπερδέψει.

— Ήρθα να σε πάρω ταξίδι!

— Άρρωστη είναι η κυρά μου... πέταξε η Γκιουλέ με μάτι γατίσιο. Δεν τη χώνευε τη Σουλτάνα με τίποτα. Αμοιβαίο ήταν βέβαια αυτό, αλλά η Σμαρώ έκανε πως δεν καταλάβαινε.

—Σιγά μην έχει κι ανεμοβλογιά! Μια ταραχή πέρασε η γυναίκα και πάψε να κάνεις την Πυθία!

—Και πού πας ταξίδι; Άλλαξε πάλι την κουβέντα η άλλη.

—Στην πρωτεύουσα! Με κάλεσαν!

—Ποιοι;

—Παρουσιάζουν την καλοκαιρινή κολεξιόν τους οι μεγάλοι οίκοι μόδας!

—Α, μπα!

—Μπα και ξερός! Ορίστε και οι προσκλήσεις! Θα 'ρθείς; Αύριο φεύγω.

—Όχι! πετάχτηκε πάλι στη μέση η Γκιουλέ.

—Σκάσε, μπρε Οθωμανή, να κανονίζεις τη ζωή της!

—Έναν καφέ κι ένα τσιγάρο! Πετάχτηκε πάνω από τα μαξιλάρια σαν υστερικιά η Σμαρώ για να μη φαγωθούν οι άλλες.

Η Σουλτάνα πήγε να φτιάξει καφέ για να μη συγχυστεί κι άλλο, όταν είδε τη χοντρή να στρογγυλοκάθεται δίπλα στο κρεβάτι της Σμαρώς και να την κανακεύει.

Ανέβαινε με το δίσκο τις σκάλες και σκεφτόταν τι ρόλο είχε παίξει εκείνος ο άντρας λίγη ώρα νωρίτερα και έπαθε τέτοιο κακό η φίλη της. Σίγουρα ήξερε και η Γκιουλέ. Τώρα ήταν βέβαιη. Και βεβαιώθηκε περισσότερο όταν στάθηκε έξω από την κρεβατοκάμαρα κι άκουσε πράγματα που δεν ήξερε και δεν τα είχε φανταστεί.

—Τα χαρτιά τα λένε ξεκάθαρα σήμερα, αλλά εσύ δεν ακούς! Σε ειδοποίησα για το σεκλέτι που θα πέρναγες αλλά εσύ ντουβάρι! Ορίστε τώρα η ντάμα κούπα! Αυτή η Σουλτάνα είναι... Ορίστε και το εμπόδιο να μην πας μαζί της ταξίδι. Κατάλαβες; Κάτι κακό θα συμβεί και δε θα το αντέξεις, κυρά μου...

Κόντεψε να της πέσει ο δίσκος. Ευτυχώς που είχε περάσει πολλά στη ζωή της και κρατήθηκε να μη φέρει τους καφέδες στα μούτρα της χοντρής. «Μωρή, αυτή θα την πάρει στο λαιμό της! Την εκμεταλλεύεται, η πουτάνα...» μουρμούρισε χωρίς να την ακούσουν. Αλλά άκουσε και τα άλλα:

—Σταύρωσε και μελέτησε το χαρτί σου... Α, πα, πα, γιαβρί μου, δε σ' αφήνω να φύγεις με τη ράφτρα! Μα τον Αλλάχ, καλύτερα να με θανατώσεις.

Με κλοτσιά έσπρωξε την πόρτα η Σουλτάνα και η Γκιουλέ δεν προλάβαινε να μαζέψει τα τραπουλόχαρτα. Τόσος ο θυμός της που κοπάνησε το δίσκο στο τραπέζι και τράβηξε τα σκεπάσματα από την άρρωστη.

—Σήκω εσύ πάνω! Τρέμουλο την έπιασε τη Σμαρώ. Σήκω να δεις τα μούτρα σου! Την έσυρε από το χέρι και την έστησε μπροστά στον καθρέφτη. Δυο μέτρα γυναίκα βιομηχάνισσα. Ξύπνια και όμορφη κι έβαλες αυτόν το Ρασπούτιν στη ζωή σου να σε μαγεύει; Σκατά στα μούτρα σου! Φτου!

—Κυρά μου! Σπασμούς είχε πάθει από το κακό της η Γκιουλέ.

—Σκάσε κι εσύ, φίδι κολοβό! Φεύγω! Θα είμαι στο ξενοδοχείο! Κι αν μετανιώσεις, έλα αύριο το πρωί στις οκτώ στο σταθμό. Χωρίς την Οθωμανή σου!

Ο Ζήσης ξαναείδε τον Νίκο και τον παρακάλεσε να μάθει από τυχόν γνωστούς του τι άλλο είχε συμβεί με τους Σταύρου. Οι πληροφορίες που συγκέντρωσε ανέφεραν πως ό,τι υπήρχε και δεν υπήρχε από την περιουσία είχαν περιέλθει στα χέρια της Σμαρώς.

Ύστερα απ' όλα αυτά και, μετά την επίσκεψή του στο αρχοντικό, έφυγε απογοητευμένος. Το μέλλον της Ευδοκίας και της Ανατολής βρισκόταν πια μόνο στα δικά του χέρια...

Ήταν μια καλή ευκαιρία να βάλει σε τάξη τα σχέδιά του όση ώρα θα ταξίδευε με το οτομοτρίς ως τους Τοξότες.

Πρώτα απ' όλα, έπρεπε να ζητήσει μετάθεση για την Καβάλα. Θα ήταν καλύτερα και για τους τρεις τους... Ποια δικαιολογία όμως θα έβρισκε για να της ζητούσε να τον ακολουθήσει; Δεν είχε τολμήσει τόσο καιρό να της εξομολογηθεί πως ήταν ερωτευμένος μαζί της. Από την άλλη, με το πρόσχημα πως ήταν νονός της μικρής βρισκόταν συνέχεια κοντά της. Κι αν τον απέρριπτε γιατί ακόμα αγαπούσε τον Γιαννακό; Πώς θα την έπειθε να φύγουν από το χωριό;

Με τις σκέψεις αυτές και το βλέμμα χαμένο έξω, δεν αντιλήφθηκε πως άνοιξε η πόρτα στο κουπέ. Η γυναίκα που μπήκε είχε ακαζού μαλλιά και γκρίζα μάτια. Η συγγνώμη που του ζήτησε, καθώς προσπαθούσε να τακτοποιήσει τη βαλίτσα της, δεν κατάφερε να αποσπάσει την προσοχή του από το τοπίο.

Λίγο αργότερα έστρεψε το βλέμμα του στο απέναντι κάθισμα. Ο ελεγκτής ζήτησε τα εισιτήρια. Έσκυψε να πάρει την τσάντα του και πρόσεξε τις ψηλοτάκουνες γόβες από δέρμα κροκόδειλου.

— Κυρία μου, κάνατε λάθος. Το εισιτήριό σας για Θεσσαλονίκη είναι για την πρώτη θέση.

— Με τέτοια σύγχυση μάλλον θα μπερδεύτηκα. Θα μεταφερθώ σε λίγο...

Έκλεισε η πόρτα και έμειναν οι δυο τους. Κοιτάχτηκαν, ξανακοιτάχτηκαν και, προτού προλάβει να συνειδητοποιήσει από πού την ήξερε, η γυναίκα μ' ένα διάπλατο χαμόγελο πήρε την πρωτοβουλία.

— Χαίρετε!

— Χαίρετε...

— Συναντηθήκαμε χθες... Τον θυμήθηκε αμέσως. Όχι που θα της ξέφευγε της Τοπούζογλου. Συναντηθήκαμε μ' ένα σπρωξίδι, βέβαια, στο σπίτι της Σταύρου!

— Ααα...

Της ήρθε να τον βρίσει για την αγένειά του. Σκέφτηκε όμως να του δώσει μια δεύτερη ευκαιρία.

— Διδάσκαλος, ε;

— Ν... Ναι... Κόντεψε να πνιγεί με την καραμέλα που είχε στο στόμα του.

— Ζήσης Αργυρίου, σωστά; Θυμόταν τι έγραφε η κάρτα του που είχε κρύψει στην τσέπη της.

— Σωστά... Πώς...

— Πώς τα ξέρω; είπε γελώντας. Ορίστε! Έβγαλε και του προέτεινε την κάρτα. Δική σας είναι και σας ανήκει!

127

Την κοίταζε και δεν πίστευε πως βρέθηκε στα χέρια αυτής της γυναίκας. Θυμόταν πολύ καλά πως την είχε αφήσει στο κομοδίνο της Σμαρώς. Θυμόταν όλο τον πανικό που δημιούργησε η παρουσία του. Τι ρόλο έπαιζε τώρα αυτή η γυναίκα; Γιατί τον ακολουθούσε;

—Συνεχίζω να μην καταλαβαίνω, κυρία μου...

—Δεσποινίς!

—Συγγνώμη...

—Σουλτάνα Τοπούζογλου! Φίλη της Σμαρώς Σταύρου! Της κυρίας που επισκεφθήκατε απρόσκλητος και τη συγχύσατε!

Να και η επιβεβαίωση στις πληροφορίες που του είχε δώσει ο Νίκος. Κανένας δεν μπορούσε να δώσει εξήγηση για το επίθετο «Σταύρου» που είχε υιοθετήσει, αφού ήταν κουνιάδα του και όχι γυναίκα του. Από τα ανεξήγητα στην οικογένεια μαζί με τόσα άλλα...

Μια ελπίδα φτερούγισε στο μυαλό του. Μήπως μπορούσε να μάθει κάτι απ' αυτή τη γοητευτική γυναίκα; Το ταξίδι θα κρατούσε ώρες...

—Ίσως τα ξαναπούμε, κύριε διδάσκαλε! Και προτού η ελπίδα στεριώσει μέσα του, σηκώθηκε η Σουλτάνα, μάζεψε τις αποσκευές της και καμαρωτή καμαρωτή, κατευθύνθηκε προς την πρώτη θέση.

—Δεσποινίς Τοπούζογλου... Οι λέξεις ξεψύχησαν μέσα στο σφύριγμα του τρένου που έφτανε στο σταθμό.

Σκοτώθηκαν να ψάχνουν η Σμαρώ με τη χοντρή για την κάρτα του άντρα που έφερε τη σύγχυση στο σπίτι.

— Πάνω στην ταραχή σου θα νόμιζες... είπε η Γκιουλέ που πιάστηκε η μέση της να σφηνώνει κάτω από το κρεβάτι και τη σιφονιέρα.

— Τον κακό σου τον καιρό! Προτού λιποθυμήσω την είδα!

— Και τι θα την κάνεις; Σάμπως θα πας να τον βρεις;

— Δική μου δουλειά!

— Θες κι άλλους μπελάδες τώρα;

Τελικά, αρπάχτηκαν και έγινε μεγάλος καβγάς για το πού εξαφανίστηκε η κάρτα του Ζήση.

Ο λόγος που έγινε όλη αυτή η φασαρία, βέβαια, δεν ήταν γιατί συγκινήθηκε η Σμαρώ που η Ευδοκία είχε παιδί. Ήταν από αγωνία μήπως και μπλεχτούν στα πόδια της, τώρα στα καλά καθούμενα, ανιψιά κι εγγόνι. Και μαζί μ' όλα αυτά ανοίξουν κληρονομικά και ιστορίες... Αυτό δε θα το άφηνε να γίνει με τίποτα! Καλύτερα να πέθαινε παρά να έδινε πίσω ό,τι και όσα κατάφερε με τόση πλεκτάνη.

Πώς της ήρθε και έβαλε κόκκινα μοκασίνια μες στο καταχείμωνο; Σε χαρά ξεκίνησε να πάει όταν βρήκε την Ευδοκία στο πάτωμα; Της είχε μείνει συνήθεια, τελευταία, να φοράει έντονα χρώματα. «Βγάλε τα σκούρα που έμαθες να φοράς! Το παιδί πρέπει να νιώθει τη μάνα χαρούμενη κι απ' έξω!»

Δεν της χάλασε το χατίρι, ιδίως όταν βρισκόταν κοντά της· όπως και σήμερα. Έβαλε κόκκινα παπούτσια να σπάσει το γκρίζο παλτό της.

Πέρασε να την πάρει να φάνε μαζί έξω. Μια βδομάδα μιλούσαν μόνο στο τηλέφωνο. Δεν είχε καταλάβει τίποτα το διαφορετικό στη φωνή της. Οι ίδιες ερωτήσεις πάντα, οι ίδιες απαντήσεις...

— Πώς είσαι;

— Μια χαρά, μαμά. Εσύ;

— Να μη νοιάζεσαι για μένα. Καλά είμαι κι εγώ. Πολλή δουλειά, ε;

— Ναι... Πνίγομαι...

— Πρόσεχε, Ανατολή μου. Το παιδί...

— Το ξέρω. Μην ανησυχείς, προσέχω...

131

—Δεν έπρεπε να μείνεις μόνη...

—Έπρεπε, μαμά. Τα είπαμε αυτά...

—Την Κυριακή, λοιπόν...

—Ναι, την Κυριακή.

Τα είχαν συζητήσει. Της είχε εξηγήσει πως δεν πήγαινε άλλο να μένει μαζί της. Έφτασε ο καιρός να κάνει αυτό που έπρεπε να κάνει χρόνια τώρα· να φύγει από τις φτερούγες και την προστασία της Ευδοκίας.

Από τη στιγμή που μπήκε στον τέταρτο, έπρεπε να αναλάβει τις ευθύνες της. Έπρεπε μόνη να χειρίζεται τα προβλήματά της. Να φροντίζει μόνη τον εαυτό της και το παιδί της. Πίστευε πως έτσι θα απαλλασσόταν από το σύμπλεγμα των φόβων και των ανασφαλειών της. Εξάλλου, η καινούρια της δουλειά βρισκόταν στο κέντρο και το πηγαινέλα Μαρούσι – Αθήνα την κούραζε. Αυτός, λοιπόν, ήταν ο λόγος που νοίκιασε το ρετιρέ στην εξαώροφη πολυκατοικία του Κολωνακίου.

Ο ένας μήνας που πέρασε με την Ευδοκία όταν της αποκάλυψε την εγκυμοσύνη της ήταν αρκετός για την Ανατολή. Ένιωθε να ασφυκτιά κάτω από την ίδια στέγη με τη μάνα της, η οποία καταλάβαινε όλα όσα συνέβαιναν με τον Νικηφόρο και προσπαθούσε με την αγάπη της να τη στηρίξει.

Παρ' όλ' αυτά, ούτε η ίδια πίστευε πως θα ξεπερνούσε το χωρισμό της τόσο εύκολα. Το γεγονός ότι της στάθηκε πλάι της και την ενθάρρυνε να κρατήσει το παιδί τής έδωσε φτερά για ένα νέο ξεκίνημα.

Κυριακή ήταν όταν πήγε στο Μαρούσι να της κάνει έκπληξη με το μεταχειρισμένο 2CV αυτοκίνητο. Δεν της το είχε πει στο τηλέφωνο πως είχε κάνει αυτή την αγορά. Χτύπησε το κουδούνι. Τίποτα. Κι όμως, την είχε ειδοποιήσει πως θα πήγαινε στις δώδεκα. Ξαναχτύπησε. Τα ίδια. Δεν ανησύχησε. Μια χαρά ήταν την τελευταία φορά που την είδε. Κάπου θα πετάχτηκε, σκέφτηκε. Άνοιξε με τα κλειδιά της και έχασε τον κόσμο μόλις την είδε, ένα κουβάρι, να σφαδάζει από τον πόνο.

Το ασθενοφόρο έφτασε σε δέκα λεπτά. Ευτυχώς, η κλινική βρισκόταν κοντά. Τα αποτελέσματα των εξετάσεων βγήκαν σχεδόν αμέσως. Ανεύρυσμα στην κοιλιακή αορτή και παγκρεατίτιδα σε προχωρημένο στάδιο. Χειρουργείο, εντατική και τώρα μέσα σ' αυτό το δωμάτιο να περιμένει το τέλος.

Προσπαθεί να ξεφύγει από την άγρια προσμονή. Αρχίζει να παίζει το αριστερό της πόδι, βγάζοντας και ξαναβάζοντας το παπούτσι, ώσπου ζαλίζεται και γέρνει πίσω.

Πόσο καιρό υπέφερε και δεν της το είχε πει; Μια βδομάδα τώρα το ίδιο αναρωτιόταν.

Μέσα στη νύχτα δε φαίνεται σε ποιο σημείο είναι στραμμένο το βλέμμα της Ευδοκίας. Πάντως, κάπου ψηλά· ακίνητο. Παίρνει σιγά σιγά τη βαρκούλα για το δικό της ταξίδι....

Η κούραση χαλαρώνει μυαλό και σώμα. Θέλει τόσο να κοιμηθεί· να ξεχαστεί... Το ρολόι πάνω από την πόρτα δείχνει δώδεκα. Τα κόκκινα παπούτσια έχουν κατρακυλήσει κάτω από το κρεβάτι.

Φορούσε κόκκινα λουστρίνια με μπαρέτα. Λευκό παλτό μουφλόν – δώρο του νονού του Ζήση για το Πάσχα. Δεν είχε ζεστάνει ακόμη ο καιρός. Πέντε χρονών και το θυμόταν καλά το ταξίδι με τη μάνα της κι εκείνον. Πολλές βαλίτσες μαζί τους στο λεωφορείο· μόνο η μικρή, ακριβή, δερμάτινη βαλίτσα στα πόδια τους. *Η Δερμάτινη Βαρκούλα*, αυτό το όνομα είχε το παραμύθι που της έλεγε η Ευδοκία. Το ταξίδι στο όνειρο, όταν έφυγε ο Γιαννακός, το έκανε παραμύθι κάθε βράδυ στην Ανατολή. Χρόνια ταξίδευε αυτή η βαρκούλα στη φαντασία της μικρής. Έκανε και κείνη τα δικά της ταξίδια και την πρόσεχε σαν τα μάτια της.

Ξυπνάει απότομα από το βογκητό και το πρώτο που βλέπει είναι η βαλίτσα δίπλα στο κρεβάτι. Είχαν διαμαρτυρηθεί στην κλινική πως ήταν υπερβολικό· σχεδόν ένα μπαούλο με τα ρούχα της άρρωστης.

Η Ευδοκία προτού μπει στο χειρουργείο το είχε απαιτήσει.

—Να φέρεις τα πράγματά μου! Στη δική μου βαλίτσα να τα βάλεις. Κατάλαβες;

—Κατάλαβα... Αμήχανα είχε απαντήσει από την ταραχή της.

Τούτη την ώρα το συνδυάζει και πετάγεται. Μήπως διαισθάνθηκε πως θα πάει ταξίδι και γι' αυτό τη ζήτησε;

—Αποκλείεται, δε θα την αφήσω! το λέει δυνατά, ενώ το άλλο το κρατάει στη σκέψη της: Παντοτινό ταξίδι θα είναι αυτό...

Αφουγκράζεται τη μάνα της. Κοιμάται πιο ήσυχα κι από εκείνη. Το βογκητό βγαίνει από τα δικά της στήθη και δεν το καταλαβαίνει. Το στόμα της έχει στεγνώσει. Σηκώνεται να πιει νερό.

Χαϊδεύει τ' άσπρα μαλλιά. Μανία που είχε, χρόνια τώρα, να τ' αφήνει άβαφα. Την προτιμούσε με τα μαύρα, που κάποιες φορές η βαφή τα έβγαζε με μπλε αποχρώσεις.

—Ορίστε πώς έγινα... καραγκιόζης!

—Όπως κι αν είναι, είσαι ωραία, έλεγε από τη μεριά του ο Ζήσης και την καμάρωνε.

—Η Ωραία του Πέραν! και γελούσαν και οι τρεις μαζί.

—Κι εσύ πάντα θα την αγαπάς, έτσι δεν είναι, θείε;

—Έτσι, κορίτσι μου...

Πού το έβρισκαν τόσο κέφι μέσα στα βάσανά τους; Ήταν η αγάπη φαίνεται. Πολλή αγάπη στην υπόλοιπη ζωή τους με τον Ζήση.

Ο δάσκαλος προβληματίστηκε πολύ με τη συνάντηση που είχε με τη Σουλτάνα στο τρένο. Είχαν περάσει πια την Κομοτηνή όταν σηκώθηκε σκεπτικός και άρχισε να κατευθύνεται προς την πρώτη θέση.

Έπρεπε να μιλήσει πάλι μ' αυτή τη γυναίκα. Θα ήξερε πολλά για τους Σταύρου. Είχε ομολογήσει, άλλωστε, τη φιλία της με τη Σμαρώ. Διέσχισε δυο φορές όλα τα βαγόνια. Άφαντη. Κι όμως, είχε ακούσει τον ελεγκτή πως ο προορισμός της ήταν η Θεσσαλονίκη.

Έπινε κόκκινο κρασί και λαμπύριζαν τα μάτια της από τον ήλιο. Ένιωθε πολύ θυμωμένη με τον εαυτό της. Γιατί δεν έψαξε αρκετά να βρει τι σόι ήταν αυτή η Σμαρώ; Γιατί της έδωσε τόσο απλόχερα τη φιλία της; «Μπερδεμένα πράγματα και δε μου ταιριάζουν», μουρμουρούσε κάθε τόσο η Σουλτάνα και έβαζε κρασί στο ποτήρι της.

Σωστά έλεγε. Άλλο πράγμα ήταν αυτή. Ντόμπρα γυναίκα. Μια αγκαλιά και μια θυσία για τους άλλους. Πώς να ταιριάξει με τη Σμαρώ τη σφίγγα που εμπιστευόταν τις χαζομάρες της Γκιουλέ;

— Άκου με τα χαρτιά της Οθωμανής κανονίζει τη ζωή της, το χαϊβάνι! Το είπε δυνατά και με αγανάκτηση αυτό, καθώς σηκώθηκε από το τραπέζι.

Κάποιοι γύρισαν και την κοίταξαν και μαζί μ' αυτούς και ο Ζήσης, που μόλις είχε μπει στο βαγόνι της τραπεζαρίας. Ο χώρος ανάμεσα στα τραπέζια ήταν στενός κι έτσι βρέθηκαν πρόσωπο με πρόσωπο.

— Καθίστε στη θέση μου να φάτε! Εγώ φεύγω!

— Κι εγώ ψάχνω εσάς...

Έμεινε να τον κοιτάει ερευνητικά για λίγα λεπτά και μετά του ψιθύρισε:

— Ελάτε μαζί μου...

Πήγαν στο κουπέ της πρώτης θέσης. Ήταν άδειο κι έτσι η κουβέντα που είχαν την πήρε το αγκομαχητό του τρένου και κανείς δεν έμαθε ποτέ τι είπαν και τι συμφώνησαν. Μέχρι τους Τοξότες, που κατέβηκε ο Ζήσης, η Σουλτάνα άκουγε, κάπνιζε και μιλιά δεν έβγαζε. Πάντως έμαθε όλη την ιστορία για την απαγωγή. Μια δυο φορές σκούπισε ένα δάκρυ από τα γκρίζα τσαχπίνικα μάτια της. Και ήταν τη στιγμή που της εξομολογήθηκε ο δάσκαλος πόσο ερωτευμένος ήταν με την Ευδοκία.

Ράγιζε η καρδιά της Σουλτάνας και έκανε πίσω κάθε φορά που ένας έρωτας ήταν εμποδισμένος. Ήταν, βλέπεις, ο δικός της ο ανεκπλήρωτος για τον Στράτο, που ποτέ δεν είχε ξεπεράσει...

138

Ο Ζήσης γύρισε στο χωριό και κουβέντα δεν έβγαλε γι' αυτά που έμαθε εκεί στη Θράκη. Η Μακρίνα πίστεψε πως δε βρήκε λύση ο γιος της· πως οι συγγενείς της Ευδοκίας την είχαν ξεγράψει για πάντα.

Ξεσήκωσαν τα δυο σπίτια από το χωριό και μάζεψαν τα νοικοκυριά για το καινούριο στην Καβάλα. Ο Ζήσης είχε ζητήσει μετάθεση για εκεί. Άργησε αλλά τελικά ήρθε. Πανηγύρια και χαρές η κυρα-Μακρίνα.

— Επιτέλους, να ζήσετε μόνοι σας, μακριά από τα μάτια και το κουτσομπολιό του χωριού, τους είπε και είχε δίκιο. Γιατί, πριν από καιρό, σαν γύρισε από την Αλεξανδρούπολη απογοητευμένος, έβαλε κάτω τη μάνα του να της πει δυο λόγια.

— Εγώ θα φύγω μια μέρα από 'δώ με την Ευδοκία και το παιδί.

— Δεν μπορείς να την παντρευτείς... Χαμένος ακόμη εκείνος... Δε βγαίνει διαζύγιο.

— Ούτε εδώ μπορούμε να ζήσουμε... Σε πληγώνουν, μάνα!

— Μη νοιάζεσai για μένα. Παίρνουν την απάντησή μου: εγώ δεν πάντρεψα γιο, αλλά έχω διαμάντια νύφη κι εγγονή, και το βουλώνουν!

— Μπράβο, κυρα-Μακρίνα! Τη χειροκρότησε μάλιστα από την ικανοποίησή του.

Άρχισαν να ετοιμάζονται για τη μετακόμιση και η

Ευδοκία έδειχνε καλύτερα· πιο ξένοιαστη, πιο χαρούμενη. Ωστόσο, με τη Μακρίνα δεν έκαναν κουβέντα πως επρόκειτο να φύγει με τον Ζήση. Κι αυτή διακριτική, μην τυχόν και τη θίξει, τ' άφησε να ρωτήσει τον ίδιο.

— Με τη θέλησή της θα 'ρθεί; Γιατί δεν απαντάς, γιε μου;

— Ναι...

— Πώς έγινε;

— Πάει ένας μήνας. Τότε που αρρώστησε...

— Και;

— Ένα βράδυ έγειρε στην αγκαλιά μου. Τότε είπα πως ήρθε η στιγμή να της μιλήσω... Και το έκανα...

Ο πυρετός ήταν υψηλός. Δεν έλεγε να κατεβεί γραμμή ο υδράργυρος πέντε μέρες. Δε μιλούσε, δεν άκουγε. Παλάβωσαν γιος και μάνα. Ζωντανή-νεκρή. Ήρθε γιατρός και από την Καβάλα. «Να την πάτε στο νοσοκομείο. Δε βρίσκω τίποτε». Την πήγε. Την έκαναν κόσκινο από τις εξετάσεις. Σχεδόν τίποτα· μόνο το συκώτι ήταν λίγο πειραγμένο, είπαν. Με φάρμακα και φροντίδα συνήλθε. Γύρισε σε μια βδομάδα στο χωριό. Χλομή κι εξαντλημένη, δε σχολίασε καθόλου την αρρώστια της, μόνο πήρε σφιχτά στην αγκαλιά της την Ανατολή και ευχαρίστησε βουρκωμένη τον Ζήση και τη Μακρίνα. Κι όταν το δείλι στάθηκε ν' αγναντεύει τα καπνά πέρα, ήρθε ο δάσκαλος κι έγειρε στον ώμο του. «Σ' αγαπώ, Ευδοκία», είπε, «και δε θ' αφήσω ούτε εσένα ούτε την Ανατολή για τίποτε στον κόσμο».

Ε υτυχώς έμεινε η Σουλτάνα δυο μέρες στη Θεσσαλονίκη και πήρε μιαν ανάσα προτού κατεβεί στην Αθήνα.

Φυσούσε και ξεφυσούσε μ' αυτά που άκουσε από το δάσκαλο στο τρένο και κόντευε να πλαντάξει. Αποφάσισε, όμως, να μην εξομολογηθεί τίποτε στη Σμαρώ απ' όσα είπαν. Μάλιστα, όταν γύρισε, δεν έκανε ούτε στάση στην Αλεξανδρούπολη κι ας είχε σκοπό να δει μαζί της στον κινηματογράφο *Ιλίσια* την ταινία της Σαρίτα Μοντιέλ, *Βιολετιέρα*!

Ήθελε να δώσει χρόνο στον εαυτό της να σκεφτεί με ποιον τρόπο θα χειριζόταν το θέμα. Όχι πως δεν ανακάλυπτε σιγά σιγά, η πανέξυπνη μοδίστρα, τι βρομιές έκρυβε η οικογένεια Σταύρου, αλλά ήταν κυρία και δεν έθιγε εύκολα τον άλλον.

Είχε κι εκείνη τα δικά της μυστικά για την οικογένειά της: τη μοιχεία του πατέρα της και την τρέλα της αδελφής της Μερόπης, που πέθανε σε ψυχιατρείο της Κωνσταντινούπολης. Έτσι η μοίρα ταίριαξε τις ζωές τους.

Είχαν διαφορά ηλικίας δυο τρία χρόνια πάνω κάτω η μια από την άλλη. Ποια, όμως, ήταν μεγαλύτερη; Δεν

143

έβρισκες άκρη... Ταυτότητες δε βγήκαν για να μαθευτεί! Στο μόνο που πραγματικά διέφεραν ήταν η εμφάνισή τους· μαύρα σαν έβενο μαλλιά και μαύρα μάτια η Σμαρώ, κόκκινα ακαζού και γκρίζα μάτια η Σουλτάνα. Αδύνατη σαν στέκα η Σμαρώ, γεμάτη η άλλη.

Πότε πότε η Σουλτάνα της πετούσε δήθεν με χιούμορ:

—Φάε, μωρή, λίγο, να τσιτώσει ο πισινός σου! Σαν κρεμάστρα στέκονται τα ρούχα πάνω σου, μπρε φιλενάδα!

—Ζηλεύεις την κορμοστασιά μου, γι' αυτό το λες!

—Χέστηκα! Άμα δεν πιάσει ο άντρας, χαμένη, λίγο τσιτσί, δε φχαριστιέται στο κρεβάτι!

—Έπιασε σε σένα και γι' αυτό σου έμεινε πιστός; πετούσε και η άλλη τη σπόντα της.

Δεν το έβαζε όμως κάτω η Σουλτάνα και συνέχιζε:

—Απ' το να μη βάλεις ποτέ άντρα στο κρεβάτι σου, καλύτερα ένας έρωτας έστω και προδομένος! Εκεί δαγκωνόταν λίγο η Σμαρώ, αλλά πώς να ομολογήσει τι ένιωσε στο κορμί της από τον έρωτα του Αναστάση...

Μετά έβαζαν το λικέρ σε ποτήρια κρυστάλλινα –Baccarat, παρακαλώ!– και άναβαν τα Santé για να κάνουν ανακωχή. Έκαναν δαχτυλίδια τον καπνό να ξεθυμάνει ο σεβντάς από την καρδιά τους.

Κάπνιζε σαν φουγάρο η Σμαρώ, ακόμα και μπροστά σε κόσμο. Έτσι επιβεβαίωνε τον αντρίκειο χαρακτήρα της, μια και διεύθυνε ολόκληρα εργοστάσια!

—Να κουμαντάρεις τα πράγματα σαν άντρας αλλά σ' όλα τα άλλα να είσαι θηλυκό! παρατηρούσε και τη

144

συμβούλευε η Σουλτάνα, που στη θηλυκότητα και την τσαχπινιά δεν την παράβγαινε άλλη.

— Εγώ τη θηλυκότητα την έχω στο κεφάλι!

— Αλλού να την έχεις για να προκόψεις!...

Πέρασε καιρός. Ίσως και χρόνος για να κάνει με τη Σμαρώ τη συζήτηση για το δάσκαλο και την Ευδοκία...

Πολλές ώρες στην πολυθρόνα. Λίγες για να φτάσουν να θυμηθεί τι έγινε, πώς πέρασε τα τριάντα δύο της χρόνια. Χοάνη το μυαλό της. Πηγαινοέρχονται τα τωρινά και τα παλιά...

Δεν ακούει το παιδί... Θαρρείς κι αυτό καταλαβαίνει πως πρέπει να σεβαστεί τις τελευταίες στιγμές της Ανατολής με την Ευδοκία. Ανησυχεί για λίγο. Σηκώνεται και βγαίνει στο σαλόνι. Εκεί, μια γυναίκα και ένας άντρας περνούν τις δικές τους αγωνίες.

Το περπάτημα της νοσοκόμας αλαφροΐσκιωτο, να μην ενοχλήσει. Η παρουσία της είναι το μόνο άσπρο στη μαυρίλα της νύχτας και της θλίψης.

Το σκίρτημα στην κοιλιά της την ηρεμεί κάπως. Χαϊδεύει το παιδί καθώς κάνει αυτές στις στροφές μέσα της.

«Χάδια κι αγκαλιά χρειάζονται τα παιδιά, όπως σε είχα εγώ, Ανατολή μου».

«Όπως με κακόμαθες, θες να πεις...»

«Τι παρεξήγηση κι αυτή ανάμεσα σε γονιό και παιδί... Από αγάπη το κάνει κι εσείς νομίζετε πως σας βάζουν τη ζωή σε σφραγισμένο κουτί χωρίς αέρα! Όταν θα γίνεις μάνα θα καταλάβεις...»

Αυτό ήταν το παράπονο της Ευδοκίας όταν αντιδρούσε σε καθετί που της έλεγε.

Κρίμα που δε θα δει τη δική της σχέση με το μωρό. Πόσα όνειρα. Πόσα σχέδια παίρνει μαζί της απόψε στο μακρινό ταξίδι...

«Αγόρι ή κορίτσι λες να βγει, μαμά;»

«Γερό και τυχερό να 'ναι!» Έκανε το σταυρό της και της χαμογελούσε χωρίς αντίδραση γι᾽ αυτή την απόφασή της.

«Πού βρίσκεις τη δύναμη, μάνα μου;»

«Στην αγάπη μου για σένα. Είναι σπουδαίο να μη μείνεις μόνη... Όλοι οι άλλοι είναι μακρινοί στη ζωή μας. Μόνο το παιδί δίνει νόημα...»

«Το πιστεύεις στ᾽ αλήθεια;»

«Ναι, το έζησα με την οικογένειά μου. Και θυμώνω με τις στείρες που δεν παίρνουν στην αγκαλιά τους ένα άλλο παιδί που δε γεύεται την αγκαλιά της μάνας του».

Πολλές τέτοιες κουβέντες ανάμεσά τους. Και ύστερα άρχιζαν τις προετοιμασίες για τη μέρα της γέννας.

Δεν έχει φέξει ακόμα και η καμπάνα χτυπάει για τη γέννηση του Θεανθρώπου. Κάποιοι από το προσωπικό της κλινικής τελειώνουν τη βάρδια τους.

— Καλά Χριστούγεννα!

— Χρόνια πολλά!

Σιγανές ευχές να μην ταράξουν τον πόνο.

Η Ανατολή κοιμάται βαθιά και το αστέρι το δικό της την οδηγεί σε εκείνες τις μέρες στην Καβάλα...

Βολεύτηκαν μια χαρά στο σπίτι. Ολόκληρο νοικοκυριό τούς έδωσε μαζί τους η Μακρίνα. Μα πάνω από όλα την ευχή της. Αποφάσισε να μην τους ακολουθήσει προς το παρόν. Άλλα σχέδια είχε και χρειαζόταν καιρό για να τα ολοκληρώσει.

Το σχολείο που θα δίδασκε ο Ζήσης ήταν δυο βήματα από το σπίτι, εκεί στη γειτονιά της Παναγίας.

—Θα ξεκινήσει φέτος το δημοτικό.

—Είναι μόλις πέντε...

—Ας είναι, Ευδοκία μου. Όσο πιο πολλά μάθει τόσο καλύτερα. Θα έρχεται μαζί μου.

Έμαθε τα γράμματα γρήγορα. Πρώτη στις τάξεις του δημοτικού· καμάρωνε η μάνα.

Ένα πράγμα τη στενοχωρούσε· δεν κατάφερνε να διώξει τις φοβίες της Ανατολής. Αν δεν της κρατούσε τη φούστα ή το χέρι, δεν έκανε βήμα. Πουθενά δεν πήγαινε, εκτός από το σχολείο, γιατί εκεί ήταν ο Ζήσης. Φοβόταν το σκοτάδι. Φοβόταν τα παιδιά. Φοβόταν τα πάντα. Κι αν τύχαινε να ξεσπάσει καταιγίδα, κρυβόταν κάτω από τραπέζια και κρεβάτια.

Την τρόμαζε πολύ αυτή η κατάσταση της κόρης της. Το συζητούσε και με τον Ζήση, αλλά άκρη δεν έβγαζαν. «Θα μεγαλώσει και θα αλλάξει, Ευδοκία μου...» την καθησύχαζε με την ηρεμία του.

Μέρα νύχτα παρακαλούσε να είναι καλά αυτός ο άνθρωπος που ήρθε στη ζωή τους σαν άγιος... Μπορεί να μην τον ερωτεύτηκε ποτέ, όσα χρόνια κι αν έζησαν μαζί, αλλά τον αγάπησε βαθιά. Τον τίμησε σαν άντρα της και κάτι παραπάνω.

Ο γάμος δεν μπορούσε να γίνει. Ο Γιαννακός δεν είχε δώσει σημάδια πως ζει και πού για να βγει το διαζύγιο. Υπήρχαν φήμες πως βρισκόταν στη Λατινική Αμερική, αλλά τίποτε συγκεκριμένο. Ούτε η καπνεμπόρισσα φάνηκε ξανά στην Καβάλα. Ακόμη και όταν πέθανε ο άντρας της, κοντινοί συγγενείς δεν ήξεραν ποιον να ειδοποιήσουν.

Έτσι η περιουσία και το καπνομάγαζο έμειναν για κάποιο διάστημα ξεκρέμαστα. Έπειτα από καιρό ξεχάστηκε κι αυτή. Κάποτε διαδόθηκε πως πέθανε εκεί, στα ξένα. Είπαν πως άφησε διαθήκη, γραμμένα όλα στον αγαπητικό της τον Γιαννακό – ό,τι είχε κληρονομήσει από τον άντρα της. Αλήθεια ψέματα, δεν ξεκαθαρίστηκε...

Ήσυχα κυλούσε η ζωή τους στην Καβάλα, ώσπου φάνηκε μια μέρα μες στην καλή χαρά η κυρα-Μακρίνα.

—Τα πούλησα όλα! Και σπίτι και χωράφια και ήρθα!

Αυτός ήταν ο λόγος που είχε μείνει πίσω. Η Ευδοκία στενοχωρέθηκε που ξεκληρίστηκαν έτσι εξαιτίας της.

—Δεν έπρεπε...

150

— Δε θα γυρίσετε εκεί, κορίτσι μου. Μπροστά είναι η ζωή σας με το γιο μου!

— Σωστά... Μπροστά... συμπλήρωσε εκείνος, με κάποια πίκρα όμως που κατάλαβε η Ευδοκία.

Η Μακρίνα δεν το εξέτασε εκείνη την ώρα. Είχε και γι' αυτό το λόγο της... Από την επόμενη μέρα, μάλιστα, έψαξε να βρει πώς θα έβγαινε το διαζύγιο με τον εξαφανισμένο. Της πήρε δύο χρόνια να τα καταφέρει. Έτρεξε σε αρμόδιες υπηρεσίες. Βρήκε μάρτυρες πως είχε φύγει με άλλη και πως δεν είχε στείλει ούτε γράμμα ούτε τηλεγράφημα αν ζούσε ή αν είχε πεθάνει.

Πείσμα στο πείσμα και παρακαλετό σε όλους τους πολιτευτές του νομού κατάφερε να βγάλει άκρη. Άλλα τρία χρόνια για να γίνουν όλες οι απαραίτητες ενέργειες. Και να τα μπουκαλάκια με τα αρώματά της για δώρα – είχε κουβαλήσει μαζί της δυο τσάντες και όλα τα σύνεργά της όταν ήρθε από το χωριό.

Στο τέλος, πήρε την Ευδοκία και πήγαν μαζί για να υπογράψει το διαζευκτήριο. Και μετά το γλέντησαν σε ταβέρνα με ορχήστρα του Καρά Ορμάν!

Προτού κανονίσουν όμως το γάμο, το σκέφτηκε από 'δώ, το σκέφτηκε από 'κεί και έβγαλε άλλη απόφαση πάλι για το ζευγάρι.

— Να πας να ζητήσεις μετάθεση για Θεσσαλονίκη. Τώρα μπορείς να γίνεις και διευθυντής του δημοτικού!

— Καλά είμαστε βολεμένοι εδώ, βρε μάνα.

— Το μέρος είναι μικρό.

— Ολόκληρη πόλη... την έκοψε η Ευδοκία.

— Η Θεσσαλονίκη είναι άλλο πράγμα. Σκεφτείτε το κορίτσι... Θα μεγαλώσει... Θ' ακούσει... Θα μάθει για τον ανεπρόκοπο. Δε χρειάζεται να πληγωθεί κι άλλο. Ο Ζήσης συμφώνησε αμέσως. Η Ευδοκία είχε τις αμφιβολίες της, αλλά δεν αποκάλυψε τις σκέψεις της. Αυτό αφορούσε εκείνη και την Ανατολή. Όταν θα έκλεινε τα δεκαπέντε, είχε υποσχεθεί στον εαυτό της να της μιλήσει. Να μη μάθει από ξένους άλλα κι άλλα... Να της πει πώς είναι η αγάπη. Πώς είναι η προδοσία. Πώς σε ξεγελούν οι άντρες. Έπρεπε να το κάνει για να ξέρει και για να προφυλαχθεί.

Πραγματικά, όταν ήρθε ο καιρός, το έκανε στ' αλήθεια. Άλλο αν, έπειτα από χρόνια, μετάνιωσε γι' αυτό.

Ο γάμος έγινε κοντά στο σπίτι τους, στην εκκλησία της Παναγίας. Πίστεψε πως ήταν καλό σημάδι. Κάθε πρωί πήγαινε ν' ανάψει κερί και μετά με δυο βήματα έφτανε στο φάρο. Αγνάντευε τη θάλασσα και τα καράβια στο λιμάνι.

Πολλές φορές έμπαινε η φαντασία της σ' ένα απ' αυτά για να ταξιδέψει ως το άλλο αγαπημένο της λιμάνι, αυτό που αποχωρίστηκε στα νιάτα της για τον έρωτα του άπιστου Γιαννακού.

Το γαμήλιο βράδυ το πέρασαν με εξομολογήσεις και υποσχέσεις. Τότε ανάφερε για πρώτη φορά την ύπαρξη του αδελφού της, του Λάμπρου, που τον είχαν χαμένο.

Παρόλο που ήταν μικρή τότε, θυμόταν ακόμα τη θεια της τη Σμαρώ να τον φωνάζει «μπάσταρδο Γάλλο!»

— Ήξερες το γιατί;

— Μια φορά ρώτησα τη μάνα μου...

— Και;

— Είχα μια Γαλλίδα νταντά. Έκανε ένα νόθο, το άφησε σπίτι μας κι εξαφανίστηκε. Έτσι τουλάχιστον μου είπε...

— Και τώρα πού είναι;

— Πού να ξέρω εγώ; Ταξίδι πήγε στην Αθήνα για δουλειές και χάθηκε κι αυτός!

— Όλα αυτά προτού φύγεις με τον Γιαννακό;

— Ναι...

Συνέχισε να του λέει κι άλλες πίκρες της· τα πάντα... Ξημέρωμα βρέθηκαν αγκαλιασμένοι, σαν ζευγάρι. Φοβόταν αυτή την ώρα που θα έδινε το κορμί της στον Ζήση. Γιατί όσο καιρό έμειναν ανύπαντροι δε θέλησε να την κάνει δική του. Ίσως, λοιπόν, ο τρόπος του αυτός να την έκανε να νιώσει πάλι σαν γυναίκα.

Ύστερα από τρία χρόνια άλλαξαν ζωή και πόλη. Μάζεψαν το βιος τους, πήραν τα λεφτά για το σπίτι που είχε στο Ταμιευτήριο η κυρα-Μακρίνα και ξεκίνησαν όλοι μαζί για Θεσσαλονίκη. Έκλαψε πολύ την ώρα που το λεωφορείο έπαιρνε τη στροφή του Άγιου Σίλα.

Τελευταία φορά που έβλεπε την πόλη με το κόκκινο κεραμίδι. Με το κάστρο κορόνα και το γαλάζιο στα πόδια της, έμοιαζε σαν αρχόντισσα.

—Δεν ήθελες να φύγουμε, Ευδοκία μου, ε;

—Όχι.

—Δεν πάμε μακριά...

—Ξεμακραίνω κι άλλο από τον τόπο μου, από τους δικούς μου.

Της έσφιξε το χέρι δυνατά. Δεν μπορούσε να της αποκαλύψει ότι οι δικοί της είχαν πεθάνει πριν από χρόνια και ότι αυτή που είχε μείνει πίσω –η θεία Σμαρώ– ήταν ακόμα πιο μακριά από την Ευδοκία... Σκληρό να της αποκαλύψει την ορφάνια της. Το άφησε για άλλη φορά... Μα ήρθε η ώρα που το ανακάλυψε μόνη της η Ευδοκία.

Τα τρίγωνα κάνουν το ξύπνημα γλυκό. *Χριστός Γεννάται* ακούγεται παντού φέρνοντας γαλήνη στην ψυχή. Τεντώνεται στην πολυθρόνα και ανοίγει τα μάτια μ' ένα χαμόγελο. Δεν ξέρει το γιατί... Από πού αντλεί κουράγιο. Το ρολόι δείχνει έξι και μισή. Νιώθει ένα τίναγμα από το μωρό και ανασηκώνεται. Τα πόδια λυγίζουν. Τα χέρια τρέμουν και το χαμόγελο παγώνει. Το κρεβάτι άδειο και στρωμένο. Η λευκή φιγούρα, αμίλητη, απέναντί της, δεν είναι ο άγγελος που στάθηκε πάνω από τη γέννα της· είναι η νοσοκόμα με το κακό μαντάτο.

— Πότε;...

Θαρρείς και έχει τώρα πια σημασία η ώρα... Μήπως μαζί θα έφευγαν με τη δερμάτινη βαρκούλα;

— Στις τέσσερις...

Δυόμιση ώρες που ταξιδεύει η Ευδοκία... Κανείς δεν είπε ποτέ πόσο κρατάει το τελευταίο ταξίδι.

Μαζεύει ό,τι υπάρχει στη βαλίτσα. Κλείνει το μπρούντζινο κλείδωμά της. Αγγίζει το χερούλι να πάρει δύναμη. Επάνω της ακόμα τα χνάρια της Ευδοκίας...

155

— Ἥσυχα; ρωτάει αυτό που τη νοιάζει.

— Σαν πουλάκι...

«Σαν πουλάκι χώνεσαι στην αγκαλιά μου όταν τα θαλασσώνεις!»

«Προσπάθησα μόνη πολλές φορές, μαμά...»

«Ἔφταιξα κι εγώ, Ανατολή μου».

«Μαζί μπερδέψαμε τα λάθη μας».

«Δεν είναι αργά ακόμη...»

«Ὄχι, δεν είναι...»

Ποτέ δε έφυγαν αυτές οι λέξεις από το μυαλό της. Κι ας άργησαν τόσο πολύ να τις πουν. Κι ας πόνεσαν που τις κράτησαν μέσα τους τόσα χρόνια...

Η βαλίτσα τής φαίνεται ασήκωτη. Κατεβαίνει τις σκάλες μία μία. Δε θέλει να ταράξει το μωρό. Δε θέλει ούτε την Ευδοκία... Ἔτσι διάλεξε εκείνη τον αποχωρισμό τους, μέσα στον ξέχωρο ύπνο της η καθεμιά. Δεν άντεχε να πει με τα χείλη το τελευταίο «αντίο». Ἔφτανε μόνο της καρδιάς... Δεν ήθελε να τη θυμάται με μάτια παγωμένα και κλειστά.

Αφήνει το 2CV στο πάρκινγκ και αποφασίζει να πάρει ταξί. Δίνει διεύθυνση για Μαρούσι. Αλλάζει γνώμη... Κολωνάκι. Ἄδειοι δρόμοι. Κάπου κάπου φιγούρες τυλιγμένες σε ρούχα γιορτινά. Αρχίζει να πέφτει χιονόνερο. Αυτοκίνητα με τζάμια αχνισμένα. Κόκκινα, πράσινα φανάρια. Ξενοκράτους... «Φτάσαμε, κυρία...»

Τα πόδια ξυλιασμένα μέσα στα κόκκινα παπούτσια. Ανοίγει την πόρτα και προχωρεί. Φτάνει στο ασανσέρ. Έκτος όροφος.

«Τι το θες τόσο ψηλά το σπίτι; Καλά δεν ήσουν στη μονοκατοικία μαζί μου;»

«Θέλω ν' αλλάξω πολλά, μάνα...»

«Να αλλάξεις, κόρη μου, προς το καλύτερο όμως... Για σένα και το παιδί...»

Ποτέ δεν της αρνιόταν. Μπορεί να έφταιξε κι αυτό που τα μπέρδεψε έτσι στη ζωή της. Η αδυναμία της Ευδοκίας να πει εκείνα τα «όχι» και τα «δεν πρέπει». Σάμπως κι όταν τα έλεγε έδινε σημασία;

«Δεν είναι για τον κόσμο. Κι εμένα μου γύρισαν την πλάτη. Για την ψυχούλα σου... Τώρα τα βλέπεις εύκολα κι απλά. Μεθαύριο θα αντιληφθείς τις συνέπειες...»

Πώς θα ξεπληρώσει τις πίκρες που της έδωσε; Τώρα καταλαβαίνει πως έφυγε σαν άμμος μέσα από τις χούφτες της ο χρόνος... Μόνο μια φράση ψιθύριζε κάθε τόσο στην κλινική: «Συγχώρεσέ με, μαμά...» Τις άκουσε; Τις πήρε μαζί της; Ήταν άραγε σημάδι συγχώρεσης το αργό κούνημα του κεφαλιού της; Ήταν «ναι» το δάκρυ που κύλησε στο πρόσωπό της;

Μπαίνει στο διαμέρισμα. Πενήντα τετραγωνικά. Πόσο πόνο να χωρέσει;

Της άρεσε πάντα να κοιμάται μπρούμυτα. Τώρα με

την κοιλιά δεν μπορεί. Ανάσκελα, με τα χέρια να κάνουν βόλτες στο πάτωμα. Μένει εκεί όλη μέρα. Νυχτώνει και ξαναμένει.

Σαράντα οκτώ ώρες περνούν μέσα στο αβάσταχτο αδιέξοδο. Συγκρούσεις στο μυαλό της. Χτύποι καρδιάς που δε μετριούνται. Η μία εικόνα φέρνει την άλλη. Ζαλίζεται. Κοιμάται. Ξυπνάει. Κάνει εμετό. Πετάγεται σαν ελατήριο χωρίς να ξέρει πού να τρέξει. Ο γιατρός την παρακολουθεί από κοντά. Υπάρχει φόβος για το παιδί...

Οι φίλοι αγωνιούν. Κουβέντες, η μία πίσω από την άλλη. Σκόρπιες φράσεις. Γιατί ταράζουν το βούλιαγμά της;

— Έλα μαζί μου... Η φωνή της Ελένης απόμακρη.

— Μην αποβάλει.

— Μια εκδρομή για την Πρωτοχρονιά, λέει ο Γιώργος.

— Να ξεφύγεις...

Η φωνή του Νικηφόρου πουθενά. Το ζήτησε η ίδια.

— Μην τον ειδοποιήσει κανένας. Δε θέλω ούτε να τον βλέπω ούτε να τον ακούω.

— Ο γιατρός επιμένει για την κλινική... Πάλι η Ελένη.

Αύριο είναι η κηδεία. Δεν της επιτρέπουν να πάει. Πάλι το δικό της «θέλω» σκεπάζεται από το «πρέπει» των άλλων.

Βγαίνει στο σαλόνι. Μέσα στο μαύρο, το θαλασσί της ρόμπας φαντάζει ξένο. Η ένεση τη χαλαρώνει και την κοιμίζει...

Η μέρα λάμπει. Αχτίδες λιώνουν την πάχνη στα άσπρα μάρμαρα. Μισεί το όνομά της αυτή την ώρα. Ανατολή! Πώς είναι δυνατόν; Η Ευδοκία στη δύση της. Ψέλνει ο παπάς το κατευόδιο... Μαντίλια σκουπίζουν δάκρυα για τη ζωντανή, που τα 'χει χαμένα...

Το κόκκινο αυτοκίνητο του Νικηφόρου αταίριαστο με το σκούρο παλτό της. Δυο βήματα προτού μπει μέσα, την πλησιάζει η ηλικιωμένη. Τυλιγμένη στην ακριβή μαύρη γούνα με κατεβασμένο το κεφάλι. Λίγα γκρίζα μαλλιά ξεφεύγουν από το βελούδινο μαύρο καπέλο με το βέλο. Τα μάτια θολά. Μέσα της δακρύζει. Της απλώνει το χέρι. Μετέωρο το δικό της.

— Είμαι η Σουλτάνα Τοπούζογλου. Έχουμε ξανασυναντηθεί... Θυμάσαι;

Άδειο το βλέμμα της Ανατολής. Δεν επιβεβαιώνει τη γνωριμία πού έχει γίνει.

— Ξεθώριασε. Καταλαβαίνω... Σταματημένο το μυαλό από τη συμφορά. Έχω νέα για σένα, της λέει και βάζει την κάρτα στην τσέπη του παλτού της. Πάρε με όταν σταθείς στα πόδια σου... Πρέπει να σταθείς, κοπέλα μου!

Η ηλικιωμένη γυρίζει και κατευθύνεται αργά αργά προς τον τάφο της Ευδοκίας.

Ο Νικηφόρος την παίρνει σαν υπνωτισμένη από τους ώμους και τη βάζει στη θέση του συνοδηγού. Η Ελένη και ο Γιώργος δεν την άκουσαν. Θεώρησαν σωστό να

159

τον ειδοποιήσουν. Δεν έχει δύναμη να αρνηθεί. Ξέρει πως δε θα είναι για πάντα κοντά της. Τον ξέρει πολύ καλά. Μόνο γι' αυτή την ώρα έχει έρθει. Συμπόνια...

Έπρεπε ν' ακούσει τη μάνα της από τότε που έγινε γυναίκα, μα σπάνια το έκανε. Αντίθετη σε όλα...

«Μην αφήσεις κανένα να σε λυπηθεί και να σε κάνει κτήμα του. Να είσαι δυνατή, κορίτσι μου...»

«Είμαι...»

«Νομίζεις... Έχεις κολλήσει επάνω μου...»

«Θα ξεκολλήσω όταν μεγαλώσω».

«Σε τρεις μήνες γίνεσαι δεκαπέντε...»

«Ναι...»

Έσβησαν τα κεριά στην τούρτα και ζήτησε από τον Ζήση να τις αφήσει να πάνε οι δυο τους μια βόλτα.

—Θέλω να της κάνω κι εγώ το δώρο μου.

—Μα της πήραμε το τρανζίστορ, Ευδοκία μου...

—Άλλο δώρο είναι αυτό· της το κρατάω χρόνια...

Έβαλε το καλό μπλε λινό ταγέρ, είπε και στην Ανατολή να πάρει κι ένα μερσεριζέ μαζί της γιατί στη θάλασσα έχει υγρασία και ξεκίνησαν.

—Το βράδυ θα γυρίσουμε, Ζήση.

Πήραν ένα ταξί και έφτασαν στο Καραμπουρνάκι. Παρήγγειλε ψάρια και γαρίδες. Μια γκαζόζα για την Ανατολή και μια μπίρα Φιξ για εκείνη. Μετά γύρισε το βλέμμα στη θάλασσα κι άρχισε να μιλάει.

—Καιρός να μάθεις πώς γεννήθηκες. Πώς αγάπησα

τον πατέρα σου. Από πού ξεκίνησα και ποια είμαι. Πώς ήρθε στη ζωή μας ο Ζήσης... Άσε με να σ' τα πω και μετά ρωτάς. Και είπε και ομολόγησε στην κόρη της σχεδόν τα πάντα. Όσο της έφτανε η ώρα από τις έξι το απόγευμα ως τις δέκα τη νύχτα.

Η Ανατολή άκουγε σιωπηλή. Έτρεχαν τα μάτια της όταν έτρεχαν και της Ευδοκίας. Εικόνες γίνονταν στο μυαλό της τα λόγια. Σαν να θυμήθηκε, μάλιστα, και το μαχαίρι που ορθώθηκε μπροστά της λίγα λεπτά μετά τη γέννα της, εκεί στα καπνοχώραφα. Τότε ήταν φαίνεται που τρόμαξε πολύ. Αγωνία και φόβος, τα μετέπειτα χρόνια, πως κάποιος θα της έπαιρνε πίσω τη ζωή και δε θα προλάβαινε να τη γευτεί.

—Ναι... Είπα να σε σκοτώσω και να σκοτωθώ. Φαί-νεται πως ο άγγελος πήγε το χέρι μου στο λώρο. Οργή της στιγμής ήταν...

— Μ' αγαπούσες, δηλαδή;

—Από την ώρα που σκίρτησες μέσα μου.

—Εκείνον;

—Τον πατέρα σου να λες...

—Δε θα τον λέω! Τον αγαπούσες;

—Ναι...

—Και τώρα;

Άργησε ν' απαντήσει. Σηκώθηκε και ανακάτεψε τα βότσαλα με τα πόδια της σαν να ήθελε να σβήσει κάθε ανάμνησή του. Σηκώθηκε και η Ανατολή. Στάθηκε πίσω της κι έριξε μια πέτρα στο νερό όσο πιο μακριά μπορούσε.

— Όχι. Οι αγάπες τελειώνουν γρήγορα όταν δε σε σέβεται ο άλλος.

Αυτό καρφώθηκε γερά στο νεανικό μυαλό της. Δυστυχώς, όμως, η Ανατολή το κατάλαβε πολύ αργότερα στη ζωή της.

Ο Νικηφόρος μετά την κηδεία επέμενε να την πάει να μείνει σπίτι του. Αρνήθηκε.

— Ξέχασέ το!

— Αυτό το πείσμα σου...

— Αυτό μας διέλυσε, θες να πεις;

— Ναι... Έτσι και με το παιδί... «Θα το κρατήσω!»

— Βούλωσ' το!

— Σε ποιο μήνα είσαι;

— Είσαι δειλός!

— Θα σε ξαναδώ;

— Να πας στο διάολο! του πέταξε και βγήκε από το αυτοκίνητο, χτυπώντας την πόρτα στα μούτρα του.

Ανάθεμα την ώρα που τον ειδοποίησαν για τη μάνα της. Μέσα στα γεγονότα, δεν πρόλαβε να ρωτήσει πώς βρέθηκε στο νεκροταφείο. Ένιωθε θυμωμένη που πίσω από την πλάτη της το κανόνισε η Ελένη.

Ήταν τόση η επιμονή της, άλλωστε, να τον υπερασπίζεται. Από την πρώτη στιγμή που της είπε για την αρνητική στάση του σ' ό,τι αφορούσε το παιδί.

— Είστε λίγο καιρό μαζί! Πώς θες να σηκώσει τέτοιον εκβιασμό;

Μόνο που δεν ήρθαν στα χέρια να την ξεμαλλιάσει. Εκβιασμό έλεγε την επιθυμία της ν' αποκτήσει παιδί στα τριάντα δύο της; Πόσο ακόμα έπρεπε να περιμένει όταν ο ίδιος ο Νικηφόρος της έλεγε πως είναι η γυναίκα της ζωής του;

Φίλη, σου λέει! Τόσα χρόνια κολλητές από την τράπεζα της Θεσσαλονίκης ως και μετά τη μετάθεσή τους εδώ, στην Αθήνα.

Ήταν που δεν ήθελε να χαλάσει τα κέφια του άντρα της, του Γιώργου. Μη στενοχωρηθεί για το φίλο του τον αρχιτέκτονα! Τον ανεξάρτητο! «Έχει καιρό ακόμα για οικογένεια! Είναι μόνο είκοσι εννέα!» τη ζάλιζε συνέχεια η Ελένη μ' αυτή τη δικαιολογία, για να την πείσει να κάνει την έκτρωση.

Τον γνώρισε όταν το ζευγάρι αγόρασε το καινούριο σπίτι στο Γαλάτσι. Νόμισε πως της ήρθε η βεράντα του νεόκτιστου διαμερίσματος, όπως το κοίταζαν από κάτω, όταν φάνηκε ο Νικηφόρος.

Ό,τι μπορείς να συνδυάσεις σ' έναν άντρα για να πεις τη λέξη «ωραίος»!

—Η φίλη μας η Ανατολή! τη σύστησε ο Γιώργος.

—Συνάδελφός μου από την Εθνική! συμπλήρωσε η Ελένη.

Έκανε μια γκριμάτσα για το υπαλληλίκι της σε τράπεζα.

—Έχετε τελειώσει νομική σαν τα παιδιά;

—Όχι...

—Μάλιστα...

Την έγδυσε από την κορυφή ως τα νύχια με το βλέμμα του και άρχισε να περιγράφει την άρτια κατασκευή του διαμερίσματος.

Σε μια βδομάδα εκείνος εμφανίστηκε στην Εθνική. Κανόνισε ό,τι κανόνισε με το διευθυντή και πέρασε και από μπροστά της για μια σφραγίδα στα χαρτιά του.

Ο Νικηφόρος μόλις είχε βγει από την τράπεζα, όταν πρόσεξε την κάρτα του μπροστά της. Ούτε που κατάλαβε πότε την άφησε εκεί. Σημασία είχε ότι κολακεύτηκε και χάρηκε. Αυτή ήταν η αρχή. Ενός μήνα σχέση και ξεσηκώθηκε να μείνει μαζί του.

—Πού τον ξέρεις, παιδί μου, και πας να κάνεις τέτοια τρέλα; αντέδρασε η Ευδοκία.

—Τα πράγματα φάνηκαν από την πρώτη στιγμή, μαμά. Μ' αγαπάει, με θέλει! Πρέπει να γνωριστούμε καλύτερα...

—Κι αυτό θα γίνει μόνο αν μείνετε μαζί;

—Ακριβώς!

—Λάθος σου κι αυτή τη φορά, Ανατολή. Ξέχασες...

Δεν την άφησε να της θυμίσει το άλλο λάθος της με τον παντρεμένο στη Θεσσαλονίκη. Πέρασε πάλι στην επίθεση· αυτή ήταν η τακτική της. Έτσι προσπαθούσε να αφοπλίσει τον άλλον και να γίνει το δικό της.

—Γιατί; Εσύ που κλέφτηκες με το χωριάτη κι έφυγες από το σπίτι σου;

—Παντρευτήκαμε αμέσως!

—Και επειδή έβαλες στεφάνι τον γνώρισες καλύτερα;

Στη συνέχεια δεν την άφησε να αρθρώσει λέξη. Ξέσπασε άγρια, κατηγορώντας την πως αυτή έφταιγε για τις φοβίες της. Για το λάθος της μέχρι σήμερα να την προστατεύει σαν μωρό.

—Καιρός να προχωρήσω μόνη μου, όπως θέλω εγώ! Τελεία και παύλα!

Πήγε και έμεινε με τον Νικηφόρο. Και όταν άρχισε να αντιλαμβάνεται πράγματα που δεν υποψιαζόταν, ένιωσε πως ήταν αργά να κάνει πίσω. Ίσως ντρεπόταν να παραδεχθεί στην Ευδοκία την επιπολαιότητά της.

Ένα βράδυ έμενε μαζί της, τρία γύριζε με φίλους ως το πρωί σε μπαρ και δήθεν δουλειές. Δικαιολογίες, η μία μετά την άλλη.

Ξυπνούσε εκείνη από τα χαράματα να βρεθεί στις οκτώ στην τράπεζα στο Σύνταγμα. Και όταν τόλμησε κάποια στιγμή να διαμαρτυρηθεί, έπεσαν και τα χαστούκια. Δύναμη ν' απαγκιστρωθεί δεν είχε. Ήταν παθιασμένη μαζί του. Πίστεψε πως με το θέμα του παιδιού θ' άλλαζαν τα πράγματα. Αντίθετα, όμως, διαλύθηκαν.

Ο Νικηφόρος υπάκουε στις εντολές της μητέρας του. Η Ανατολή δεν την είχε γνωρίσει μέχρι εκείνο το πρωινό της Κυριακής που χτύπησε το κουδούνι στο διαμέρισμά του. Ήταν έτοιμος να φύγει και άνοιξε αμέσως την πόρτα. Μπροστά τους πρόβαλε μια αυταρχική γυναίκα, γύρω στα πενήντα.

— Καλημέρα, μαμά. Φαινόταν έκπληκτος με την παρουσία της.

— Φεύγεις, αγόρι μου;

— Ναι... Ήμουν έτοιμος...

— Δε χρειάζεται να μείνεις. Εγώ ήρθα να γνωρίσω αυτήν. Στο άκουσμα της λέξης «αυτήν» είχε τουλάχιστον την ευγένεια να πει το όνομά της.

—Την Ανατολή, μαμά.

—Πήγαινε στο καλό... Σχεδόν τον έβγαλε σπρωχτό από την πόρτα.

Ευτυχώς ήταν ο καναπές δίπλα της και σωριάστηκε εκεί. Δεν ήξερε πώς να μαζέψει το νυχτικό επάνω της· να τακτοποιήσει τα μαλλιά της.

—Καθίστε... είπε ξέπνοα στη γυναίκα που στεκόταν απέναντί της και την περιεργαζόταν αδιάκριτα.

—Θα μείνω μόνο πέντε λεπτά και πιστεύω να κατανοήσεις τα όσα θα σου πω.

—Έχει έτοιμο καφέ... Πήγε να κάνει πιο φιλική την ατμόσφαιρα.

—Ξεκαθάρισα πως δεν ήρθα για κοζερί!

Μαζεύτηκε μουδιασμένη στον καναπέ και περίμενε την επίθεση. Η γυναίκα φαινόταν πως ήρθε για πόλεμο.

Στυφή, με ύφος αυταρχικό, ίδια όπως στη μεγάλη φωτογραφία μέσα στο υπνοδωμάτιό τους. Κρεμασμένη, μάλιστα, απέναντι από το κρεβάτι τους, έτσι που την έπιανε η ψυχή της.

Της είχε εξηγήσει ο Νικηφόρος πως της είχε αδυναμία, πως αναγνώριζε τις θυσίες της να τον μεγαλώσει χήρα. Είχε καταλάβει κι εκείνη πως είχε να κάνει με παιδί της μαμάς του. Δεν το είχε αξιολογήσει όπως έπρεπε και να τώρα...

—Σας ακούω, λοιπόν...

—Δεν ξέρω πόσο κέφι κάνει στο γιο μου αυτή η συγκατοίκησή σας, αλλά αν σκέφτεσαι για γάμο, ξέχασέ το!

—Δε σκέφτομαι... ξεστόμισε τρομαγμένη από την απειλή.

—Τότε γιατί έμεινες έγκυος;

Ο εμετός είχε φτάσει στο στόμα της. Όλη τη νύχτα την πέρασε στο μπάνιο. Λίγο ακόμα να συνέχιζε η μέγαιρα θα γέμιζε τον τόπο. Κατάπιε σάλιο και αηδία και της αντιγύρισε:

—Έτυχε, κυρία μου...

—Σε μια γυναίκα που 'χει περάσει τα τριάντα δεν επιτρέπεται να τύχει! Έχει μυαλό και ηθική!

—Τι θέλετε τώρα;

—Πρώτον, να σταματήσει αυτή η ιστορία με τον εκβιασμό του παιδιού!

Πετάχτηκε επάνω σαν θηρίο. Να την έλιωνε δεν της έφτανε.

—Δεν είναι εκβιασμός! Έρωτας είναι!

—Αλλού αυτά! Πας να τον τυλίξεις με το παιδί!

—Θέλω να φύγετε τώρα! Τώρα!

—Από το σπίτι του γιου μου;

Άρχισε να της φαίνεται στημένη όλη αυτή η ιστορία με τη συμμετοχή του Νικηφόρου. Έπρεπε να το διαπιστώσει.

—Δεν ήρθατε γι' αυτόν...

—Το ήξερε όμως πως θα έρθω. Απλώς δεν άντεχε τέτοια συζήτηση, όπως μου είπε.

—Ψέματα!

Δεν ήταν δυνατόν να την εξευτέλιζε έτσι ο άντρας που αγαπούσε. Δεν το πίστευε.

Εκείνη γύρισε την πλάτη της και έφυγε με αγέρωχο βήμα. Λίγο πριν ανοίξει την πόρτα, χωρίς να την κοιτάξει, πέταξε και το υπόλοιπο δηλητήριο:

— Να τελειώνουμε! Το θέλει και ο γιος μου...

Όταν γύρισε ο Νικηφόρος, δεν τον άφησε να πει λέξη. Είχε έτοιμες τις βαλίτσες της. Μόλις άνοιξε η πόρτα και εμφανίστηκε, όρμησε πάνω του. Έκλαιγε και φώναζε.

— Γιατί μου έστησες τέτοια παγίδα; Τι την κουβάλησες εδώ;

— Δεν το ήξερα...

— Είσαι δειλός! Το ήξερες και το παραήξερες! Το είπε η ίδια η μάνα σου!

— Ανατολή, ηρέμησε...

— Να ηρεμήσω γιατί; Επειδή με πρόσβαλες; Δεν είχες το θάρρος να μου πεις εσύ πως δε θέλεις το παιδί;

— Σ' το είπα...

— Χλιαρά... Άρχισε να τον μιμείται σαρκαστικά: «Άσε και θα δούμε, αγάπη μου. Δεν είμαι έτοιμος...» Παραδέξου το, λοιπόν!

Έδωσε μια στο τραπέζι του σχεδιαστηρίου του και τα τίναξε όλα στον αέρα.

— Πολύ καλά. Δε θέλω παιδί, ούτε τώρα ούτε ποτέ! Κατάλαβες;

— Εντάξει, λοιπόν! Δικό μου θέμα από 'δώ και πέρα! Έχω κάθε δικαίωμα να το θέλω στα τριάντα δύο μου χρόνια.

—Δεν έχεις όμως το δικαίωμα να το φορτώσεις και σε μένα.

—Είμαι ανεξάρτητη οικονομικά. Πατάω στα πόδια μου και δε σε χρειαζόμαστε.

—Μη μου ζητήσεις ποτέ ευθύνες. Δε σε ξέρω, δε με ξέρεις!

Βούτηξε τις βαλίτσες, χωρίς να σκεφτεί ότι μπορούσε ν' αποβάλει με τέτοια σύγχυση και τέτοιο φορτίο, κι έφυγε χτυπώντας στα μούτρα του την πόρτα.

Εκείνος ούτε που κουνήθηκε. Άναψε τσιγάρο και παρακολουθούσε αδιάφορος. Απλώς πήρε μια βαθιά ανάσα όταν άκουσε το χτύπημα της πόρτας.

Η Ανατολή σταμάτησε το πρώτο ταξί και ζήτησε να την πάει σ' ένα ξενοδοχείο κοντά στο Σύνταγμα, κάπου στην αρχή της Ερμού. Δεν ήταν δυνατόν να πάει στο Μαρούσι. Η Ευδοκία θα ταραζόταν πολύ. Άλλωστε, είχε τέτοια χάλια που ήθελε να μείνει μόνη της για λίγο.

Τηλεφώνησε στην τράπεζα και ζήτησε δύο μέρες άδεια. Κλείστηκε στο δωμάτιο του ξενοδοχείου. Έκλαψε για τα λάθη της και για τη δειλία του. Από τις λίγες φορές που φοβήθηκε τη μοναξιά της. Η μοναδική που πονούσε έτσι για άντρα. Τον αγαπούσε τον Νικηφόρο. Μπορούσε να κάνει το καθετί γι' αυτόν – εκτός από το να ρίξει το παιδί. Είχε πάρει την απόφασή της: Θα το κρατούσε με νύχια και με δόντια! Ήθελε ένα μικρό περιθώριο χρόνου να δει πώς θα βολευτεί. Πώς θα το ανακοίνωνε στη μάνα της.

Η Ελένη με τον Γιώργο αποστασιοποιήθηκαν. Μόνο η Ευδοκία στάθηκε κοντά της. Τρελάθηκε η γυναίκα όταν την αναζήτησε στο σπίτι του Νικηφόρου κι εκείνος της είπε ξερά: «Λυπάμαι, αλλά δε μένει πια μαζί μου. Δεν ξέρω, κυρία μου, πού...»

Το τηλέφωνο που έκανε στην τράπεζα κόντεψε να της φέρει εγκεφαλικό: «Ζήτησε άδεια δύο μέρες...»

Δεν ήξερε τι να κάνει. Κυριακή διαδραματίστηκαν όλα αυτά. Δευτέρα έγιναν τα τηλεφωνήματα. Την Πέμπτη εμφανίστηκε στο σπίτι. Μπήκε προσποιούμενη πως δεν τρέχει τίποτα.

—Πού ήσουν, κορίτσι μου;

—Ήθελα να μείνω μόνη. Μη με ρωτήσεις τι και γιατί και πώς... Σε παρακαλώ, μαμά, δώσ' μου χρόνο...

Άχνα δεν έβγαλε η Ευδοκία. Έφαγαν κάτι πρόχειρο και λίγο αργότερα ξάπλωσε η Ανατολή. Το απόγευμα μίλησαν για άσχετα θέματα και αργά το βράδυ, φεύγοντας, της είπε:

—Έλα μεθαύριο στου Παπασπύρου στο Σύνταγμα, στις έντεκα. Θα πάμε για ψώνια...

Μέχρι να φτάσει το πρωινό του Σαββάτου έχασε μισή ζωή.

Απλά και ήρεμα η Ανατολή το ανακοίνωσε στο δοκιμαστήριο του καταστήματος που πήγαν για ψώνια.

—Είμαι έγκυος. Πρέπει ν' αγοράσω κάτι φαρδύ.

Νόμισε πως έγινε σεισμός. Έφυγε το πάτωμα κάτω από τα πόδια της. Κρατούσε τη φούστα που είχε δοκιμάσει η Ανατολή και την έκανε κουβάρι μέχρι ν' απαντήσει στο ξαφνικό.

—Το ξέρει; Με στεγνό το στόμα έκανε την ερώτηση.

—Ναι... Κοίταξε στον καθρέφτη για να δει την αντίδρασή της. Η Ευδοκία είχε κατεβασμένο το κεφάλι.

— Και;

— Ούτε με παντρεύεται ούτε θέλει το παιδί...

Πάλι προσπάθησε μέσα από τον καθρέφτη να δει το πρόσωπο της μάνας της. Το κεφάλι κόντευε να φτάσει στη μέση από το βάρος της είδησης. Άφησε τη φούστα και βγήκε από το μαγαζί να πάρει αέρα. Λίγο ακόμη να έμενε θα λιποθυμούσε.

Απέναντι ήταν ένα καφέ. Σωριάστηκε στην πολυθρόνα, κίτρινη σαν το φλουρί. Τόσο που ο σερβιτόρος προσφέρθηκε να της φέρει ένα ποτήρι νερό.

— Τόσο φαρμάκι πού να λιώσει με το νερό;

Σαν αστραπή πέρασαν τα δικά της. Έτσι κράτησε κι εκείνη το παιδί όταν το αρνήθηκε ο Γιαννακός· μόνο που ήταν στεφανωμένη.

Μουδιασμένη πλησίασε η Ανατολή. Κάθισε και παράγγειλε καφέ. Κοιτάχτηκαν για ώρα αμίλητες. Από πού ν' αρχίσει να ρωτάει;

— Πόσο;

— Δύο μηνών.

— Τι θα κάνεις;

— Θα το κρατήσω, μαμά. Δεν έχω περιθώρια...

Ούτε κι εκείνη είχε. Στις τελευταίες της εξετάσεις έμαθε για την αρρώστια της. Καιρό είχε κάποιες ενοχλήσεις, αλλά δεν ήθελε να δημιουργήσει πρόβλημα στην κόρη της. Άντε πάλι, Ευδοκία, να μαζέψεις τα κομμάτια σου και να της σταθείς.

Ύστερα από εκείνο το πρωινό, δεν ξαναμίλησε. Ούτε για τους πόνους της ούτε για την απόφαση που πήρε η Ανατολή της. Ίσιωσε κορμί και ψυχή και στάθηκε δίπλα της, ξεχνώντας ακόμη και τον εαυτό της. Δεν υπήρχε άλλη επιλογή. Δεύτερη φορά δεν έπαιρνε την αμαρτία.

Βγάζει από την τσέπη του μπλε παλτού γάντια, μαντίλια και κλειδιά. Η κάρτα μπερδεμένη μ' αυτά. Την είχε ξεχάσει, όπως και την ηλικιωμένη στην έξοδο του νεκροταφείου. Διαβάζει όνομα κι επίθετο: Σουλτάνα Τοπούζογλου. Ζωντανεύει η εικόνα της ηλικιωμένης με την ακριβή μαύρη γούνα και το καπέλο με το βέλο.

Μέσα στην ομίχλη του μυαλού, πιάνεται απ' τη θύμηση αυτής της γυναίκας για να ξεχαστεί. Συγχέει πόσο παλιά είχε γίνει η πρώτη γνωριμία τους.

Η κομψή Σουλτάνα στεκόταν στην ουρά της τράπεζας με το βλέμμα στυλωμένο στην Ανατολή. Και όταν έφτασε μπροστά της, έδωσε τη θέση της στον επόμενο.

— Αφού είναι η δική σας σειρά... είπε, για να την εξυπηρετήσει.

— Το ξέρω, αλλά θέλω να σας μιλήσω ιδιαιτέρως.

— Δε σας καταλαβαίνω... Είστε πελάτισσα;

— Δεν ήρθα για τραπεζική εξυπηρέτηση. Είναι προσωπικό το θέμα. Όταν σχολάσεις, έλα στου *Ζόναρ's*. Θα σε περιμένω εκεί, Ανατολή, της είπε με αποφασιστικό ύφος κι αμέσως έκανε στροφή κι έφυγε αγέρωχη. Είχε μείνει άναυδη. Γνώριζε και το όνομά της!

Η Ανατολή πήγε από περιέργεια. Την περίμενε στο βάθος της αίθουσας, καθισμένη σταυροπόδι. Τα υπέροχα πόδια μέσα στις ακριβές, κομψές, ψηλοτάκουνες γόβες ήταν το πρώτο που την εντυπωσίασε για την ηλικία της.

— Ένας καφές είναι ό,τι πρέπει για ξεκούραση μετά τη δουλειά. Ή μήπως προτιμάς κάτι άλλο;

— Μια μπίρα! απάντησε, ανάβοντας τσιγάρο νευριασμένη από τον ενικό της κυρίας.

Έδωσε την παραγγελία η Σουλτάνα και συνέχισε:

— Πρώτα απ' όλα σου μιλάω στον ενικό γιατί σε ξέρω από μικρή! Μην ανοίγεις το στόμα σαν χάχας! Θα σ' τα εξηγήσω όλα... Μπορείς να μην καπνίζεις, σε παρακαλώ, γιατί θέλω κι εγώ, αλλά δε μου το επιτρέπει το ήθος μου δημόσια!

Γέλασε μ' αυτή την ιδιόμορφη, γοητευτική γυναίκα.

— Απορώ γιατί ήρθα!

Κατέβασε μονοκοπανιά την αφρισμένη μπίρα και ήταν έτοιμη να τα βροντήξει και να φύγει.

— Κάτσε κάτω... της είπε επιτακτικά κι αμέσως μετά, με ήρεμες κινήσεις, έβαλε μισή κουταλιά ζάχαρη κι άρχισε να ζαλίζει τον καφέ.

Τα μηνίγγια της χτυπούσαν από τον εκνευρισμό. Πόσο θα κρατούσε αυτή η ιστορία; «Τι στο διάολο κουβαλήθηκα εδώ;» σκέφτηκε. «Τι σχέση μπορώ να έχω εγώ μ' αυτή;»

Η Σουλτάνα, αφού ρούφηξε μια γουλιά, με βλέμμα στυλωμένο στον απέναντι καστανά, αποφάσισε ν' αρχίσει:

—Πριν από πολλά χρόνια γνώρισα ένα δημοδιδάσκαλο στο τρένο από Αλεξανδρούπολη για Θεσσαλονίκη. Τον έλεγαν Ζήση Αργυρίου.

Τα μάτια της πετάχτηκαν από την έκπληξη. «Έχει γούστο», σκέφτηκε, «να είναι κάποια ερωτική του ιστορία». Η Σουλτάνα διέκοψε τις σκέψεις της.

—Μην ξαφνιάζεσαι, έχεις ν' ακούσεις πολλά και δύσκολα, Ανατολή, και συνέχισε να διηγείται επί δύο ώρες γεγονότα που ως τότε δε γνώριζε η κοπέλα.

Είπε για τη φιλία της με τη Σμαρώ και για τα ύποπτα μυστικά της... Ποτέ δεν είχε αναφέρει κάτι για την Ευδοκία, ούτε πως είχε κλεφτεί. Ούτε την ύπαρξη της μικρής γνώριζε πριν από τη συνάντησή της με τον Ζήση. Από την άλλη, η Ανατολή δεν είχε ποτέ ακούσει για το ταξίδι του στην Αλεξανδρούπολη, και σίγουρα δε θα 'ξερε τίποτε ούτε και η μάνα της.

Μπερδεμένες και άγνωστες ιστορίες. Μετά άρχισε άλλο μονόλογο. Για τον καβγά που έκανε με τη Σμαρώ, έπειτα απ' όσα της είχε εκμυστηρευτεί ο δημοδιδάσκαλος.

—Είχα θυμώσει τόσο πολύ μ' εκείνη την αδικία. Ένα χρόνο δεν της μιλούσα, αφότου συνάντησα τον Ζήση.

Κατέβασε ένα ποτήρι νερό σαν να το είχε μεγάλη ανάγκη. Χτύπησε τα χέρια της αγανακτισμένη και πήγε να συνεχίσει.

179

Η Ανατολή δεν άντεχε άλλο.

—Κουράστηκα. Σας παρακαλώ, φτάνει.

—Όχι. Θα μάθεις πώς την ξεμπρόστιασα και τι πέτυχα στο τέλος, περιγράφοντας τη σκηνή με κάθε λεπτομέρεια.

Έκανε πρόβα σε μια πελάτισσά της η Σουλτάνα όταν την ειδοποίησε η βοηθός της, η Μέλπω, πως επιμένει να τη δει η φίλη της, η δεσποινίς Σταύρου.

—Εγώ τέτοιες φίλες-φίδια τις έχω γραμμένες στα παλιά μου υποδήματα!

Ακούστηκαν μέχρι έξω τα λόγια της και φυσικά τα άκουσε και η Σμαρώ, η οποία δεν άντεχε άλλο –χωρίς εξηγήσεις– την απομάκρυνση της φίλης της.

Ό,τι κι αν έβαζε στο μυαλό της δεν έβρισκε την αιτία. Τι χαρτιά και τι πασιέντσες έριξε η Γκιουλέ να το ανακαλύψει.

—Σε ζηλεύει! Αυτός είναι ο λόγος που γκρεμοτσακίστηκε από 'δώ!

—Δεν το πιστεύω...

—Μα τον Αλλάχ, θα πλαντάξω! Ξέρεις τι μαντζούνια, και τι ξόρκια κάνω για να φύγει από πάνω σου το μάτι της; Κάθε δεκαπέντε μέρες μες στα μεσάνυχτα παλεύω, μα το ξεγήτεμά σου δε φεύγει!

—Μη με πρήζεις, Γκιουλέ!

—Σε κάρφωσε με τα τσακίρικα μάτια της. Βάι βάι! Χτυπιόταν η χοντρή και ξεφυσούσε η Σμαρώ.

—Μου λείπει... Κάναμε καλή παρέα.

—Άσε αυτά τα μασάλια! Που ταίριαξες εσύ με τη

ράφτρα του Καλέ! Να κοιτάς όσο πιο ψηλά μπορείς, κυρά μου. Ξέχασέ την!

Όχι μόνο δεν την ξέχασε, αλλά πήρε την απόφαση ν' ανεβεί στο Διδυμότειχο για να ζητήσει το λόγο – πρώτη φορά χωρίς την Γκιουλέ!

Μπήκε στο σαλόνι του *Atelier La Belle Vie* καμαρωτή, σαν βασίλισσα.

— Ήρθα να μάθω τι μύγα σε τσίμπησε και τα έβαλες μαζί μου!

Εφόσον έριξε η άλλη τα μούτρα της, η Σουλτάνα σκέφτηκε πως είναι η καλύτερη ευκαιρία να της τα ψάλει για τις αδικίες που έκανε σε Ευδοκία και Ανατολή. Μπήκε, λοιπόν, αμέσως στο θέμα.

— Θυμάσαι το δάσκαλο που είχε έρθει προ καιρού σπίτι σου να σου φέρει τα οικογενειακά μαντάτα;

Χλόμιασε, στραβοκατάπιε, αλλά είπε να μην αρχίσει την αντεπίθεση. Ήταν προτιμότερο να δει πρώτα πού το πήγαινε η Σουλτάνα, μήπως έριχνε άδεια να πιάσει γεμάτα.

— Τι δουλειά έχεις εσύ στα οικογενειακά μου;

— Όπου υπάρχει αδικία έχω, Σμαρώ!

— Ποιος ξέρει τι χαζομάρες σού ξεφούρνισε αυτός ο λωλός!

— Με ντοκουμέντα μου τα είπε. Ως και φωτογραφίες μου έδειξε για την ανεψιά σου! Και να 'ταν αυτό μόνο; Άνοιξαν πολλά στόματα όταν άρχισα να ρωτάω για τη δεσποινίδα Σμαρώ Σταύρου!

— Χώθηκα εγώ στα δικά σου; Ή θα πεις πως εσύ είσαι αγία;

— Μια κολασμένη είμαι κι εγώ, αλλά δεν αδίκησα και ούτε αδικώ κανέναν. Κατάλαβες;

Η Σμαρώ κάθισε μουδιασμένη και ζήτησε ένα ποτήρι νερό. Τη λυπήθηκε λιγάκι. Άναψε δυο τσιγάρα και της έδωσε το ένα. Εκείνη τράβηξε δυο τρεις ρουφηξιές, την κοίταξε στα μάτια.

— Να 'ξερες τι έχω περάσει... είπε το λυπητερό της.

Εκεί έγινε τούρκος η Σουλτάνα. Χτύπησε το πόδι στο πάτωμα και της επιτέθηκε:

— Εσύ ή η μακαρίτισσα η αδελφή σου, η Ραλλού, ήταν το θύμα; Και δικό σου και του άντρα της! Είχε μάθει αρκετά και ήταν αποφασισμένη να τα βγάλει στη φόρα.

— Νόμιζα πως είχα κλείσει στόματα. Φαίνεται, όμως, πως οι λίρες μου έγιναν τριάντα αργύρια... μονολόγησε, διαπιστώνοντας εκείνη την ώρα πως κάποιοι πρόδωσαν τα μυστικά της.

Έβλεπε ότι με τη Σουλτάνα δε θα τα 'βγαζε πέρα. Αν έχανε κι αυτή τη φιλία, δε θα είχε κανέναν κοντά της. Αυτός ήταν ο λόγος που άρχισε να της ομολογεί πολλά. Ωστόσο, η επιμονή της άλλης επικεντρωνόταν στην αποκλήρωση της Ευδοκίας και την ύπαρξη της μικρής Ανατολής.

— Αν θες να λυτρωθείς και να συγχωρεθείς, πρέπει να πας να τη βρεις. Να της σταθείς και να τη δικαιώσεις με ό,τι της ανήκει... Κατάλαβες, Σμαρώ;

Άργησε ν' απαντήσει. Έπαιζε συνέχεια με τα δυο

πανάκριβα δαχτυλίδια της. Με ζάλισες με τις κοτρόνες σου! Ξέρουμε ότι είναι διαμάντια καρατίων! Μίλα!

— Δεν μπορώ να το κάνω. Ίσως όταν πεθάνω της αφήσω κάτι...

— Με ψίχουλα, μπρε, θα την αποζημιώσεις; την έκοψε προτού τελειώσει τη φράση της. Έβαλες στο χέρι όλη την περιουσία της! Να τα κάνει τι, μωρή, η Ευδοκία στα γεράματα; Τώρα ζορίζεται. Την άφησε και ο άντρας της μ' ένα παιδί!

Όσο κι αν το πάλεψε η Σουλτάνα, δεν κατάφερε πολλά πράγματα, μόνο ένα ποσό την έπεισε να καταθέσει στο Ταμιευτήριο, στο όνομα της Ανατολής. Μάλιστα, ανέθεσε στη Σουλτάνα να το τακτοποιήσει προσωπικά.

— Αφού μπερδεύτηκες στα δικά μου, βρες τώρα το δάσκαλο, μάθε και το επίθετό της και δώσε τα λεφτά. Από πού και πώς... τσιμουδιά!

— Έχω κρατήσει εγώ μυστικά, που ούτε στον Άγιο Πέτρο δε θα πω.

Την ώρα που έδωσαν τα χέρια, πέταξε και το καρφί.

— Έπρεπε να μου πεις πως εσύ ήσουν που βούτηξες την κάρτα του δημοδιδάσκαλου! Κατέβασε το κεφάλι η Σουλτάνα και παραδέχτηκε την ενοχή της.

Όση ώρα άκουγε η Ανατολή στου *Ζόναρ'ς* αυτή τη δυναμική ηλικιωμένη γυναίκα, κόντευε να τρελαθεί. Το ένα μπρος το άλλο πίσω της διηγιόταν. Παράξενα και άγνωστα γεγονότα· κι αυτή πρωταγωνίστρια.

Ανάμεσα στα πολλά τής είπε πως έπειτα από καιρό αναζήτησε μέσω του υπουργείου Παιδείας και Θρησκευμάτων τον Ζήση και βρήκε ότι ήταν διορισμένος σ' ένα δημοτικό της Καβάλας. Συνεχίζοντας, της είπε πως πράγματι πήγε και τον βρήκε και του έδωσε στο χέρι τα χρήματα με τη συμφωνία να μη μάθει τίποτε η Ευδοκία, παρά μόνο να κατατεθούν στο Ταχυδρομικό Ταμιευτήριο, στο όνομα της Ανατολής, και να τα πάρει η μικρή όταν ενηλικιωθεί.

— Τα πήρες;

— Και φυσικά όχι...

Κόντευε να της φύγει το μυαλό απ' αυτή την ιστορία.

— Δε σου είπε τίποτε ο δάσκαλος, δηλαδή;

— Όχι...

— Η μάνα σου;

— Ούτε. Αφού δεν το ήξερε.

— Βρε, κακό που πάθαμε! Τόσα χρόνια αυτά έχουν αβγατίσει! Τόσοι τόκοι... Πρέπει να μιλήσω με το δάσκαλο μπας και τα έβαλε στο χέρι αυτός!

— Αποκλείεται!

— Θα δούμε! Έχω κρατημένο ακόμα τον αριθμό λογαριασμού!

Τέτοιο μπέρδεμα ούτε ο γόρδιος δεσμός. Την ενημέρωσε πως ο Ζήσης είχε πεθάνει πριν από χρόνια στη Θεσσαλονίκη.

— Τι καλός και άγιος ήταν! Πώς αγαπούσε την Ευδοκία και εκείνη το ίδιο. Τι έννοια τις είχε... Δεν ήταν μεγάλος. Έκανε κι ένα μνημόσυνο η Σουλτάνα συγκινημένη.

—Εξήντα πέντε...

—Από τι, μπρε;

—Τον πάτησε αυτοκίνητο... Κι έκανε κίνηση να διώξει την εικόνα εκείνη και τη σκέψη.

—Πού να το ήξερα πως πέθανε; Κι εγώ εκεί πάνω έμεινα τόσα χρόνια. Τυχαία, μάλιστα, είχαμε συναντηθεί μία φορά στη γιορτή του Αγίου Δημητρίου. Λίγο προτού κατεβώ στην Αθήνα. Εκείνος με γνώρισε... Ρώτησα για σένα και μου είπε πως μόλις είχες διοριστεί στην Εθνική Τράπεζα.

—Δεν τον ξαναείδατε;

—Όχι...

—Πότε φύγατε από 'κεί;

—Όταν έφυγε η χούντα. Είχα μπουτίκ στην Τσιμισκή, *Το Μπουκέτο*...

—Α!

—Τι έπαθες;

—Καλέ, μήπως είχατε και βιοτεχνία ρούχων και αγοράζατε αρώματα από τη γιαγιά μου;

Έπαιξε τα μάτια της λίγες φορές προσπαθώντας να φωτίσει τη μνήμη της. Μετά τα άνοιξε διάπλατα και φάνηκε το γκρίζο τους ανάμεσα στις ρυτίδες.

—Λες για το μαγαζάκι της κυρίας Μακρίνας; Το αρωματοποιείο στην Αγίας Σοφίας; Εκεί δίπλα στους λουκουμάδες;

—Ναι! Η μάνα του Ζήση. Γιαγιά την έλεγα...

—Σώπα, μπρε κοκόνα μου! Έφτιαχνε ένα ωραίο άρωμα από γιασεμί! Ούτε της Guerlain!

—Μας έλεγε για εσάς...

—Ποπό, συμπτώσεις!

—Θαύμαζε τα ρούχα σας. Ήταν εξαιρετικά, έλεγε.

—Περασμένα ξεχασμένα, κορίτσι μου...

Συνέχιζε να μην ξεμπλέκεται το κουβάρι. Άνοιξαν συζήτηση και για τη Μακρίνα. Θυμόταν τη μέρα που βρήκε κλειστό το μαγαζάκι και έμαθε από τους γείτονες πως είχε πεθάνει από γαστρορραγία.

—Για δες γυρίσματα η ζωή, ανάθεμά την! Ο διδάσκαλος γιος της αρωματοπαρασκευάστριας!

Εκεί τελείωσε η Σουλτάνα τη διήγηση από τα παλιά. Έδωσαν ραντεβού την άλλη μέρα να ανοίξουν το λογαριασμό στο Ταμιευτήριο, αφού της απάντησε και στην ερώτηση πώς τη βρήκε εδώ στην Αθήνα.

—Υψηλές γνωριμίες! Μην το ψάχνεις... Με δυο κουβέντες το εξήγησε. Τη βοήθησε ένας επιθεωρητής της τράπεζας και έμαθε πού είχε μετατεθεί. Άργησε να την ψάξει γιατί είχε τα δικά της βάσανα κι αυτή, αλλά πάντα το είχε στο νου της.

Η Ανατολή είπε μια σκέτη καληνύχτα και βγήκε από του *Ζόναρ'ς*. Περπάτησε ως το Κολωνάκι με βήματα αργά από το βάρος που κουβαλούσε. Της φόρτωσε πολλά η ηλικιωμένη κυρία. Ολόκληρη ζωή από ανθρώπους που ούτε καν γνώριζε πως υπάρχουν. Την έβαλε σε διλήμματα. Τι έπρεπε να δεχτεί και τι ν' απορρίψει. Θύμωσε με την Ευδοκία πολλές φορές όσο μιλούσε η Σουλτάνα. Γιατί δεν πήγε άραγε εκεί πάνω να παλέψει, να διεκδικήσει;

Παίζει με την κάρτα της Σουλτάνας και θέλει να θυμηθεί κι άλλα. Της κάνουν καλό τα παλιά. Έχει τόση παγωνιά εδώ στον έκτο όροφο... Παγωμένο το αίμα στις φλέβες της. Τελείωσαν όσα τη ζέσταιναν.

Βρέχει δυνατά. Δε θέλει να σκεφτεί την Ευδοκία κάτω από τη βρεγμένη γη... Προσπαθεί να συνδέσει τα πράγματα από την ώρα που τελείωσε η συνάντηση με τη Σουλτάνα. Πρέπει να θυμηθεί! Αν δεν το καταφέρει, θα ανοίξει το παράθυρο και θα ανακατευτεί με τη βροχή. Να πάρει το νερό τον πόνο της. Να γίνει ένα μαζί του και να φτάσει μέχρι τη θάλασσα.

«Μέρα νύχτα στέκεσαι και αγναντεύεις τη θάλασσα».

«Μ' αρέσει, μανούλα...»

«Μοιάζουμε σ' αυτό. Και μένα με γαληνεύει».

«Τι θα πει αυτό;»

Μικρή ήταν τότε στην Καβάλα που ώρες ξεχνιόταν στο παραθύρι να κοιτάζει τα γαλάζια χρώματα. Δεν καταλάβαινε τότε τι θα πει «γαλήνη»...

Καταλαβαίνουν τα παιδιά τα δύσκολα; Νιώθουν να κουρνιάσουν σ' αυτή τη γαλήνη που μόνο οι μεγάλοι τη γνωρίζουν από τις φουρτούνες που έχουν περάσει;

Το δυνατό σκίρτημα στην κοιλιά της δεν την αφήνει να συνεχίσει τις μαύρες σκέψεις. Πίνει ένα ποτήρι γάλα και ξαπλώνει. Χαϊδεύει το μωρό της. Χαμογελάει καθώς ζωντανεύει η εικόνα – τι έγινε όταν γύρισε σπίτι εκείνη τη μέρα και αποκάλυψε στην Ευδοκία τη συνάντηση που είχε με τη Σουλτάνα Τοπούζογλου! Μετά το Ταμιευτήριο πήγε στο Μαρούσι. Είχε πάρει την απόφαση να το διασκεδάσει με τη μάνα της. Να μην τη φορτώσει και με άλλες έννοιες.

Μπήκε σαν σίφουνας μες στο σπίτι και εκσφενδόνισε την τσάντα στο ταβάνι φωνάζοντας:

—Γίναμε πλούσιες! Γίναμε πλούσιες, μαμά Ευδοκία! Της άρεσε να την αποκαλεί έτσι όταν είχε τα κέφια της.

—Κέρδισες λαχείο, χαρά μου, ή πήρες αύξηση; Απέδωσε τη διάθεσή της σε κάτι καλό που θα της συνέβη στη δουλειά της.

—Μέσα από τις στάχτες και τα σκατά της στρίγκλας της Σμαρώς, έχω λογαριασμό με πολλά λεφτά στο Ταμιευτήριο!

Έκανε μπάνιο κι έφαγαν μαζί. Έπεσαν στα κρεβάτια τους, ενώ εκείνη συνέχεια μιλούσε. Η Ευδοκία τα είχε πιο χαμένα από την Ανατολή.

—Ποτέ δε μου μίλησε ο Ζήσης. Ποτέ...

—Θες να πεις ότι δεν ήξερες τίποτα;

—Σ' το ορκίζομαι.

—Κράτησε την υπόσχεσή του στη Σουλτάνα.

— Πέθανε ξαφνικά... Ίσως δεν πρόλαβε... Και τώρα;

Έβαλαν από ένα ποτήρι κόκκινο κρασί και κάθισαν απέναντι η μία από την άλλη. Η Ευδοκία άρχισε να εξομολογείται την πίκρα της που έφυγε μακριά από το σπίτι της για έναν έρωτα χαμένο.

Έφερε πάλι έτσι την κουβέντα για να της τονίσει, για άλλη μια φορά, πόσο πρέπει στο μέλλον να προσέχει την κάθε σχέση της με άντρα.

Και η Ανατολή, όπως πάντα, τα άκουγε χωρίς να δίνει βάση. Κι ας της το είχε υποσχεθεί τότε που πέρασαν εκείνα τα δύσκολα. Ας είχε εξομολογηθεί πως δε θα τα επαναλάμβανε. Προφανώς είχε κάνει από χρόνια τις συμφωνίες της, όπως ήθελε, με τον εαυτό της. Το πώς θα δίνει και θα παίρνει τον έρωτα...

Από την άλλη, η Ευδοκία καταλάβαινε πως πήγαιναν στο βρόντο οι κουβέντες της. Ωστόσο, επέμενε με το δικό της πλάγιο τρόπο. Σιγά σιγά, έφερε κι αυτή τη φορά τη συζήτηση στα χρόνια της Θεσσαλονίκης.

— Είδες πόσο πληγώθηκες τότε, μ' εκείνο τον αρραβώνα που επέμενες τόσο πολύ να γίνει...

— Νόμιζα πως τον αγαπούσα.

— Τι ν' αγαπήσεις από έναν άντρα είκοσι χρόνια μεγαλύτερό σου; Είκοσι δύο εσύ, σαράντα εκείνος.

— Τριανταπέντε ήταν...

— Περπατημένος!

— Ναι...

— Και κρυφοπαντρεμένος... Ήθελε να πάρει τη δροσιά σου.

189

— Έλεγε πως θα χωρίσει...
— Χώρισε;
— Όχι.
— Σε πέταξε σαν στυμμένο λεμόνι.
— Τι τα θες τώρα;
— Μήπως και βάλεις μυαλό. Εσύ πληγώθηκες τότε.

Πληγώθηκε αλλά ξέχασε.

Μόλις είχε διοριστεί στην τράπεζα με τις παραινέσεις του Ζήση. Πελάτης αυτός, πήγαινε σχεδόν κάθε μέρα για συναλλαγές. Πάρκαρε απ' έξω και το γυαλιστερό αυτοκίνητό του και τον φλέρταραν όλες οι ανύπαντρες εκεί μέσα.

Της άρεσε, είναι αλήθεια, από την πρώτη στιγμή που στάθηκε μπροστά στο γκισέ της.

«Μανόλης...» συστήθηκε αμέσως με ύφος σιγουριάς.

Μια, δυο, την τρίτη την κάλεσε για φαγητό. Περιποίηση, δώρα, λεφτά πολλά, ήταν και ωραίος, βρέθηκε γρήγορα στην γκαρσονιέρα του στο Πανόραμα. Ήξερε να κουμαντάρει καλά στο κρεβάτι μια νέα κοπέλα, και κολακεύτηκε η Ανατολή. Κι ακόμα περισσότερο δε φάνηκε να τον νοιάζει που δεν τη βρήκε παρθένα. Τόσο «διακριτικός», ώστε λέξη δεν της είπε γι' αυτό. Έκρινε πως ήταν πολιτισμένος και μοντέρνος και πέταξε από τη χαρά της που δε χρειάστηκε ν' απολογηθεί. «Να μια καλή ευκαιρία ακόμα και για γάμο», σκέφτηκε και κόλλησε κι άλλο πάνω του.

Κράτησε ένα χρόνο η σχέση και όταν, πάνω σ' έναν καβγά, του είπε να χωρίσουν, της έκανε πρόταση ν' αρραβωνιαστούν.

191

Έφεραν τις αντιρρήσεις τους η Ευδοκία και ο Ζήσης.

— Μ' έναν άγνωστο;

— Είναι γνωστός στην τράπεζα.

— Για τα οικονομικά του... Ο ίδιος;

— Επιχειρηματίας από την Κατερίνη...

— Να γνωρίσουμε τους δικούς του, βρε παιδί μου.

— Ας βάλουμε τώρα τις βέρες και μετά...

— Μεγάλος, Ανατολή μου...

— Είσαι μικρή ακόμη...

— Θα μεγαλώσω μαζί του...

Στενοχώρια και αμφιβολία στις καρδιές τους. Κάτι υποψιαζόταν πέρα από το ότι ήταν μεγάλος. Μόλις όμως το συζητούσαν σήκωνε αυτή μπαϊράκι.

— Ενηλικιώθηκα! Είμαι ανεξάρτητη οικονομικά!

— Από αγάπη σ' το λέμε...

— Τότε αφήστε με να ζήσω ευτυχισμένη μαζί του!

— Τώρα το λες. Μετά; τη ρώτησε η Ευδοκία.

— Μετά θα δω...

Και ήρθε εκείνο το μετά, αλλιώτικο από ό,τι το περίμεναν κι οι τρεις τους.

Δυο μήνες έμπαινε κι έβγαινε σαν αρραβωνιαστικός στο σπίτι και ο δάσκαλος το έβαλε σκοπό να μάθει.

Πήγε στην Κατερίνη, βρήκε παλιούς συναδέλφους, ρώτησε και έμαθε.

— Παντρεμένος είναι, Ευδοκία μου, και με αγόρι πέντε χρονών. Κόντεψε να πάθει εγκεφαλικό μέχρι να το ξεστομίσει. Τους άκουσε όλη η Κάτω Τούμπα.

—Και ποιος σας έδωσε το δικαίωμα να ψάξετε; Δε μου έχετε εμπιστοσύνη; Το ξέρω από την πρώτη στιγμή! Με θράσος απάντησε στην παρατήρησή τους, κρύβοντας καλά το ψέμα της. Της είχε γίνει συνήθεια πλέον.

Έμειναν οι άνθρωποι με ανοιχτό το στόμα!

—Είσαι στα καλά σου; τόλμησε να πει η Ευδοκία έτοιμη να καταρρεύσει από τη συμπεριφορά της.

—Τόσο καλά, που τα μαζεύω και φεύγω!

—Να πας πού; ρώτησε με αγωνία ο Ζήσης.

—Θα μείνω μαζί του μέχρι να χωρίσει!

—Αμαρτία να μπεις στο ζευγάρι...

—Αυτό να το έλεγες πριν από χρόνια στον κύριο δίπλα σου!

Πάγωσαν. Πρώτη φορά μιλούσε έτσι για τον Ζήση. Σαν να ποτίστηκε με αφιόνι το μυαλό της και δεν ήξερε τι έλεγε. Τόσο αλαφιασμένη δεν την είχαν δει ποτέ και τρόμαξαν κι άλλο.

Δεν πρόλαβαν να αντισταθούν από τον καβγά και την ταραχή. Μάζεψε δυο βαλίτσες μέσα στη νύχτα κι έφυγε χωρίς να σταματήσει. Ο Ζήσης έβαλε το σώμα του ασπίδα στην πόρτα μπροστά.

—Ποιος είσαι εσύ που θα μ' εμποδίσεις; Πατέρας μου είσαι;

—Έτσι νόμιζα...

—Έκανες λάθος!

—Σε παρακαλώ... Για τη μητέρα σου...

—Και πεθαμένος να πέσεις μπροστά μου, εγώ θα το κάνω!

Καημένε δάσκαλε, τόσοι κόποι για το παιδί ενός άλλου... Καλά που δε ζούσε η κυρα-Μακρίνα. Σ' το είχε πει τότε, το διάστημα που δεν πήγαινε καλά στα μαθήματά της η Ανατολή στο γυμνάσιο.

—Σφίξτε λίγο το ζωνάρι! Πολλές αδυναμίες, πολλά χατίρια...

—Να σβήσουμε το παράπονό της για την έλλειψη του Γιαννακού.

—Σώπα, γιε μου! Εδώ ορφανά στο δρόμο μεγαλώνουν και βγαίνουν παιδιά-διαμάντια. Τη βλέπω εγώ όταν έρχεται και αρωματίζεται στο μαγαζί. Παίζει αλλιώς το μάτι της... Άλλο πράγμα από τη μάνα της...

Πέρασε καιρός και η Ανατολή δεν είχε φανεί στο σπίτι. Ούτε τηλέφωνο δε σήκωσε να πάρει. Γέρασαν από το βάσανο. Υπήρχαν στιγμές που ο Ζήσης ένιωθε να τον πνίγουν οι ενοχές που ανακατεύτηκε και έχασε την κόρη της η Ευδοκία.

—Εγώ φταίω, Ζήση μου... Δεν έπρεπε να ζήσω με άλλον άντρα. Σαν να με εκδικείται...

—Κι άλλο να θυσιαστείς; Ο σπόρος του πατέρα της φταίει.

Πήγαιναν έξω από την τράπεζα για να τη δουν. Κόντευε να κλείσει χρόνος που έφυγε να ζήσει με τον παντρεμένο. Και περνούσε μια χαρά.

Από τη στιγμή που έφτασε με τις δυο βαλίτσες, εκείνος άνοιξε την αγκαλιά του.

—Εγώ θα είμαι για σένα από 'δώ και πέρα...

Και όταν του είπε πως οι δικοί της έμαθαν για το γάμο του, έπαιξε το θέατρό του για να μην τη χάσει.

— Θα σ' το έλεγα. Ήταν θέμα χρόνου... Φοβόμουν μη φύγεις. Σ' αγαπώ, Ανατολή...

— Θα τη χωρίσεις;

— Ναι, μωρό μου...

Είχε καταιγίδα που τρόμαξαν άψυχα και ζωντανά. Το τηλέφωνο στο σπίτι της Κάτω Τούμπας χτυπούσε συνέχεια. Πετάχτηκαν και οι δυο από το κρεβάτι. Κοιτάχτηκαν με απορία... Ποιος μπορεί να ήταν τέτοια ώρα μέσα σ' αυτή την κόλαση;

Το σήκωσε ο Ζήσης. Όλο και κιτρίνιζε καθώς έλεγε συνέχεια εκείνο το «Μάλιστα, κύριε αστυνόμε...»

Την εμπόδισε να πάει μαζί του στο αστυνομικό τμήμα. Επέμενε, χτυπιόταν η Ευδοκία:

— Παιδί μου είναι! Άσε με να 'ρθω!

— Χαλάει ο κόσμος έξω... Δεν είναι για σένα... Την έπεισε με την υπόσχεση πως θα γυρίσει γρήγορα με την Ανατολή.

Στο τμήμα ξεκαθάρισαν όλα. Η γυναίκα του επιχειρηματία, με εντολή εισαγγελέα, μπήκε με ντετέκτιβ στο σπίτι στο Πανόραμα και βρήκε τον άντρα της με την ερωμένη του! Τους είχαν στο διπλανό γραφείο.

— Μάλιστα έκανε και μήνυση στην κόρη σας, του είπε ο αστυνομικός.

Τη βρήκε κουλουριασμένη σαν ανίκανο παιδί. Δε σήκωσε το κεφάλι να τον κοιτάξει.

— Εντάξει... Θα το περάσουμε κι αυτό.

— Το ξέρει;

— Μισόλογα της είπα.

— Δε θέλω να γυρίσω σπίτι.

— Άσ' το σε μένα...

Του υποσχέθηκε να γυρίσει με ταξί μόνη της, αφού πρώτα πήγαινε εκείνος να μιλήσει στην Ευδοκία.

Την ώρα που έφευγε συνάντησε τη γυναίκα του μοιχού. Την παρακάλεσε να αποσύρει τη μήνυση εναντίον της Ανατολής. Δέχθηκε την προσωπική επίθεση, ενώ τα λόγια της έγιναν καρφιά στην αξιοπρέπειά του.

Τα έφερε από 'δώ, τα έφερε από 'κεί, την έπεισε πως η ιστορία με τον άντρα της και την Ανατολή είχε τελειώσει. Και προτού την αποχαιρετήσει πρόσεξε πως η γυναίκα ήταν έγκυος. Του έπεσαν τα μούτρα. Δεύτερο παιδί, ο άτιμος, και έμπλεξε το κορίτσι τους!

Και καλά που δε μαθεύτηκε και το άλλο. Σε τι λούκι την είχε βάλει ο παντρεμένος! Μέσα στην πλάκα και στα «σ' αγαπώ» της έδινε και τσιγαριλίκι από πάνω. «Μαζί να πετάμε στον έβδομο ουρανό, αγάπη μου. Αν μ' αγαπάς ρούφα...» Έβηχε, φούντωνε, ζαλιζόταν, όμως το έπινε για να του κάνει το χατίρι.

Βγήκε από το τμήμα και αλλού πατούσε κι αλλού βρισκόταν. Διέσχισε δυο δρόμους με το κεφάλι κατεβασμένο και τα μάτια θολά από τη βροχή και τα δάκρυα. Μεγάλο φορτίο στους ώμους του που έκανε το περπάτημα ακόμα πιο βαρύ.

Ένιωθε πως θα σωριαστεί μέσα στη λάσπη και θα χαθεί. Δεν πρόσεξε το σταυροδρόμι που πήγε να περάσει. Φώτα, στρίγκλισμα, λαμαρίνες και το κορμί του Ζήση, όλα μαζί, μια μάζα...

Η Ευδοκία ζήτησε να γνωρίσει τη Σουλτάνα. Τη βασάνιζε πολύ να μάθει πώς γνώρισε τη Σμαρώ και τι είχε απογίνει η οικογένειά της.

— Το θεωρείς απαραίτητο; ρώτησε η Ανατολή.

— Με αφορά αυτή η ιστορία, κόρη μου, και πρέπει να την ευχαριστήσω.

Πράγματι, έγινε αυτή η γνωριμία μέσα σε κατανόηση και ευγνωμοσύνη από την πλευρά της Ευδοκίας. Το ποσό ήταν μεγάλο – δύο εκατομμύρια εκείνη την εποχή, αρχές του '80. Αντάλλαξαν και τηλέφωνα για να κρατούν κάποια επαφή. «Μοιάζεις τόσο πολύ με τη Σμαρώ που ανατριχιάζω!» είπε στη μάνα της. Αυτό έκανε την Ανατολή να μη θέλει να την ξαναδεί.

Κάποιες φορές, είναι αλήθεια, βρέθηκαν στα κρυφά μόνο με την Ευδοκία. Κι αυτό γιατί κατάλαβε πόσο διψούσε να μάθει τι είχε συμβεί στο αρχοντικό.

Έκλαψε για τη μάνα της τη Ραλλού. Λιγότερο για τον Αναστάση, τον πατέρα της. Και καθόλου δε συγκινήθηκε όταν έμαθε πως η Σμαρώ είχε χάσει εδώ και λίγα χρόνια το φως της.

—Ζει ακόμη στην Αλεξανδρούπολη;

—Σαν κουκουβάγια... Μόνη της μέσα στο διώροφο. Ρήμαξαν όλα...

—Και τόσα λεφτά;

—Τ' άφησε, λέει, σε ιδρύματα της εκκλησίας, σε ορφανά και τέτοια...

—Και το δικό μου ορφανό είναι.

Άλλα λόγια.

—Χειμώνα, καλοκαίρι, φοράει τα μεταξωτά Σουφλίου. Σούρντισε! Για λύπηση είναι... Πέρασε κι αυτή τις δόξες της σαν κι εμένα.

—Έτσι το θέλησε...

—Εγώ δεν μπορώ να την κακίσω άλλο. Ψυχραθήκαμε πολλές φορές αλλά ήταν και φίλη. Γεράσαμε τώρα... Θες να τη δεις;

—Ποτέ.

—Μην κρατάς κακίες... Πρέπει να γλιτώσουμε την κόλαση. Θα φροντίσω να τη φέρω εδώ, να τη δεχθούν σε κάποιο γηροκομείο... Σαν πεθάνει δεν έχει άνθρωπο ούτε να τη θάψει.

Η Σουλτάνα πέρασε κάποιες φορές από την τράπεζα στο Σύνταγμα, δήθεν για δουλειά, και μίλησε στην Ανατολή. Ρώτησε αν είναι καλά, το ίδιο και για τη μάνα της. Τίποτε άλλο.

Διαφορετική στο ύφος της και στη διάθεση. Ήταν τότε που περνούσε τις πίκρες με το χωρισμό της ανι-

ψιάς της της Αλεξάνδρας με τον Άγγελο και πηγαι-
νοερχόταν εκείνο το διάστημα στη φυλακή.

Κάποια στιγμή, που ήρθε η ώρα να κανονιστεί η δια-
θήκη της Σμαρώς, αντάμωσαν για το συμφέρον της
Ανατολής. Τελευταία φορά με την Ευδοκία.

Η κάρτα κοντεύει να λιώσει στα χέρια της Ανατολής. Έχει μάθει απ' έξω τι γράφει:

Σουλτάνα Τοπούζογλου
Ανθέων 28, Παλαιό Ψυχικό

Να τη σκίσει ή όχι; Τι μπορεί να θέλει πάλι; Πώς έμαθε για το θάνατο της Ευδοκίας; Περίεργα την κυνηγάει αυτή η γυναίκα...

Παραμονή Πρωτοχρονιάς. Δεν αντέχει τα κάλαντα, πάει ο παλιός ο χρόνος, έρχεται ο καινούριος με ευχές και προσδοκίες. Βάζει κι ακούει το *Ναμπούκο* του Βέρντι. Δυναμώνει την ένταση για να σβήσουν οι φωνές από τα αφτιά της.

Πρέπει ν' ανοίξει το σπίτι στο Μαρούσι. Βγαίνει στο δρόμο για ταξί. Έχει ξεχάσει μια βδομάδα τώρα πως υπάρχει κόσμος έξω... Κοιτάζει μέσα από το αχνιστό παράθυρο την παιδική φάτσα που στέκεται μπροστά στο μαγαζί με τα παιχνίδια. Μάτια, σαν χάντρες διάπλατα, στυλωμένα πάνω στα στολίδια του δέντρου.

Αγγίζει την κοιλιά της και ψιθυρίζει: «Πότε θα βγεις να πάρω δύναμη; Σε χρειάζομαι... Λυγίζω, μωρό μου...»

Στέκεται έξω από το σπίτι. Η βροχή γλύφει την ώχρα.

«Είπα να το βάψω. Φάνηκαν οι σοβάδες».

«Καλύτερα θα ήταν άσπρο».

«Λερώνει... Τα παντζούρια θα τα κάνω πράσινο της ελιάς. Σ' αρέσει;»

«Εσύ μένεις εδώ. Κάνε ό,τι θέλεις...»

«Κι αν κάποια μέρα μείνεις κι εσύ εδώ;»

«Ε, θα το βάψω κόκκινο!»

Τα παντζούρια ξεχασμένα ανοιχτά. Αν ζούσε τώρα θα φώναζε: «Κλείδωνε το σπίτι καλά, παιδί μου! Δεν ξαναφτιάχνονται περιουσίες».

Βάζει το κλειδί στην πόρτα. Ξεκλείδωτη κι αυτή. Όλα έχουν απομείνει σαν να έφυγαν για μία ώρα. Και πέρασαν μέρες... Γύρισε μόνη. Δεν το είχε φανταστεί έτσι... Όλα τακτοποιημένα στην εντέλεια.

«Τι να κάνω μόνη μου εδώ μέσα; Τα τρίβω, τα καθαρίζω...»

«Δεν έρχεσαι να μαζέψεις και το δικό μου; Μπάχαλο γίνεται».

«Θα 'ρθω, κόρη μου». Και πήγαινε και καθόταν κάνα δυο μέρες παρέα της στην Ξενοκράτους. Γεμάτα τα χέρια με φαγητά και γλυκά, να της γεμίσει και το ψυγείο.

«*Τι τα έφερες πάλι, βρε μάνα;*»
«*Είστε δύο τώρα. Να τρώτε...*»

Κάθεται στο διπλό κρεβάτι. Σκαλιστοί άγγελοι στις δυο άκρες στο προσκέφαλο. Στη μέση ζωγραφιστή μια Παναγιά με τον Χριστό στην αγκαλιά. Ειδική παραγγελία από τον Ζήση το νυφικό κρεβάτι – όπως το ονειρευόταν η Ευδοκία του.

— Θέλω τους αγγέλους κοντά μου! Και την Παναγιά με το μωρό, καλέ μου. Ξέρεις γιατί...

— Ξέρω...

Συσχέτιζε τους αγγέλους με τη γέννα της.

Τα χρόνια στην Καβάλα ήταν τα πιο ξένοιαστα, τα πιο αγαπημένα.

Το βλέμμα της πέφτει στην ανοιχτή ντουλάπα. Έχει μείνει έτσι από τη μέρα που ήρθε να πάρει κάποια ρούχα της Ευδοκίας για την κλινική. Μέσα στη βιασύνη της να βρει τη δερμάτινη βαλιτσούλα τα άφησε όλα ανάκατα. Το κουτί με τις φωτογραφίες είναι πεσμένο στο πάτωμα. Προσπαθεί να τις μαζέψει. Σκόρπιες εδώ κι εκεί. Μπερδεμένες στα χρόνια. Σαν το μυαλό της...

Παρέλαση στην έκτη δημοτικού στη Βενιζέλου. Σημαιοφόρος καμαρωτή. Μπροστά ο Ζήσης, ο δάσκαλος της τάξης. Έχει γυρίσει το κεφάλι και την καμαρώνει.

Με τη γιαγιά Μακρίνα στη θάλασσα της Καλαμίτσας, τρώγοντας ξυλάκι παγωτό.

Καλοκαίρι στη Θάσο. Στο καΐκι για τα Λιμενάρια.

Μπροστά στο Φουάτ. Η Ευδοκία με εκείνο το μπου-κλέ μπορντό ταγέρ που τόσο αγαπούσε. Ο Ζήσης με γραβάτα ριγέ. Στη μέση εκείνη με ροζ παλτουδάκι! Την κρατούν σφιχτά από τα χέρια, σαν θησαυρό, μην τους ξεφύγει.

Μπροστά στο Λευκό Πύργο. Πρέπει να ήταν λίγες μέρες αφότου είχαν φτάσει εκεί.

— Να πάμε να δείξουμε στο παιδί το Λευκό Πύργο.

— Να πάμε...

— Χαμογέλα, Ανατολή, να βγεις όμορφη!

— Δε χρειάζεται. Είναι όμορφη σαν τη μάνα της.

Αχ, θείε Ζήση! Γλυκέ μου νονέ, ήσουν αποκούμπι.

Την πνίγουν οι ενοχές. Εκείνη τον οδήγησε στο μοι-ραίο θάνατό του. Γιατί δεν έφυγε μαζί του εκείνο το βράδυ από το αστυνομικό τμήμα; Πώς δεν τρελάθηκε η μάνα της; Βασανιστικά ερωτήματα.

Η Ευδοκία πέρασε τότε μια κόλαση. Από τη μια ν' ανοίγει την πόρτα και μαζί με την καταιγίδα να μπαί-νει η Ανατολή, κομμάτια από τη σχέση της· κουρέλι από τον εξευτελισμό της με τον παντρεμένο. Και από την άλλη, ώσπου να της εξηγήσει τι είχε γίνει, έφτασε και το κακό μαντάτο.

Σαν παλαβές έτρεχαν στο νοσοκομείο να εξακριβώ-σουν πως κάτω από το άσπρο σεντόνι ήταν το διαμελι-σμένο σώμα του Ζήση.

Δυο ενέσεις δεν έφτασαν να την ηρεμήσουν από το

σοκ που πέρασε. Την κρατούσαν γιατροί και νοσοκό-
μες να μην πέσει από το παράθυρο.

— Εγώ τον σκότωσα! Εγώ!

Πόση δύναμη και πόση προσπάθεια να τη συνεφέ-
ρει η Ευδοκία. Θαρρείς και δεν ήταν δικός της άνθρω-
πος ο σκοτωμένος για να τον κλάψει.

— Η κακιά στιγμή, κορίτσι μου. Μην κάνεις έτσι...

— Δε θα λυτρωθώ ποτέ! Θέλω να πεθάνω!

Ένας παπάς μες στη νύχτα φάνηκε με το δισκοπό-
τηρο στα χέρια. Σαν άγγελος στάθηκε μπροστά τους
και με τα λόγια του έφερε τη γαλήνη.

— Ο Θεός να σας βοηθήσει...

Μέσα στον πανικό και τον τρόμο, μην τυχόν σαλέψει
η κόρη της, άδραξε την ευκαιρία η Ευδοκία και του
ζήτησε να εξομολογηθούν.

Πουλάκι χωρίς φτερά γύρισε στο σπίτι. Παγωμένο
σπουργίτι στη βαρυχειμωνιά... Το ξέπλυμα της ψυχής
της, μέσα από την εξομολόγηση, ήρθε βάλσαμο για να
αλλάξει πολλά. Πρώτα, όμως, έπρεπε να ζήσει άλλη
μια δοκιμασία: ήταν έγκυος από τον παντρεμένο. Το
ανακάλυψε έπειτα από λίγες μέρες.

Καθόταν στα σκοτεινά και περίμενε να γυρίσει η
Ευδοκία από μια ολονυχτία στον Άγιο Θεράποντα.

Δεν την ξεχώριζες με τα μαύρα στο σκοτάδι. Μπήκε
στις μύτες για να μην την ξυπνήσει. Τώρα που όλα
είχαν αρχίσει να ηρεμούν, η Ευδοκία πρόσεχε τα λόγια

της και τις κινήσεις της. Δεν ήθελε να ταράξει άλλο την κόρη της. «Μόνο τη δουλειά σου στην τράπεζα να κοιτάς και άσ' τα όλα τα άλλα σε μένα...» Είχε χάσει τα αβγά και τα καλάθια μετά το θάνατό του. Ούτε πώς να βγάλει τη σύνταξή του δεν ήξερε.

Έκανε το σταυρό της που είχε προλάβει ο άμοιρος, με γνωριμίες, να βάλει την κόρη της στην τράπεζα. Γι' αυτό προσπαθούσε να πείσει την κόρη της να είναι τυπική στη δουλειά της.

Προχώρησε μέσα στο δωμάτιο και στάθηκε ξαφνιασμένη από τη μαύρη αμίλητη φιγούρα στην πολυθρόνα.

—Εσύ είσαι, κορίτσι μου;

Η ησυχία δεν ταράχτηκε και πλησίασε κι άλλο. Τα χέρια της άγγιξαν το αγαπημένο πρόσωπο. Ήταν μούσκεμα από τα δάκρυα. Η καρδιά της σφίχτηκε.

—Τι συμβαίνει και κλαις;

Η φασαρία από το σκουπιδιάρικο έκανε τα λόγια ν' ακουστούν μακρινά.

—Είμαι έγκυος, μαμά.

Λύγισε σαν καλαμιά στα δυο και γονάτισε μπροστά της. Έβαλε το κεφάλι στα πόδια της κόρης της και ένιωσε για πρώτη φορά τόσο αδύναμη· τόσο μικρή.

Έγειρε μπροστά και την αγκάλιασε σαν μικρό παιδί. Αντίστροφη εικόνα για μάνα και κόρη.

Δε μίλησαν. Δεν κατηγόρησαν η μια την άλλη. Δεν έκαναν απολογισμό ποια φταίει και ποια όχι. Σιωπηλά μόνο έδωσαν υπόσχεση να μείνουν δεμένες έτσι. Να λένε μόνο αλήθειες, όποιες κι αν είναι· όσο κι αν πονούν.

Χωρίς άλλη κουβέντα πήγαν μαζί να κάνει την έκτρωση. Κι εκεί ορκίστηκε η Ευδοκία πως άλλη φορά, αν τύχαινε, δε θα την άφηνε να κάνει τέτοια αμαρτία.

Όσο για την Ανατολή, για άλλο έκανε τον όρκο. Το ίδιο βράδυ που έγινε το κακό με τον Ζήση και μιλούσε στον παπά, μόνο σ' αυτόν εξομολογήθηκε για το τσιγαριλίκι.

— Μην το ξανακαπνίσεις.

— Όχι, παπά μου. Ξεθόλωσα από πολλά. Καινούριος άνθρωπος. Τ' ορκίζομαι στην ψυχή του...

Μαχαίρι το 'κοψε! Μυστικό που δεν ξεστόμισε ποτέ. Αγωνία όταν έκανε αργότερα παιδιά. Μοναδικός της φόβος για κείνα... «Προσέξτε τα ναρκωτικά! Και το χασίσι σε τρελαίνει».

Πώς τα ξέχασε όλα αυτά τόσο γρήγορα και έκανε πάλι το λάθος με τον Νικηφόρο; Τώρα καταλαβαίνει τις συμβουλές της Ευδοκίας. Τώρα είναι αργά για να της ομολογήσει το φταίξιμό της.

Μια καρτ-ποστάλ της Θεσσαλονίκης τρίβεται στα χέρια της από τον ιδρώτα. Την κάνει κουβάρι και την πετάει. Δε θέλει να την ξαναδεί. Την έχει πληγώσει αυτή η μεγάλη πόλη...

Στη Θεσσαλονίκη άλλαξαν πολλά για την Ανατολή. Μάλλον άλλαξε εκείνη. Όχι πως ξεπέρασε τις φοβίες της, αλλά τα παιδιά στο Γυμνάσιο της Κάτω

Τούμπας την αγκάλιασαν αμέσως και την έβαλαν στις παρέες τους.

Με τη νέα πραγματικότητα ανάσανε κάπως και η Ευδοκία. Δε χρειαζόταν να τρέχει πια ξοπίσω της. Κι εκεί ήταν που έκανε το πρώτο λάθος με την κόρη της. Την άφησε ελεύθερη. Δεν έκανε έλεγχο στα ψέματα ή στις αλήθειες της.

Ήταν δεν ήταν δεκαεφτά και έκανε την πρώτη τρέλα. Γινόταν ένα πάρτι μαθητικό. Χορός στα μισο-σκότεινα. Κολλημένοι στο μπλουζ με τον άγνωστο νεαρό. Κολακείες και χάδια, ένιωσε πως κέρδισε όλο τον κόσμο. Βερμούτ και τσιγάρα. Ανέβηκε στα σύννε-φα κι έγινε δική του το ίδιο βράδυ.

Έκανε παρέα τότε με μια ξεβγαλμένη, τελειόφοιτη, τη Νίτσα που την ενθάρρυνε: «Μωρέ, πρέπει να γλεντά-με τη ζωή μας!» Μάλιστα, προσφέρθηκε να την καλύπτει στα ραντεβού της με το νεαρό. Της έμαθε και άλλα...

Τρεις μήνες κράτησε αυτή η ιστορία χωρίς να πάρει είδηση η Ευδοκία. Είχαν δώσει ραντεβού πάνω στο ξωκκλήσι του Αϊ-Γιώργη. Είπε πως θα πήγαινε αγγλι-κά. Έφτασε με τη λαχτάρα να τον συναντήσει. Και τότε πίσω από ένα δέντρο τον είδε αγκαλιά με τη Νίτσα. Τα πόδια έφτασαν στην πλάτη της από το τρεχαλητό.

Η καρδιά της έφτασε τους εκατό παλμούς όταν έφτασε σπίτι. Τα βόλεψε όμως μια χαρά με το ψέμα της πως δήθεν την πήρε από πίσω κάποιος και τρόμαξε.

Όλο το βράδυ έκλαιγε και ορκιζόταν πως θα τον εκδικηθεί. Και βρήκε τον τρόπο· τα 'φτιαξε με το γιο του μανάβη στον παρακάτω δρόμο από το σπίτι τους, που τη φλέρταρε καιρό τώρα. Μια και δυο πρόθυμη να ψωνίσει αυτή τα λαχανικά, για να τον δει.

Άλλους δυο μήνες και ένιωσε τη δεύτερη απογοήτευση. Βούιξε η γειτονιά με τον αρραβώνα του γιου του μανάβη με την κομμώτρια.

Πάλι κρύφτηκε καλά από την Ευδοκία και τον Ζήση. Δεν έδειξε το παραμικρό. Έλεγε και ξανάλεγε μέσα της: «Δε θα δώσω την καρδιά μου σε άλλον! Μόνο το κορμί μου από 'δώ και πέρα!»

Τα μαθήματα τα διάβαζε στο πόδι. Το μυαλό της στις βόλτες, στις κοπάνες και στα φλερτ.

— Διάβασες;

— Διάβασα...

— Τα ξέρεις;

— Τα ξέρω...

— Έξυπνο κορίτσι... Καμάρωνε ο Ζήσης.

Όταν όμως πήγε μια μέρα στο γυμνάσιο για να ρωτήσει πώς τα πάει, έμεινε στήλη άλατος με την απόδοσή της. Απαράδεκτοι βαθμοί και πάμπολλες απουσίες. Σε ποιον να χρεώσει την ευθύνη; Στην Ευδοκία, στον ίδιο ή στον Γιαννακό;

Στις πέντε το απόγευμα πήγε στο γυμνάσιο ο άνθρωπος, νύχτα τον βρήκε να γυρίζει σπίτι.

— Τρελάθηκα από την αγωνία! Τι έπαθες;

Φυσούσε και ξεφυσούσε και δεν έβγαζε κουβέντα. Δεν ήθελε να τη στενοχωρήσει.

211

—Η Ανατολή;

—Κοιμάται. Διάβαζε μέχρι τώρα...

Έβγαλε τον έλεγχο από την τσέπη και τον ακούμπησε στο τραπέζι.

—Πρέπει να φροντίσουμε να πάει σε άλλο γυμνάσιο. Θα τη διώξουν, Ευδοκία, ο γυμνασιάρχης μού το ξεκαθάρισε.

Δε χρειάστηκε να ζητήσει εξηγήσεις. Είχε ήδη ανοίξει τον έλεγχο και διάβαζε τα καμώματα της κόρης της. Διάβαζε και δεν είχε κουράγιο ούτε τα δάκρυά της να σκουπίσει.

Δεν μπήκε στο δωμάτιο της Ανατολής για να τη μαλώσει. Έβαλε το παλτό της και, προτού προλάβει ν' αντιδράσει εκείνος, άνοιξε την πόρτα και έφυγε.

Περπάτησε ώρες. Κατέβηκε στη Χαριλάου. Σταμάτησε λίγο στην πλατεία Αριστοτέλους. Έφτασε στην παραλία. Πήγε κι ήρθε πάνω κάτω. Δεν έδωσε σημασία σε πειράγματα και υπονοούμενα περαστικών. Κουράστηκε μέσα στη νύχτα. Πήρε το δρόμο της επιστροφής πάλι με τα πόδια. Τόση διαδρομή μες στη νύχτα για να προσθέσει και ν' αφαιρέσει τα λάθη της στο μεγάλωμα της Ανατολής.

Κάποια στιγμή σταμάτησε έξω από το ίδρυμα του Αγίου Στυλιανού και κάθισε στα σκαλοπάτια.

Πήγαινε δύο φορές την εβδομάδα στο ίδρυμα. Βοηθούσε το προσωπικό στο τάισμα των παιδιών. Ράγιζε με την ορφάνια τους... Μια φορά, μάλιστα, αποφάσισαν με τον Ζήση να πάρουν ως ανάδοχη οικογένεια κάποιο ορφανό από εκεί μέσα. Το άκουσε η Ανατολή και τινάχτηκε το σπίτι από το πείσμα και τις φωνές της. «Εγώ δεν είμαι ορφανό; Δε σου φτάνω; Μου τ' ορκίστηκες πως δε θα κάνεις άλλο παιδί! Τα μούλικα θα μαζέψεις τώρα; Δε θέλω άλλο εδώ μέσα!»

Έτσι ήταν. Τότε που παντρεύτηκε τον Ζήση είχε ολόκληρη ιστορία μαζί της.

— Αφού είναι νονός μου και θείος γιατί να τον παντρευτείς;

— Θα καταλάβεις μια μέρα...

— Δε θέλω να τον παντρευτείς. Καλά είμαστε έτσι...

— Γιατί;

— Όταν παντρεύονται κάνουν παιδιά!

— Εμείς έχουμε εσένα, κορίτσι μου. Δε θα κάνουμε άλλο...

Ο δάσκαλος το υποσχέθηκε και κράτησε το λόγο του. Στερήθηκε να γίνει γονιός και έδωσε την αγάπη του όλη στην Ανατολή. Μεγάλες θυσίες για την Ευδοκία του. Μεγάλες τώρα οι ενοχές της που τους πίκρανε. Πόσο άργησε να το καταλάβει...

Ακόμα και η Μακρίνα κατάπιε τον καημό της. Δεν ανακατευόταν στα δικά τους. Είχε νοικιάσει μια κάμαρη εκεί στη Ναβαρίνου. Δεν ήθελε να τους επιβαρύνει. Είχε και το αρωματοποιείο της, μια σούδα μαγαζί και περνούσε καλά. Κυριακές και γιορτές αντάμωναν και έφτανε αυτό. Αρκεί που ήταν ευτυχισμένος ο γιος της.

213

Σηκώθηκε βαριά κι αργά από τα σκαλοπάτια του ιδρύματος και γύρισε σπίτι. Κούρνιασε στην αγκαλιά του Ζήση, κοιτάζοντας τους ζωγραφιστούς αγγέλους στο κρεβάτι. Άφησε σ' αυτούς και τον άντρα της να πάρουν τις αποφάσεις για την Ανατολή...

Την πήγαν σε ιδιωτικό να τελειώσει την εβδόμη και την ογδόη Γυμνασίου. Στερήθηκαν πολλά για να πληρώνουν τα δίδακτρα, αλλά ευτυχώς πέτυχαν το σωστό αποτέλεσμα. Αποφοίτησε με τα ενθαρρυντικά λόγια του γυμνασιάρχη: «Πιο έξυπνη δεν έχω συναντήσει. Αν η ίδια το αποφασίσει, θα πάει μπροστά στη ζωή της».

Σαν φάντασμα μοιάζει η Ανατολή μέσα στο σπίτι στο Μαρούσι. Ξεχάστηκε μέσα στις πίκρες τις παλιές, δε νιώθει την τωρινή που την έφερε ως εδώ. Διαβάζει από το κιτρινισμένο τετράδιο, το τελευταίο ποίημα του Ζήση για την Ευδοκία.

Βρίσκονται στιγμές που ρωτάω για σένα
Είναι ώρες που γεμίζω από σένα
Είναι ζωές που δε φτάνουν για σένα

Πώς να μη ζηλέψεις τέτοια αγάπη... Κάνει προσευχή να έχουν ανταμώσει στην άλλη ζωή. Πολλές ζωές χρειαζόταν ο δάσκαλος για να δείξει την αγάπη του στην Ευδοκία.

Νυχτώνει. Δεν αισθάνεται καλά. Βαραίνει το σπίτι. Πλακώνει την ψυχή η μοναξιά. Δεν μπορεί άλλο την απουσία της. Παντού αναμνήσεις. Τοίχοι παγωμένοι. Αμίλητοι κι αυτοί. Κλείνει παράθυρα, παντζούρια και πόρτες στο σπίτι στο Μαρούσι. Δε θέλει να πάρει τίποτε από 'δώ μέσα. Της φτάνει το κουτί με τις φωτογραφίες και το τετράδιο με τον έρωτα του Ζήση. Σκαλώνει το πόδι σε κάτι γυαλιστερό. Σκύβει να το πάρει στα χέρια της. Ένα τόσο δα μπουκαλάκι. *Άρωμα Μολόχας*, γράφει... Αν είναι δυνατόν! Ποτέ δεν είχε φανταστεί πως η μολόχα έχει μυρωδιά!

Τι σκαρφιζόσουν, γιαγιά Μακρίνα. Το βάζει στην τσέπη και φεύγει πιο αργά από ό,τι ήρθε. Οι δρόμοι στο Μαρούσι σχεδόν άδειοι. Ο κόσμος ετοιμάζεται... Σε λίγο αλλάζει ο χρόνος.

Της αρέσει χωρίς φως μέσα στο μικρό διαμέρισμα του Κολωνακίου. Βλέπει καλύτερα τα λαμπιόνια απέναντι στο στολισμένο μπαλκόνι. Το αγαθό χαμόγελο του Αϊ-Βασίλη τη γαληνεύει. Βάζει στη βιτρίνα το άρωμα μολόχας. Μαζεμένα πολλά, μικρά και μεγάλα, χρωματιστά μπουκαλάκια εκεί μέσα με ονόματα μεθυστικά: *Μπλε Γιασεμί – Τριαντάφυλλο της Νύχτας – Νούφαρα του Ποταμού – Λεμονανθός της Νύφης – Αγιόκλημα του Έρωτα – Γαρίφαλο της Νιότης – Κρίνα του Φεγγαριού – Υάκινθος της Λησμονιάς.*

Είχε τρέλα να μαζεύει τα μικρά αρώματα. Κάθε καινούριο που έφτιαχνε η Μακρίνα πρώτα το χάριζε στην Ανατολή. Πολλές φορές πήγαινε στο μαγαζάκι να τη βοηθήσει – ιδίως τις γιορτές. «Τα τυλίγεις ωραία στα χαρτιά, ψυχή μου. Παίρνουν άλλη αξία έτσι...»

Αφήνει τη γυάλινη πόρτα της βιτρίνας ανοιχτή. Να πλημμυρίσουν τα πενήντα τετραγωνικά στον έκτο από μυρωδιές, αγάπες παλιές και ζαχαρένιες στιγμές.

Ξεχνιέται και μπαίνει το μυαλό της στη δερμάτινη βαρκούλα. Φεύγει... Ταξιδεύει κι αυτή στα στοιχειωμένα όνειρά της. Θέλει να φτάσει στο τέρμα. Μόνο εκεί θα ανταμώσει πάλι με την Ευδοκία και το δάσκαλο...

Η ζάλη από τα αρώματα την κάνουν να παραπατάει μέσα στη νύχτα. Χρειάζεται αέρα. Ανεβαίνει τα δέκα σκαλιά μέχρι την ταράτσα. Εκεί που θα κάνει την εξομολόγησή της... Εκεί που θα μιλήσει με όλους και με όλα... Εκεί που θα αντλήσει δύναμη, παραμονή Πρωτοχρονιάς, για να συνεχίσει· για το παιδί της.

Πόσες ώρες καθισμένη μέσα στο μπάνιο; Το μπουρνούζι έχει στεγνώσει επάνω της. Τα νερά στα πλακάκια έχουν κάνει λίμνη. Το ζεστό κυλάει ανάμεσα από τα πόδια της. Κοιτάζει τρομοκρατημένη. Σαπουνάδες, νερά και αίμα έχουν γίνει ένα...

Δεν ξέρει προσευχές να πει μέσα στο ασθενοφόρο. «Μάνα μου... Άγγελέ μου... Παναγιά μου! Βοηθήστε μας! Θέλω να ζήσουμε και οι δυο».

Η σειρήνα σταματάει.

—Καλή χρονιά!

—Πρόωρος τοκετός.

—Χρόνια πολλά!

—Ειδοποιήστε το γυναικολόγο. Ανάκατες κουβέντες ώσπου να φτάσει στο χειρουργείο.

Τελευταία εικόνα που θυμάται είναι μια χούφτα μωρό στα χέρια του γιατρού και το παρακαλετό της: «Κρατήσου, σε παρακαλώ, ζωή μου. Μη μ' αφήνεις. Όχι κι εσύ!»

217

Τα πρώτα γενέθλια του Ορφέα. Μια τούρτα με αγγελάκια. Ένα γαλάζιο κερί στη μέση. Απέναντί της ο μικρός. Ντυμένη στα κόκκινα, στα άσπρα εκείνος. Το δέντρο στολισμένο λαμπιρίζει στα φώτα του. Δίπλα η μικρή δερμάτινη βαλιτσούλα, γεμάτη δώρα. Φαντάζει πιο όμορφη, πιο καινούρια, από άλλη φορά. Θαρρείς και χαίρεται από το γέμισμά της, με παιδικά όνειρα και παιχνίδια.

—Της γιαγιάς... λέει ο γιος της και βγάζει από τα κουτιά, αλογάκια, αυτοκίνητα και τρένα.

—Ναι... Τα έστειλε από εκεί ψηλά με τον Άγιο Βασίλη.

Μέχρι τα δέκα του έστηνε έτσι την Πρωτοχρονιά η Ανατολή για τον Ορφέα.

Το σπίτι στο Μαρούσι τούτη τη χρονιά λάμπει από φρέσκια μπογιά και χρώμα. Οι μυρωδιές στην κουζίνα, δικές της αυτή τη φορά, από τις συνταγές της Ευδοκίας.

«Μάζεψέ τες, βρε κορίτσι μου, σ' ένα καινούριο τετράδιο να τις έχεις και να με θυμάσαι».

«Υπάρχουν βιβλία μαγειρικής».

«Αυτές είναι δοκιμασμένες, σαν τη ζωή μου...»

Είχε δίκιο... Πιο νόστιμες, πιο μοσχοβολιστές, πιο γλυκές κι ανθρώπινες· σαν εκείνη...

Η λέξη «μαμά» από τον Ορφέα αντηχεί σαν κελάηδισμα στην πρώτη του χρόνου μέρα.

«Άλλαξαν όλα. Είμαστε μια χαρά, μαμά, εγώ και ο γιος μου». Τα λουλούδια που αφήνει στον τάφο αυτή τη φορά τα αφήνει γεμάτη ευτυχία.

Η μετάθεση στο υποκατάστημα της Εθνικής του Αμαρουσίου ήταν το δεύτερο καλό νέο μετά τη χαρούμενη ανακοίνωση του γιατρού της, πριν από ενάμιση χρόνο. «Ο μικρός τα κατάφερε, Ανατολή! Μπορείς να τον πάρεις σπίτι».

Η Ελένη και ο Γιώργος ούτε που πέρασαν να τη δουν. Σιγά σιγά ξεμάκρυναν κι αυτοί μετά τη γέννα. Έμαθε πως ο Νικηφόρος εργαζόταν σε μια τεχνική εταιρία στη Σαουδική Αραβία.

Δυο μήνες ήταν σαν άνεμος που στριφογύριζε στα ίδια και τα ίδια. Μετρούσε τη νύχτα στο διαμέρισμα της Ξενοκράτους και, με το ξημέρωμα, έδινε αναβολή στην ελπίδα. «Αν δε ζήσει το μωρό μου, θα φύγω κι εγώ». Εξήντα μέρες αγωνία και διάλυση από το πηγαινέλα στην κλινική. Μέσα στη γυάλινη μικρή φυλακή, έβλεπε το γιο της να παλεύει σαν σπουργίτι με τη ζωή και το θάνατο.

Κι όταν το έβγαλαν από τη θερμοκοιτίδα, το πήρε στα χέρια της σαν θησαυρό. Με τρόμο, μη σπάσει σαν κρύσταλλο ακριβό. Μια σταλιά μωρό. Λιγότερο από δυόμισι κιλά. Κόλλησε την καρδιά της στην καρδιά του κι ορκίστηκε να ζει μόνο γι' αυτό και τίποτε άλλο...

Τα μάτια, που της χαμογέλασαν δίπλα της, εκείνη την ώρα, τα ήξερε καλά. Ήταν μαύρα σαν ελιές. Ήταν αυτά που έκλαψαν και στέγνωσαν από αγάπη για εκείνη. Ήταν της μάνας της από εκεί πάνω. Καμάρωνε κόρη και εγγόνι.

«Να μας ζήσει, Ανατολή μου».

«Θα ζήσει, μαμά. Θα τον κοιμίζω στο κρεβάτι με τους αγγέλους και την Παναγιά».

Τότε πήρε την απόφαση να γυρίσει στη μονοκατοικία. «Με ιδρώτα μαζέψαμε τα λεφτά γι' αυτό το σπίτι. Όλες οι οικονομίες του Ζήση και της Μακρίνας όταν πουλήσαμε το σπίτι στη Θεσσαλονίκη. Μην το αφήσεις ποτέ!»

Δεν της είχε δώσει υπόσχεση. Βαθιά μέσα της ένιωσε την ανάγκη να φύγει από το Κολωνάκι και να γυρίσει εδώ. Νιώθει πιο δυνατή έτσι· περισσότερη ζεστασιά κοντά στα πράγματα της Ευδοκίας.

Την τελευταία μέρα, που έφευγε με μετάθεση από την τράπεζα στο Σύνταγμα, είδε μπροστά της τη Σουλτάνα. Τόσο αλλαγμένη και καταβεβλημένη που δεν τη γνώρισε.

—Συγγνώμη που σε αναστατώνω πάλι, αλλά με ξέχασες μετά την κηδεία.

—Ναι...

—Το παιδί, καλά;

—Καλά. Πώς το μάθατε;

—Κυκλοφορούν και τα κακά και τα καλά. Μικρός ο κόσμος. Δεν έχω χρόνο, πρέπει να σου μιλήσω...

Πήγαν σ' ένα καφέ στην οδό Βουλής γιατί η Σουλτάνα δεν είχε κουράγιο γι' αλλού.

Μόλις κάθισαν έβγαλε το καπέλο. Σαν να τη βάραινε κι αυτό μαζί με τα άλλα που είχε μέσα της. Είχε αποφασίσει να πάει να δει τον Κρέοντα την επόμενη εβδομάδα και αυτό τη βασάνιζε πολύ. Και καλύτερα να μην το έκανε, γιατί, αυτό που είδε τότε, της έφερε το εγκεφαλικό και δεν ξαναγύρισε πίσω.

—Αν θες κάπνισε, δε με πειράζει πια.

—Το έχω κόψει για το μωρό.

—Τα παιδιά θέλουν θυσίες.

—Ναι...

—Λοιπόν, άκου και μη με διακόψεις. Έχω να σου πω πολλά...

Ξεκίνησε με εξομολόγηση καρδιάς κι άρχισε ένα μονόλογο για ώρα. Όσο την άκουγε τόσο παρατηρούσε πως αυτή η γυναίκα είχε μια καλή αύρα.

—Δεν μπόρεσα ποτέ μου την αδικία. Πάλεψα γι' αυτή με νύχια και με δόντια. Με δυσκόλεψε η Σμαρώ, αλλά τα κατάφερα...

—Αν είναι για φαντάσματα...

Δεν την άφησε να συνεχίσει και την έκοψε απτόητη.

— Όταν ανέβηκα πριν από χρόνια στον τόπο μου, πήγα και τη βρήκα. Έχεις δει φάντασμα με μεταξωτά; Έτσι ήταν, σαν στοιχειό μέσα στο ερείπιο. Τυφλή και μόνη. Παρέα με τα ποντίκια.

— Μας το είπατε αυτό, τότε...

— Μη με διακόπτεις! της είπε αυταρχικά.

— Αν είναι γι' αυτήν, καλύτερα να φύγω, επέμεινε ξανά η Ανατολή. Δεν άντεχε αυτόν το εφιάλτη.

— Κάτσε κάτω. Το τέλος είναι καλό... Από τότε που μίλησα σε σένα και τη μακαρίτισσα τη μάνα σου για τη Σμαρώ άλλαξαν πολλά. Έκανα αυτό που έπρεπε...

Είχε ανεβεί στον Έβρο για τις δικές της υποθέσεις. Σκέφτηκε στην αρχή να μην περάσει από την Αλεξανδρούπολη. Τα ζύγισε από 'δώ, τα ζύγισε από 'κεί και πήρε άλλη απόφαση. Τα γεράματα ήταν στην πόρτα τους. «Το τέλος, όσο κι αν το καθυστερήσεις με φτιασίδια και ψέματα, έρχεται. Γιατί, λοιπόν, μίσος και αδικία;»

Απόγευμα έφτασε στο ερειπωμένο διώροφο της 14ης Μαΐου. Με δυσκολία μπορούσε κάποιος να περπατήσει στο χορταριασμένο κήπο. Πίσω από τα βιτρό παράθυρα σκοτάδι. Ούτε το λιγοστό φως του δειλινού δεν κατάφερνε να φωτίσει τη σκοτεινιά του.

Σταμάτησε στην πόρτα κι άκουσε εκείνο το τραγούδι που της έσκισε την καρδιά. Κάποιος από το σκουριασμένο γραμμόφωνο άκουγε το *Αμάδο Μίο*.

Δε χρειαζόταν δεύτερη σκέψη. Η Σμαρώ ήταν μέσα... Η πόρτα δεν άνοιγε. Χτύπησε, φώναξε:

—Σμαρώ, εγώ η Σουλτάνα! Άνοιξε, μπρε, να ακούσουμε παρέα το τραγούδι! Σμαρώ! Έφερα και λικέρ βισόν!

Πέρασε ώρα. Η νύχτα απλώθηκε στο αρχοντικό μαζί με τις νυχτερίδες. Γέρικα κουφάρια. Η μία έξω, η άλλη μέσα, αναμετρούσαν τις αντοχές τους. Σήκωσε τα μάτια στον επάνω όροφο και είδε φως από κερί. Το πρόσωπο στο τζάμι θαρρείς και ήταν βρικόλακας από το πηγάδι της κόλασης.

—Τώρα θα σωριαστώ, είπε. Δεν μπορεί να είναι αυτή η Σμαρώ! Κακό παιχνίδι παίζουν τα μάτια μου... ψιθύρισε η Σουλτάνα.

Ύστερα χάθηκε το φως κι ακούστηκαν βαριά και αλλόκοτα τα βήματα. Πάλι σιωπή. Σταμάτησε και ο δίσκος.

—Φύγε... Φωνή που βγήκε από τα βάθη της γης.

—Άσε με να μπω.

—Πέθανε η Σμαρώ.

—Σε παρακαλώ... Λυγμός και λέξη... Δε με κρατάνε άλλο τα πόδια μου. Έλα μπρε, φιλενάδα...

Η κλειδαριά ξεκλείδωσε τρεις φορές. Η σκουριασμένη αλυσίδα ξετυλίχτηκε αργά. Η πόρτα άνοιξε. Στο άνοιγμά της δεν υπήρχε κανείς... Τα μηνίγγια της χτυπούσαν μαζί με το ρολόι της εκκλησίας. Οκτώ η ώρα ακριβώς. Έκανε δυο βήματα και μπήκε.

Μωρό παιδί έκλαιγε πίσω από την πόρτα ή πληγωμένο ζώο; Έσκυψε και είδε τη Σμαρώ κουβαριασμένη. Τα άσπρα μακριά μαλλιά έκρυβαν πρόσωπο και σώμα. Γονάτισε και την αγκάλιασε σφιχτά. Τα λόγια σταματημένα στο λαρύγγι. Το καπέλο της με το μεγάλο μπορ σκέπασε και τις δυο. Το άρωμά της από μιγκέ μπερδεύτηκε με την άσχημη μυρωδιά που τύλιγε το σκελετωμένο κορμί. Τα χέρια της άγγιξαν το κουρελιασμένο μεταξωτό φουστάνι, μουσκεμένο από δάκρυα που έβγαζαν τα τυφλά μάτια...

Το ρολόι χτύπησε πάλι. Εννιά η ώρα. Στις έντεκα σηκώθηκαν από τη γωνιά της πόρτας.

Φώναξε πλύστρες να καθαρίσουν εκεί μέσα. Να βγάλουν αράχνες και σκουλήκια από το αρχοντικό που ζήλευαν κάποτε όλοι. Πλήρωσε γυναίκες να πλύνουν τη Σμαρώ με μοσχοσάπουνα και γαλλικές κολόνιες. Πήρε αφόρετα μεταξωτά και την έντυσε σαν κυρία. Στόλισε τα χέρια της με τα διαμαντένια δαχτυλίδια. Τύλιξε τα μαλλιά της ψηλά σε κότσο. Δεν άφησε κανένα απομεινάρι εγκατάλειψης στη γυναίκα που είχε βρει. Ακόμα μαγιοβότονα και δέκα τράπουλες της Γκιουλέ τα έκαψε στο τζάκι. Έριξε μάλιστα και αγιασμό στη στάχτη. Να φύγει κάθε δαιμονικό της Οθωμανής από 'κεί μέσα...

Ήρθαν γιατροί και έδωσαν χαρτιά για την κατάστασή της. Έβαλε υπογραφές όπου χρειάστηκε για λογαριασμό της. Και όταν τελείωσαν όλα αυτά, την έβαλε και κάθισε στη βελούδινη μπερζέρα. Της έδωσε

225

κι ένα ποτήρι με λικέρ βισόν. Της άναψε κι ένα τσιγά-
ρο και κάθισε κι εκείνη απέναντί της.

— Τώρα είσαι η Σμαρώ που ήξερα! προσπάθησε να
την ενθαρρύνει.

— Γριά...

— Κι εγώ το ίδιο...

— Εσύ με βλέπεις για να με κρίνεις.

— Τι να σε δω και τι να με δεις... Τα χάλια μας έχου-
με και οι δυο.

Έκανε τριπλό κόμπο στο μεταξωτό μοβ σάλι που
κρατούσε στα τρεμάμενα χέρια κι ύστερα μίλησε:

— Γιατί γύρισες;

Η Σουλτάνα δεν απάντησε αμέσως. Έπρεπε να
δώσει λογική εξήγηση.

— Έχω υπόλοιπα στη ζωή μου... Ένα απ' αυτά κι εσύ.
Της μίλησε για τα σχέδιά της. Της είπε τι είχε συμβεί εκεί
κάτω στην πρωτεύουσα. Και παιδεύτηκε πολύ να την πεί-
σει πως έτσι ήταν το σωστό. Να πάει κοντά της...

— Τρελάθηκες, να με κουβαλήσεις στην Αθήνα;

— Δεν κάναμε και καμιά τρέλα στη ζωή μας. Όλα
για τους άλλους... Έλα να τελειώσουμε παρέα, μπρε
Σμαρούλα μου... Της ήρθε μια τρυφεράδα και είπε
πρώτη φορά εκείνο το «Σμαρούλα μου».

Ετοίμασε τρεις βαλίτσες καινούρια ρούχα. Ασφάλι-
σε καλά το αρχοντικό. Έκανε πληρεξούσιο για ό,τι
χρειαστεί σε δικηγόρο και φόρτωσε πραμάτειες και
Σμαρώ στο τρένο για Αθήνα.

Το πολυτελές γηροκομείο βρισκόταν κοντά στη θάλασσα. Δεν την έβλεπε αλλά ένιωθε το κύμα. Στο δωμάτιο έφτανε η αλμύρα. Να της θυμίζει το γαλάζιο που σηματοδότησε τη νιότη.

— Γιατί όλα αυτά, Σουλτάνα;

— Γιατί αγάπησα πολύ τα χρόνια και τους ανθρώπους που πέρασαν απ' τη ζωή μου εκεί πάνω, στην πατρίδα.

Τρεις φορές την εβδομάδα πήγαινε να τη δει. Με στραμμένα τα πρόσωπα στη θάλασσα έλεγαν και νοσταλγούσαν τα παλιά. Την τάιζε μ' ασημένιο κουταλάκι τ' αγαπημένα τους γλυκά. Το σεκέρ-παρέ και το καζάν-ντιμπί! Τα έφτιαχνε μάλιστα η ίδια. Το μόνο που συμπαθούσε από την Τουρκιά, όπως έλεγε, ήταν η πολίτικη κουζίνα. Έπειτα έσκαγε και κανένα καλαμπούρι η Σουλτάνα, να τη διασκεδάσει.

— Βρε, θυμάσαι μια φορά που πήγαμε στην Αδριανούπολη και γνωρίσαμε εκείνον τον ομορφάντρα;

— Το γιο του πασά λες;

— Ναι, μπρε! Τον λιγουρευτήκαμε και οι δυο, ανάθεμά μας!

— Θα τα έβγαζε πέρα και με τις δυο, αλλά...

— Νταβραντωμένος ήτανε...

— Πάψε, μπρε, μην ακούσει το κύμα και μας ρεζιλέψει εκεί πάνω.

— Τώρα που μας ξέχασαν;

— Ζαλιστήκαμε από το ναργιλέ που μας έδωσε να καπνίσουμε, θυμάσαι; Αλλά γλιτώσαμε την παρθενιά μας!

227

Κουράστηκε με την αφήγησή της. Τι σημασία είχαν πια για την Ανατολή αυτές οι ξεχασμένες, πικραμένες ιστορίες. Αδιάφορα άκουγε τη Σουλτάνα να μπερδεύει το χθες με το σήμερα. Να μαθαίνει αυτά που δεν ήξερε. Είχαν καθίσει ώρα στο καφέ και είχε φτάσει πια το μεσημέρι. Της πρότεινε να της κάνει το τραπέζι. Η ηλικιωμένη γυναίκα δεν είχε τελειώσει ακόμα. Πήγαν στο *G.B.*, στη *Μεγάλη Βρεταννία*. Παρήγγειλαν σαλάτες και κρασί.

— Ποιος ο λόγος να τα μάθω όλα αυτά;

— Για το τέλος...

— Τέλος για ποιον, δεσποινίς Τοπούζογλου;

— Για τη Σμαρώ... Πέθανε προχθές. Απλώθηκε για λίγο σιωπή ανάμεσά τους.

— Μάλιστα... Και; Μήπως πρέπει να της κάνω το μνημόσυνό της; ειρωνεύτηκε.

— Μπορεί μια μέρα να το κάνεις κι αυτό. Η Ευδοκία θα το ήθελε πολύ...

— Λέτε πράγματα που μ' εκνευρίζουν!

Άργησε ν' απαντήσει. Κατέβασε το κεφάλι. Ίσως δεν ήθελε να φανερωθεί το βούρκωμά της. Έπαιζε με το πιρούνι που είχε καρφώσει το λάχανο στο πιάτο και κόντευε να το λιώσει. Σαν να την κρατούσε κάτι για να συνεχίσει.

— Εσείς οι νέοι σήμερα, είστε βιαστικοί σε όλα. Γι' αυτό χάνετε τον εαυτό σας.

— Συγγνώμη, αλλά πρέπει να φύγω. Η γυναίκα που κρατάει τον μικρό μένει ως τις τέσσερις.

Ζήτησε λογαριασμό. Ο σερβιτόρος τής είπε πως είναι πληρωμένος από τη Σουλτάνα. Πότε πρόλαβε; Μάλλον την ώρα που πήγε στην τουαλέτα. Την ευχαρίστησε και της προέτεινε το χέρι. Έμεινε ακίνητη κοιτάζοντάς την.

— Μείνε, Ανατολή. Δεν άκουσες ακόμα τα καλά νέα. Για να μη γίνουν ρεζίλι κάθισε πάλι. Η Σουλτάνα έβγαλε αργά από την τσάντα της ένα φάκελο και τον έβαλε μπροστά της. Για σένα...

— Τι είναι αυτό;

— Η διαθήκη της Σμαρώς!

Άλλο κακόγουστο αστείο. Πήρε το φάκελο και τον έπαιξε στα χέρια της. Έγραφε:

Για την Ανατολή Ιωσηφίδου

Τι σχέση μπορούσε να έχει μ' αυτή τη διαθήκη; Όταν παλαιότερα είχαν συναντήσει με την Ευδοκία τη Σουλτάνα, τους είχε πει ότι τα άφησε όλα σε ιδρύματα και εκκλησίες.

— Αν είναι να ασχοληθώ με το πού και πώς άφησε τα λεφτά της, μου είναι και αδιάφορο και δεν έχω χρόνο! της είπε και συνέχισε σαρκαστικά: Άλλωστε, εγώ πήρα το μερίδιό μου. Θυμάστε το Ταχυδρομικό Ταμιευτήριο;

— Έχεις δίκιο. Έχεις μείνει στην πρώτη διαθήκη... Έκανε όμως και δεύτερη και, από ό,τι κατάλαβα, ψέματα έλεγε για την πρώτη. Δε βρέθηκε τίποτα. Πείσμα ήταν. Αυτή ισχύει, και ύστερα με κόπο, σαν να πρόδιδε σφραγισμένο μυστικό, συμπλήρωσε: Ήμαστε μάρτυρες εγώ, η μητέρα σου και ο συμβολαιογράφος...

Κεραυνός τής ήρθε. Συνένοχος σ' αυτή την ιστορία η Ευδοκία; Μπόρεσε και έκανε κάτι τέτοιο η μάνα της; Δε ρώτησε να μάθει. Σηκώθηκε κι έφυγε χωρίς να της πει λέξη. Ούτε ένα αντίο. Ήταν τόσο θυμωμένη. Πώς τόλμησε να μην της μιλήσει για τη συνάντησή της με τη Σμαρώ στο γηροκομείο; Και μάρτυρας στη διαθήκη; Ανεξήγητα.

Γύρισε σπίτι και πέταξε το φάκελο σ' ένα συρτάρι. Δεν είχε σκοπό να τεντώσει κι άλλο τα νεύρα της. Δεν το επέτρεπε πια στον εαυτό της. Καμιά σημασία για το θησαυρό της Σμαρώς. Τα μικρά χέρια που άνοιξαν μια αγκαλιά και η λέξη «μαμά» από το γιο της την έκαναν εκείνη την ώρα την πιο πλούσια γυναίκα.

Κυριακή πρωί, μετά την εκκλησία, η Ευδοκία πήρε ταξί και κατέβηκε προς τη θάλασσα. Μια βδομάδα πριν από των Βαΐων. Άκουσε στο κήρυγμα πως τώρα που έρχεται η Ανάσταση πρέπει να συγχωρήσουμε όλους τους εχθρούς μας...

Έψαξε και βρήκε τη διεύθυνση από τον τηλεφωνικό κατάλογο. Θυμόταν την ονομασία του γηροκομείου. Της το είχε αναφέρει η Σουλτάνα σε μια συνάντησή τους.

Περπατούσε στον κήπο και κοίταζε τους ηλικιωμένους. Όλοι με βλέμμα αναμονής. Τι περίμεναν άραγε; Το θάνατο ή τους ζωντανούς που τους είχαν ξεχασμένους; Ρώτησε για τη Σμαρώ Σταύρου. Άλλο περίεργο κι αυτό. Πώς είχε το επίθετό τους;

Την οδήγησαν στον τρίτο όροφο. Στο δωμάτιο 30. Η αδύνατη γυναίκα στην αναπηρική πολυθρόνα, μπροστά στο παράθυρο, κοίταζε έξω. Τα χέρια κρεμασμένα πηγαινοέρχονταν σαν εκκρεμές από το Πάρκινσον. Κληρονομικό φαίνεται ήταν.

Η Ευδοκία προχώρησε λίγα βήματα. Σχεδόν στάθηκε σε απόσταση αναπνοής πίσω της.

— Όλο το βράδυ είχε φουρτούνα. Τώρα ησύχασε... Εσύ είσαι, Σουλτάνα;

Γύρισε αργά την πολυθρόνα και βρέθηκαν πρόσωπο με πρόσωπο. Έλιωσε η καρδιά της από την εικόνα. Πού ήταν εκείνη η Σμαρώ, σαν άγαλμα, ένα εβδομήντα πέντε γυναίκα; Τα μαύρα μάτια κάρβουνα που πετούσαν σπίθες και πονηριά, πώς κρύφτηκαν μέσα στις ζαρωμένες κόγχες;...

Την κοίταζε χωρίς να την κοιτάζει. Τυφλή... Τα άλλοτε μαύρα μαλλιά σαν έβενος, δεμένα στο κεφάλι, είχαν δώσει τη θέση τους σε πέντε άσπρες τρίχες, κουρεμένες. Έκανε να γυρίσει πίσω και να φύγει.

— Γιατί δε μιλάς, Σουλτάνα; ξαναρώτησε.

Έπρεπε να σταματήσει τον κόμπο στο λαιμό.

— Η Ευδοκία είμαι.

Το τρέμουλο απλώθηκε σ' όλο το σώμα. Έκανε προσπάθεια να δέσει τα χέρια, μα δε συναντιόταν το ένα με το άλλο... Το κεφάλι έγειρε στο στήθος. Κάποια λόγια πήγαν να βγουν, αλλά τα χείλη χτυπούσαν πάνω στα δόντια. Πλησίασε και πήρε τα χέρια μέσα στα δικά της. Μπερδεύτηκαν τα δάχτυλα κι έγιναν ένα... Πρώτη φορά τόσο κοντά. Ακούμπησε το κεφάλι της στο ασπρισμένο της Σμαρώς.

— Μη φοβάσαι, θεία.

— Αχ, Ευδοκία. Ευδοκία μου... Καταραμένη είμαι...

— Σους!

— Μη με λες «σους»... Χρόνια πρέπει να μιλάω για

να λυτρωθώ. Συγχώρα με... Συγχώρα με... Και μίλησαν και έκλαψαν και απολογήθηκαν η μια στην άλλη.

Αυτή ήταν η αρχή. Δεν πρόλαβαν πολλά οι δυο τους. Μόνο να συντάξουν τη διαθήκη, όπως πρότεινε η Σουλτάνα όταν έμαθε για τη συνάντηση ανεψιάς και θείας και είπε εκείνο το «Δόξα τω Θεώ! Μεγάλος είσαι Κύριε που μας προσέχεις!»

Η Ευδοκία πέθανε Πρωτοχρονιά. Η Σμαρώ, 1η του Οκτώβρη, έπειτα από εννιά μήνες ακριβώς. Και η Σουλτάνα ένα χρόνο μετά... Έμεινε τελευταία για να κλείσει όλους τους λογαριασμούς, συγγενών και φίλων...

Πολλή δουλειά είχαν εκείνη τη χρονιά οι άγγελοι εκεί πάνω. Κηδείες και μνημόσυνα για τις τρεις Θρακιώτισες του Έβρου.

Κοίταζε το γιο της στο κρεβάτι και ορκιζόταν να μην του κρατήσει ποτέ μυστικά στη ζωή της.

Ο φάκελος ήταν ακόμα στο συρτάρι κλειστός. Τον έβγαλε και βγήκε στον κήπο να ξεδώσει. Κάθισε στην κούνια κι άρχισε να διαβάζει... Η Σμαρώ την άφηνε κληρονόμο σε ό,τι περιουσιακό στοιχείο είχε στη Θράκη. Διάβαζε και δεν πίστευε. Κινητά κι ακίνητα.

Ακόμα και το εργοστάσιο μεταξωτών στο Σουφλί, που ήταν κλειστό εδώ και τόσα χρόνια... Κι εκείνο το οινοποιείο στις Φέρες.

Στο τέλος υπήρχε και μια υποσημείωση: «Αν θέλεις εσύ, Ανατολή, κι αν φανεί ποτέ ο αδελφός της μάνας σου, ο Λάμπρος Σταύρου ή δικό του παιδί, δώσε ό,τι πρέπει και σ' εκείνον...» γραμμένα στο χαρτί με το χέρι. Γράμματα τόσο γνωστά – της Ευδοκίας. Και από κάτω δύο υπογραφές και τα ονόματα ολογράφως: Σουλτάνα Τοπούζογλου – Ευδοκία Αργυρίου. Κατατεθειμένη στο συμβολαιογραφείο του Μίλτου Καπράλου, Πανεπιστημίου...

Το κλάμα του παιδιού την προσγείωσε στην πραγματικότητα. Ήταν απίστευτα όσα της συνέβαιναν. Κληρονομούσε μια τεράστια περιουσία και δεν την άγγιζε καθόλου. Σαν να μην αφορούσε την ίδια. Ένιωθε τόσο καλά σ' αυτό το σπίτι. Προς τι να χαλάσει αυτά που κέρδισε με τόσο πόνο; Σαν κακό αστείο τής φαινόταν αυτή η διαθήκη.

Πήρε το γιο της αγκαλιά κι άρχισε να τον νανουρίζει. Δεν έλεγε λόγια για παιδιά. Τα δικά της έλεγε. Τραγούδησε όλη τη ζωή της σαν παραμύθι ώσπου να κλείσει τα μάτια του. Κι έγειρε και εκείνη.

Τέτοιο όνειρο ξεκάθαρο ούτε στην πραγματικότητα. Στα κίτρινα ντυμένες Σουλτάνα, Ευδοκία και Σμαρώ τη χαιρετούσαν από τα βιτρό παράθυρα του αρχοντικού που ποτέ δεν είχε πάει. Η πόρτα είχε κρεμασμένα φλουριά και δαχτυλίδια. Οι κουρτίνες από μετάξι ουρανί ανέμιζαν σαν πέπλα στον αέρα. Μόνο σ' ένα δωμάτιο επάνω ήταν σε μοβ ανοιχτό. Κατεβασμένες. Της γιαγιάς της της Ραλλούς.

Μπήκε απορημένη και τις είδε και τις τρεις να κάθονται σε βελούδινο καναπέ με τρέσες από χρυσάφι. Κάτω από τις διάφανες καπελίνες τους χαμογελούσαν σαν παιδιά. Μετά είδε δίπλα τους μια κούνια με δαντέλες και σατέν και το μωρό της μέσα. Τραγουδούσαν παλιά τανγκό και έπιναν σε κρυστάλλινα ποτήρια εκείνο το κόκκινο λικέρ.

Προχώρησε λίγα βήματα ακόμα και στάθηκε μπροστά τους. Τότε πρόσεξε πως είχαν πρόσωπα άσπρα σαν αλάβαστρο. Μάγουλα περασμένα με χρώμα ρόδου. Χείλη ώριμου κερασιού. Δάχτυλα σαν κρίνα στολισμένα με όλων των ειδών τις πέτρες. Όμορφες και νέες όσο ποτέ. Γύρισαν και την κοίταξαν και οι τρεις συγχρόνως. Οι φωνές και τα γέλια τους ακούστηκαν σαν γάργαρο νερό από ρυάκι μες στα φύλλα.

— Εμείς τελειώσαμε... Έτσι δεν είναι, Σμαρώ; μίλησε πρώτη η Σουλτάνα.

— Έτσι...

— Υπέγραψε τη διαθήκη της... Όλα δικά σας! μίλησε η Ευδοκία και έδειξε εκείνη και το μωρό.

— Τώρα θα 'ρθεί μαζί μας στον παράδεισο. Έτσι, Σμαρώ; μίλησε η Σουλτάνα.

— Έτσι... επανέλαβε η Σμαρώ.

— Περιμένει εκεί και η μάνα μου, η Ραλλού. Μες στη χαρά ετοιμάζει το τραπέζι. Έτσι, θεία; μίλησε η Ευδοκία.

— Συγχώρεσέ την, Ανατολή. Όπως έκανε και η μητέρα σου... μίλησε η Σουλτάνα.

— Πρέπει, κορίτσι μου... Να φύγει το βάρος... πάλι η Ευδοκία.

Στεκόταν σαν υπνωτισμένη. Τα πόδια της μούσκεψαν ξαφνικά. Έσκυψε και είδε το νερό που έτρεχε ποτάμι. Μαύρο ήταν. Έψαξε να δει την άκρη. Έφτανε στα μάτια της Σμαρώς. Τόσο πολλά δάκρυα...

Ζάλη τής ήρθε από όλα αυτά. Στριφογύρισε γύρω γύρω. Το βλέμμα της καρφώθηκε στο ταβάνι. Ο κρυστάλλινος πολυέλαιος ήταν μέσα στις αράχνες και στους

237

μεταξοσκώληκες. Στις τέσσερις γωνιές του ζωγραφιστοί γαλάζιοι άγγελοι· σαν ζωντανοί. Έτοιμοι να πετάξουν...

Αυτές τις ζωγραφιές φαίνεται είχε στο νου της η Ευδοκία και νόμισε πως είδε άγγελο στη γέννα της κόρης της.

Κι ύστερα από μακριά ακούστηκε χλιμίντρισμα αλόγων. Κοίταξε έξω. Άσπρη στολισμένη άμαξα, με κορδέλες μεταξωτές και λουλούδια, σταμάτησε στο αρχοντικό. Ο άντρας που κατέβηκε ήταν ο Ζήσης, ντυμένος με στολή αξιωματικού με χρυσά σιρίτια. Θαρρείς και ήταν άγιος από τέμπλο εκκλησίας.

— Ευδοκία! Σουλτάνα! Σμαρώ! Ήρθα να σας πάρω!

Τα άλογα αναπήδησαν από τη χαρά τους. Τότε σηκώθηκαν και οι τρεις τους βιαστικά και πήγαν προς το μέρος του. Κρατούσαν από τα χέρια τη Σμαρώ μην τυχόν και σκοντάψει.

Μπήκαν στην άμαξα καμαρωτές. Η Ευδοκία κάθισε μπροστά, δίπλα στον Ζήση. Στα χέρια του κρατούσε τα γκέμια από σμάλτο και σμαράγδια. Πίσω οι άλλες δύο. Και προτού ξεκινήσουν για το ταξίδι στον παράδεισο, η Σμαρώ γύρισε και κοίταξε την Ανατολή.

— Συγχώρεσέ με... Σ' αγαπώ...

Χάθηκαν μέσα στην αχλή του πρωινού, τόσο γρήγορα που δεν πρόλαβε να πει «εντάξει».

Η διαθήκη έμεινε κλειδωμένη για χρόνια στο συρτάρι. Όσο περνούσε ο καιρός και έβρισκε τις ισορροπίες της με τον μικρό τόσο την ξεχνούσε από την ευτυχία.

238

Η παιδική παράσταση στο νηπιαγωγείο του ιδιωτικού σχολείου στο Ψυχικό έκανε τους μεγάλους να χαίρονται σαν τα παιδιά. Ο άντρας απέναντί της προσπαθούσε να στερεώσει στο κεφάλι του ένα μικρό καπέλο κλόουν. Της έφερε γέλια η εικόνα.

Η σερπαντίνα έπεσε στο στήθος της και ξετυλίχτηκε γύρω γύρω. Ο άντρας τής χαμογέλασε. Της έκανε νόημα πως αυτός την πέταξε.

Τον παρατήρησε καλύτερα. Πρέπει να ήταν στα σαράντα κι ας είχε τόσο ψαρά μαλλιά ανάμεσα στα καστανά του. Φρέσκο το πρόσωπό του. Δεν μπορούσε να διακρίνει το χρώμα των ματιών. Μπλε, πράσινα ή γκρίζα...

Η μουσική απλώθηκε στη μεγάλη αίθουσα. Μικρά παιδιά ντυμένα με κοστούμια ό,τι λογής μπορούσε να φανταστεί κάποιος χοροπηδούσαν στη σκηνή.

Κολομπίνες, μάγοι, καουμπόηδες, Ζορρό και πριγκιπέσες στριμώχνονταν στο γαϊτανάκι. Ο Ορφέας ξέφυγε από τη σειρά και έτρεξε να την αγκαλιάσει.

—Είμαι ωραίος, μαμά;

—Αληθινός πρίγκιπας, μωρό μου!

Ο άντρας τραβούσε συνέχεια φωτογραφίες. Το

239

αγόρι στο καρότσι, ντυμένο βασιλιάς, χαμογέλασε στο φλας της μηχανής.

Ποιήματα, σκετς, τραγούδια και παιχνίδια. Η γιορτή πλησίαζε στο τέλος της. Κομφετί και σερπαντίνες μπερδεμένες στην αγκαλιά της μαζί με το γιο της.

Έλαμπαν τα πρόσωπά τους από το φως. Μπροστά τους είχε σταθεί και τραβούσε φωτογραφία ο άντρας.

— Φωτογράφος είστε; Ήθελε να ικανοποιήσει την περιέργειά της.

— Και αυτό... Χαμογέλασε, χάιδεψε τον Ορφέα και έφυγε προς το αγόρι με τη βασιλική στολή... Πάμε, Στέφανε, του είπε, σπρώχνοντας το αναπηρικό καροτσάκι.

Ο μικρός νύσταζε στην αγκαλιά της. Δεν έδωσε συνέχεια στην κουβέντα με το φωτογράφο.

Η εικόνα του την απασχολούσε όση ώρα οδηγούσε μέχρι το σπίτι στο Μαρούσι. Το φλας του αυτοκινήτου έγινε ένα με το φλας της μηχανής. Πηγαινοερχόταν στα μάτια της το δυνατό φως και εκείνος. Το ήξερε αυτό το συναίσθημα... Κάπως έτσι ήταν και με τους άλλους... Το έδιωξε. Από τον καθρέφτη καμάρωνε το γιο της στο πίσω κάθισμα και χαμογελούσε. Ο άντρας που της γέμισε τη ζωή!

Δεν άφησε να περάσει ούτε εβδομάδα και πήγε στο νηπιαγωγείο. Η δασκάλα είχε τις φωτογραφίες της γιορτής.

— Ωραίες βγήκαν, κυρία Ιωσηφίδου.

— Ναι... Ωραίες...

— Και ο Ορφέας κούκλος...

— Φυσικά! Η περηφάνια της μάνας. Πόσο κάνουν;

— Τίποτα...

— Μα ο φωτογράφος;

Χαμογέλασε η δασκάλα.

— Της έκανε δώρο στα παιδιά του νηπιαγωγείου.

— Δεν είναι επαγγελματίας, δηλαδή;

— Όχι... Χόμπι.

— Α... Έντονη αμηχανία. Θέλει να μάθει. Έρχεται το παιδί του εδώ;

Χτύπησε το τηλέφωνο και η δασκάλα δεν της απάντησε. Σηκώθηκε και προχώρησε στην έξοδο. Τότε άκουσε.

— Είναι ο γυμναστής στο γυμνάσιο του σχολείου μας.

— Πώς λέγεται να τον ευχαριστήσω;

— Ρήγας Δενδρινός.

Έφυγε από το νηπιαγωγείο και πήγε κατευθείαν στο γυμνάσιο! Ήταν τρέλα, το ήξερε. Είχε καιρό να κάνει κάτι παράλογο. Δυστυχώς, εκείνη την ημέρα ο γυμναστής δεν είχε μάθημα.

Πέρασε κοντά ένας μήνας και η μορφή του Ρήγα δεν έφευγε από το μυαλό της. Δεν τόλμησε να ξαναπάει στο γυμνάσιο. Δεν έβρισκε και αφορμή... Το πάλευε μέσα της βασανιστικά. Αφιέρωνε όλο και περισσότερες ώρες στον μικρό. Ήθελε να φεύγει από το μυαλό της ο άντρας με τα ψαρά μαλλιά και το γυμνασμένο σώμα.

Ήταν μέρα βροχερή. 20 Μαρτίου. Το θυμάται ακόμα. Έχασαν το σχολικό και αναγκάστηκε να πάει τον Ορφέα με το αυτοκίνητό της. Ο μικρός δε σταματούσε να μιλάει και να τραγουδάει σε όλη τη διαδρομή. Έτσι δεν εκνευρίστηκε που η κυκλοφορία έσπαγε τα νεύρα όλων.

— Μαμά, να με πηγαίνεις εσύ! Είναι πιο ωραία από το σχολικό.

— Δεν προλαβαίνω στη δουλειά, αγάπη μου.

Πάρκαρε σε απόσταση. Όπως ήταν βιαστική, τον άρπαξε στην αγκαλιά της και έτρεξε στην είσοδο του σχολείου μέσα στη νεροποντή. Η μαύρη ομπρέλα σκέπασε εκείνη και το γιο της. Η φωνή γνωστή κι ας πέρασε καιρός...

— Βρέχει πολύ...

— Ο φωτογράφος! φώναξε ο Ορφέας.

Μνήμη που έχουν τα παιδιά... Η βροχή έπεφτε με ορμή από την ομπρέλα. Σταμάτησαν και κοιτάχτηκαν χωρίς να την υπολογίσουν. Χάθηκαν ο ένας στο βλέμμα του άλλου. Τόσο ξεχάστηκαν, που γλίστρησε ο μικρός από την αγκαλιά της και έτρεξε προς το νηπιαγωγείο.

Άπλωσε το χέρι του και σκούπισε το βρεγμένο πρόσωπό της.

— Ρήγας.

— Ανατολή.

Καμιά άλλη κουβέντα.

Δεν πήγε στην τράπεζα. Τηλεφώνησε πως της έτυχε κάτι έκτακτο. Πέρασαν πέντε ώρες μαζί μέχρι να σχολάσει το νηπιαγωγείο.

Πρώτα ήπιαν καφέ κάπου εκεί κοντά. Μίλησαν για δουλειές, σχολεία και παιδιά. Το αγόρι στο καρότσι, τη μέρα της γιορτής, δεν ήταν γιος του. Ήταν από κάποιο ίδρυμα παιδιών με ειδικές ανάγκες. Πρόσφερε εθελοντικά τις υπηρεσίες του ως γυμναστής. Του είχε αδυναμία...

— Ειδική περίπτωση... Ορφανός.

— Σου μοιάζει...

— Μου το 'παν κι άλλοι...

— Εσύ έχεις παιδιά;

— Ούτε καν παντρεμένος.

Χαμογελούσε εύκολα. Ακόμα και στα δυσάρεστα και στα σοβαρά ήταν μια ανακούφιση να τον ακούς. Ήρεμος, γλυκός· με φωνή βαθιά και ερωτική.

Την κάλεσε να πάνε στο σπίτι του στην Πεντέλη, μια μικρή παλιά μονοκατοικία.

Προχώρησε στο μεγάλο χώρο. Πίνακες και φωτογραφίες παντού. Μετά στάθηκε στο μεγάλο παράθυρο. Όλη η Αθήνα στα πόδια της. Πλησίασε πίσω της. Σχεδόν της άγγιζε το λαιμό η φωνή του.

— Κοίτα, στο βάθος είναι η θάλασσα.

Ο ουρανός είχε φωτίσει. Χρώματα είχαν απλωθεί μέσα στο γκρίζο.

— Ουράνιο τόξο!

— Λένε καλό σημάδι...

— Όταν κάνεις ευχή...

— Θα κάνω... Ένιωσε τα χέρια του στους ώμους της. Τη γύρισε αργά και απαλά προς το μέρος του. Δεν ήξερε τι έπρεπε να πει ή να κάνει. Εσύ έκανες ευχή; Την έβγαλε με την ερώτηση από την αμηχανία.

— Δεν πρόλαβα...

— Δεν πειράζει... Έκανα εγώ και για τους δυο μας.

Σαν φωλιά ήταν εκεί μέσα. Της έδειξε το σκοτεινό θάλαμο που δούλευε τις φωτογραφίες. Το καβαλέτο και τις μπογιές. Της είπε πόσο αγαπούσε τη θάλασσα. Την είχε ζωγραφίσει με όλων των ειδών τα χρώματα. Από την Κεφαλλονιά ήταν.

— Ποτέ δε σκέφτηκα να έχω κάποιο χόμπι, πήγε να απολογηθεί.

— Είναι λύτρωση... Ηρεμία... Αυτογνωσία... Αγαπάς πιο ξεκάθαρα τους άλλους και τον εαυτό σου. Με αυτές τις λέξεις τής εξήγησε πώς ένιωθε για τα ενδιαφέροντά του.

Είπαν κι άλλα πολλά. Σαν να ήθελαν να συντομεύσουν το χρόνο που δε γνωρίζονταν. Στον Νικηφόρο αναφέρθηκε στα γρήγορα. Γιατί να χαραμίσει λόγια για αυτό τον άνθρωπο που την κορόιδεψε και έκλεψε τα όνειρά της;

Έδωσαν υπόσχεση με χείλη και με σώμα να βρεθούν πάλι το ίδιο βράδυ. Δεν υπήρχε αμφιβολία μέσα της πως τον είχε ήδη ερωτευθεί... Κάθε αντίρρηση και αντίσταση είχε εξαφανιστεί.

Άλλαξε τόσο πολύ η διάθεσή της, που ακόμα και στη δουλειά έγινε αντιληπτή. Μιλούσε στους συναδέλφους της. Μέχρι τότε έμενε σε ένα «καλημέρα», ένα «γεια». Ξεπέρασε εκείνο το «ανύπαντρη μητέρα». Μπορεί να μην το άκουγε κατάμουτρα, αλλά το καταλάβαινε στα βλέμματα όλων. Ήταν απομονωμένη στο Μαρούσι με το γιο της. Ζούσε μ' αυτό τον τρόπο πέντε χρόνια. Ούτε φιλίες ούτε εξόδους· σπίτι – δουλειά...

Με τον Ρήγα απέκτησε άλλο νόημα η ζωή της. Απογειώθηκε. Είχε τόση ενέργεια αυτός ο άντρας. Τόσο δόσιμο ψυχής στους άλλους. Άρχισε να προσέχει το ντύσιμό της. Έκοψε διαφορετικά τα μαλλιά της. Ήθελε να είναι όμορφη και γοητευτική σαν εκείνον.

Έφερε στο σπίτι τα πάνω κάτω. Αγόρασε καινούρια έπιπλα και άλλες κουρτίνες... Το γέμισε χρώμα. Φώναξε κηπουρό και έκανε τον κήπο αγνώριστο. Όπως τον είχε κάποτε η Ευδοκία. Μέχρι βιβλία κηπουρικής αγόρασε για να τον φροντίζει.

«Μανία που έχεις με τον κήπο, βρε μάνα».

«Τα λουλούδια είναι σαν τα παιδιά. Θέλουν αγάπη και φροντίδα».

«Εγώ βαριέμαι...»

«Θα 'ρθεί καιρός που θα θέλεις ένα δικό σου παράδεισο εδώ στη γη».

Και πράγματι έτσι έβλεπε τον κήπο της τώρα.

—Άνθισαν και οι πασχαλιές που έβαλες, της είπε ο Ρήγας ένα μήνα αφότου είχαν γνωριστεί.

Τη βοηθούσε κάθε Κυριακή. Σκάλιζαν, φύτευαν, πότιζαν τον κήπο. Έμπαιναν στην κουζίνα και μαγείρευαν τις συνταγές της Ευδοκίας. Επιτέλους, τις είχε τακτοποιήσει σε καθαρό τετράδιο!

«Τώρα που έχει νόημα να μαγειρεύω για έναν άντρα, εντάξει, βρε μαμά, τις έβαλα σε σειρά», έλεγε και ξανάλεγε, καθώς περίμενε εκείνη τη μέρα τον Ρήγα και τον Στέφανο.

Ναι, είχε γίνει κομμάτι της ζωής τους κι αυτό το παιδί.

—Η μοναξιά του και η κατάστασή του με συγκίνησαν... Έτσι άρχισε να της διηγείται τη γνωριμία τους. Ήταν ένα συνέδριο στην Ολυμπία, για τα παιδιά με ειδικές ανάγκες. Η πρόεδρος του ιδρύματος μου ζήτησε να πάω μαζί της. Αυτή ήταν η αφορμή. Στο ταξίδι σταματήσαμε για καφέ σε κάποιο χωριό. Δίπλα στην παρέα μας, σ' ένα τραπέζι ο Στέφανος σε μια αυτοσχέδια πολυθρόνα-καρότσι. Η σωματική του αναπηρία φαινόταν καθαρά. Δε χαμογελούσε καθόλου, ό,τι κι αν του έλεγες... Η γυναίκα που είχε το καφενείο απάντησε στον προβληματισμό μας: «Το εγκατέλειψε μια άχρηστη και πρόστυχη από 'δώ, από το χωριό. Δεν έχει ούτε στον ήλιο μοίρα, το δύστυχο. Έτσι γεννήθηκε... Είναι έξυπνο πολύ. Το φροντίζει η γειτονιά».

— Το πήρατε στο ίδρυμα;

—Αμέσως! Το μυαλό του με εκπλήσσει κάθε μέρα. Υποσχέθηκα στην πρόεδρο πως θ' ασχοληθώ μαζί του.

—Πότε έγινε αυτό;

—Ήταν έξι χρονών τότε... Τώρα είναι δέκα.

Ο Ρήγας όχι μόνο τήρησε την υπόσχεση του, αλλά δέθηκε πολύ με τον Στέφανο. Κατάφερε πολλά πράγματα. Η κινητικότητά του άρχισε να παρουσιάζει κάποια βελτίωση. Η δίψα του παιδιού και η επιμονή του να μάθει για το φεγγάρι, τα αστέρια και τον ουρανό βρήκαν ανταπόκριση στον Ρήγα. Του κουβαλούσε βιβλία και του εξηγούσε ό,τι είχε σχέση μ' αυτά.

Ζήτησε από το σχολείο που δίδασκε γυμναστική να δεχθούν το παιδί εκεί, δωρεάν, για να μορφωθεί. Πρώτος έγινε στο δημοτικό.

—Τεράστια δύναμη και θέληση, της τόνισε ο Ρήγας.

Κατέβασε το κεφάλι. Ντράπηκε καθώς θυμήθηκε τη σκηνή που είχε κάνει πριν από χρόνια στη μάνα της και το δάσκαλο όταν η Ευδοκία είχε ζητήσει να πάρουν εκείνο το ορφανό στο σπίτι. Έκανε προσπάθεια να σταματήσει τα λόγια που έρχονταν στο νου της.

«Τι εγωισμός! Σε ποιον έμοιασες, κορίτσι μου;»

«Σ' εμένα!»

Δε δάνειζε παιχνίδι και ρούχο. Δε δεχόταν να πουν καλή κουβέντα για άλλο παιδί.

«Κοίτα και λίγο τους άλλους δίπλα σου. Υπάρχει πόνος...»

Μπροστά σ' αυτή τη μεγαλοψυχία του Ρήγα ένιωσε μικρή κι ασήμαντη. Έσκυψε μέσα της βαθιά και είδε την καρδιά της μαλακωμένη. Τη ρώτησε αν μπορούσε να δεχθεί ένα ξένο παιδί κοντά της. Και όταν πήρε την απάντηση, πως ναι, ακούμπησε στον ώμο του βουρκωμένη.

— Δώσε μου την ευκαιρία. Θέλω να βοηθήσω κι εγώ τον Στέφανο.

Η συντροφιά του αγοριού έκανε καλό και στο γιο της. Τα δυο παιδιά συμπλήρωναν το ένα το άλλο. Ό,τι δεν κατάφερνε ο Στέφανος να κάνει, έτρεχε ο Ορφέας. Και ό,τι δεν καταλάβαινε ο Ορφέας από τα μαθήματά του και όποιες άλλες απορίες ο Στέφανος έδινε τη λύση. Ο γιος της ήταν πιο γενναιόδωρος από εκείνη.

Μέρα με τη μέρα άλλαζε. Την άλλαζε ο έρωτας για τον Ρήγα. Την άλλαζαν τα δυο παιδιά. Κόντευε να ξεχάσει πώς ήταν μέχρι τώρα. Έδωσε ουσία και νόημα στη ζωή της. Η μουσική δε σταματούσε ν' ακούγεται στο σπίτι. Το επέβαλε ο γιος της. «Μ' αρέσει η μουσική, μαμά».

Το χαμόγελο φώτισε το πρόσωπό της. Ρουφούσε κάθε λεπτό. Προσπαθούσε ν' αφήνει στον Ρήγα το πότε και πού θα βρεθούν. Δεν ήθελε να του δημιουργήσει πρόβλημα στα όσα έκανε.

Στα καλύτερά της χρόνια τής έτυχε αυτή η ιστορία.

Περνούσαν τουλάχιστον δυο βράδια την εβδομάδα μαζί. Και κάθε Κυριακή, όλη μέρα, παρέα με τον Στέφανο και τον Ορφέα.

Αναγκάστηκε να πάρει και μόνιμη γυναίκα για να

προλαβαίνει δουλειά και σπίτι. Φάνηκε τυχερή με την επιλογή της. Γιαννιώτισσα, γύρω στα πενήντα. Μόνη γυναίκα, η Κωστούλα. Ταλαίπωρη. Από κορίτσι στην Αθήνα για το μεροκάματο... Δεν είχε παντρευτεί ποτέ. Δούλευε καθαρίστρια στην τράπεζα. Καλοσυνάτη κι ευγενική τής έκανε την πρόταση. Δέχθηκε αμέσως. Και από τις πρώτες μέρες την αγάπησαν όλοι.

Κόντευε το καλοκαίρι. Πλησίαζαν οι διακοπές. Αντάλλαζαν γνώμες για το πού θα πάνε.

— Θάλασσα! φώναξε ο Ρήγας.

— Ναι! Ναι! συμφώνησαν τα παιδιά.

— Νησί! Καθόρισε το μέρος η Ανατολή και ένα πρωί φόρτωσαν το στέισον του Ρήγα σαν σχολικό. Παιχνίδια, βιβλία, καβαλέτα, φωτογραφικές μηχανές. Σωσίβια, φουσκωτά, καπέλα και βαλίτσες.

Με το ζόρι χώρεσε πίσω η Κωστούλα ανάμεσα στα παιδιά. Τέτοιο κέφι, που θα 'λεγε κάποιος πως δε θα γυρίσουν πίσω. Τίποτα δεν είχε αλλάξει στο ρυθμό της ζωής τους. Τόσο γεμάτη. Η ευαισθησία και η τρυφερότητά του της έκαναν πολύ καλό.

Ο Ρήγας ήταν διαφορετικός – κάτι ανάμεσα σε φίλο και εραστή. Η φροντίδα και η τρυφερότητά του ήταν βάλσαμο για κείνη. Ένιωθε για πρώτη φορά σιγουριά και ασφάλεια. Το είχε ανάγκη έπειτα απ' όσα είχε περάσει. Αρκετά την είχαν ποδοπατήσει οι άλλοι... Έφταιγε όμως και η ίδια. Το ήξερε. Ξετρελαινόταν γρήγορα από λόγια και προσφορές...

Τώρα, όμως, καταλάβαινε πως ο Ρήγας ήταν ερω-
τευμένος μαζί της, όπως κι αυτή. Η αγάπη, άλλωστε,
που έδειχνε στο γιο της ήταν μεγάλο γέμισμα. Της
αρκούσαν αυτά.

Αν κάτι σε μεθάει σ' ένα νησί είναι το δειλινό του. Τρεις μέρες τώρα, ο Ρήγας μπροστά στη θάλασσα έβαζε και μπέρδευε χρώματα να το ζωγραφίσει. Φαινόταν εκνευρισμένος. Κάτι σταματούσε κάθε τόσο το χέρι και το μυαλό του. Γέμισε την πίπα του και κάθισε να δει καλύτερα τον ήλιο που βουτούσε στο νερό. Κόκκινος σαν φωτιά· σαν λάβα. Χρώμα που δεν μπορούσε να φτιάξει με τις μπογιές του... Και όπως κοίταζε ξεχασμένος στη θύμηση της Ανατολής, ο ήλιος άρχισε να παίρνει σιγά σιγά μορφή προσώπου...

Κατέβασε το καπέλο του μην τυχόν ήταν η αντανάκλαση από τη δύση. Από το πάθος που τον βασάνιζε γι' αυτή τη γυναίκα. Κι όσο περνούσε η ώρα έπαιρνε το σχήμα και την ομορφιά της Ανατολής. Το κόκκινο της λάβας χώθηκε στην καρδιά του και την έκαψε. «Αυτό φταίει... την αγαπώ! Θολώνει το μυαλό μου!» Νύχτωσε και ακόμη βασανιζόταν.

Ήταν τόσο καλά όλα ανάμεσά τους. Δεν ήθελε να παραδεχτεί τι ήταν αυτό που φοβόταν και δεν τον άφηνε να γευτεί τον έρωτά της.

Το είχε τιθασσεύσει μέχρι τώρα. Αν δεν του είχε

μιλήσει τόσο ειλικρινά για κάθε έρωτά της... Αν δεν μάθαινε και την ιστορία της με τον Νικηφόρο... Τα είχε ονειρευτεί διαφορετικά· να την κάνει δική του χωρίς εμπόδια και παρελθόν.

Ο Νικηφόρος θα ερχόταν αργά ή γρήγορα μια μέρα πάλι στη ζωή της. Είχε παιδί μαζί του... Φοβόταν λοιπόν να μην τη χάσει. Δεν είχε τις αντοχές να ζήσει πάλι μια ιστορία που έμοιαζε με τη δική του.

Γνωρίζονταν από παιδιά με τη Δανάη. Μαζί έφυγαν από την Κεφαλλονιά για σπουδές στην Αθήνα. Πρώτος έρωτας και για τους δυο. Δε χώριζαν εκτός από τις ώρες μαθημάτων. Εκείνη σπούδαζε μαθηματικός. Εκείνος, στη Γυμναστική Ακαδημία. Πέρασαν το πρώτο έτος, πέρασαν και το δεύτερο. Στο τρίτο κάτι άλλαξε. Απέφευγε πολλές φορές να τον συναντήσει. Μια το διάβασμα μια οι εξετάσεις, δικαιολογίες συνέχεια. Ώσπου κάποιος συμφοιτητής της του σφύριξε την αλήθεια. «Βουίζει το μαθηματικό, ρε συ! Η Δανάη τα έχει με ένα βοηθό της σχολής».

Ακόμη θυμάται τη γροθιά που του έριξε στα μούτρα. Τις ώρες που περπατούσε εκείνο το βράδυ από τα Άνω Πατήσια ως την Ομόνοια, προτού πάει να τη συναντήσει στα Εξάρχεια. Έβραζε μέσα του. Ζήλια, αγάπη και προδοσία τού έσπαγαν τα μηνίγγια.

Η Δανάη ήταν η μοναδική γυναίκα που αγάπησε από τότε που ένιωσε άντρας. Μαζί γνώρισαν τον έρωτα και τα κορμιά τους. Δεν μπορούσε να το χωνέψει... Έφτασε στο σπίτι της αποφασισμένος. Έσπασε με κλοτσιές την πόρτα.

—Πες μου πως δεν είναι αλήθεια!

Η Δανάη τα είχε χαμένα. Αρνήθηκε, χτυπήθηκε στην αρχή. Στο τέλος ομολόγησε την αλήθεια. Και προτού συνέλθει ο Ρήγας από το σοκ, ακούστηκε η κόρνα του αυτοκινήτου. Ήταν αυτός...

—Ήρθε να με πάρει.

—Δανάη, μην πας, σε παρακαλώ...

—Νομίζω πως τον αγαπώ αληθινά, Ρήγα.

—Κι εγώ;

—Δεν ξέρω...

Την άρπαξε με βία στην αγκαλιά του. Έβαλε τα κλάματα δυο μέτρα άντρας.

—Σε ικετεύω! Έλεγες πως μ' αγαπάς. Τι άλλαξε, Δανάη;

—Δεκάξι ήμουνα όταν σε ερωτεύτηκα. Μπορεί και να μην ήταν έρωτας...

Δεν την ξαναείδε. Αποφοίτησε από την Ακαδημία και δεν πάτησε το πόδι του στην Κεφαλλονιά. Έφυγε φαντάρος αμέσως. Ευτυχώς που τον πήγαν πάνω στον Έβρο και ξέχασε λιγάκι. Καλά που βρήκε και δουλειά στην Αθήνα όταν απολύθηκε από το στρατό.

Χάθηκαν τελείως. Δε ρώτησε ποτέ για τη Δανάη. Και όταν ύστερα από χρόνια πήγε στο χωριό του, ούτε οι δικοί του έκαναν κάποια κουβέντα.

Τυχαία έμαθε πως παντρεύτηκε αυτόν το βοηθό από το Μαθηματικό και πως είχαν φύγει για μεταπτυχιακά στο εξωτερικό. Μέχρι εκεί.

Μοιραία έγινε η συνάντηση που τον αναστάτωσε και έφερε τέτοιο μπέρδεμα στη ζωή του. Κάποια χρόνια πριν, έπεσαν ο ένας πάνω στον άλλον. Κατέβαινε την οδό Όθωνος και εκείνη την ανέβαινε.

— Ρήγα...

Κοντοστάθηκε. Την πρόσεξε καλύτερα. Είχε πάρει τουλάχιστον δέκα κιλά. Τίποτα δε θύμιζε τη Δανάη...

— Γεια... είπε κι έκανε να φύγει.

— Είσαι καλά;

— Σε νοιάζει;

— Για να ρωτάω...

— Να ρωτούσες καλύτερα τότε...

Προχώρησε λίγα βήματα όταν ένιωσε να τον πιάνει από το μπράτσο.

— Μισό λεπτό... Πρέπει να σου εξηγήσω...

— Δεν αλλάζει τίποτε! Παράτα με!

Άρχισε να κλαίει μες στη μέση του δρόμου. Την πήρε και πήγαν σε ένα καφέ πιο κάτω. Εκεί, του εξήγησε όσα δεν είχε εξηγήσει τότε στο χωρισμό τους.

Ναι, είχε μπλέξει με το βοηθό. Προσπαθούσε να περάσει το έτος. Χρωστούσε πολλά μαθήματα.

— Θυσίασες την αγάπη μας δηλαδή για ένα κωλόχαρτο του πανεπιστημίου;

— Ήταν όνειρό μου...

— Να πηδηχτείς μαζί του;

— Πες το όπως θες...

Κρυφά από τον Ρήγα είχε ξεκινήσει και φροντιστήριο με το βοηθό... Εκεί μπερδεύτηκε. Τότε πίστεψε πως τον είχε ερωτευθεί. Έμεινε και έγκυος... Της ζήτησε αμέσως να την παντρευτεί.

— Ωραία και δραματική ιστορία! Και λοιπόν;

— Γέννησα και φύγαμε έξω...

— Και λοιπόν; Ο σαρκασμός του δεν την εμπόδισε να συνεχίσει...

— Δεν έπαψα να σ' αγαπώ.

— Χωρίσατε;

— Όχι ακόμα, Ρήγα...

— Μην υπολογίζεις σε μένα!

— Μια ευκαιρία...

— Να μάθεις να πληρώνεις τα λάθη σου!

Δε βρέθηκαν ξανά για πολύ καιρό.

Ήταν σπουδαία ευκαιρία η πρόταση να δουλέψει στο ιδιωτικό του Παλαιού Φαλήρου. Ο διευθυντής τον οδήγησε στην αίθουσα των καθηγητών να τον συστήσει. Η γυναίκα είχε γυρισμένη την πλάτη στο παράθυρο.

— Ο καθηγητής των Αρχαίων, ο καθηγητής της Φυσικής, η συνάδελφος των Θρησκευτικών. Συστάσεις.

— Από 'δώ, η κυρία Παπαντωνίου των Μαθηματικών.

Η γυναίκα γύρισε και άπλωσε το χέρι. Ήταν η Δανάη.

— Χαίρω πολύ.

— Καλημέρα σας, κυρία μου. Το χέρι του έμεινε μετέωρο και μετά το τράβηξε πίσω. Συγγνώμη, έχω μάθημα. Έφυγε αμέσως και μάλιστα με ύφος ενοχλημένο.

Άλλαζε τις ώρες στο πρόγραμμά του για να μην τη συναντάει. Έκανε τα αδύνατα δυνατά να μη βρίσκονται σε συμβούλια καθηγητών. Η Δανάη όσο περνούσε ο καιρός τόσο τον προκαλούσε. Αντίθετα έκανε εκείνη απ' αυτόν. Έψαχνε διαρκώς ευκαιρίες για να βρίσκεται κοντά του.

Μέσα από το περιβάλλον αυτό έμαθε πως ο άντρας της είχε γίνει καθηγητής στο πανεπιστήμιο.

Όταν βρήκε το σημείωμα εκείνη τη μέρα στο αυτοκίνητό του στο πάρκινγκ του σχολείου, το πρώτο που σκέφτηκε ήταν να πάει και να της σπάσει τα μούτρα μέσα στην τάξη, την ώρα του μαθήματος. Του έγραφε πως θέλει να τον συναντήσει. Και φυσικά δεν πήγε. Μετά άρχισε το άλλο μαρτύριο. Πήρε το τηλέφωνό του από τη γραμματεία κι άρχισε να τον ενοχλεί. Νύχτα, μέρα. «Σ' αγαπώ... Θέλω να σε δω... Δεν αντέχω άλλο με τον άντρα μου... Ρήγα, μην το κλείνεις...»

Δεν έβγαινε άκρη μαζί της. Του ανακάτευε το στομάχι η παρουσία της. Είχε χάσει τον έλεγχό του. Μια δυο, το πήρε απόφαση και παραιτήθηκε από το ιδιωτικό. Άλλαξε τηλέφωνο. Απόρρητο. Αγόρασε το σπίτι στην Πεντέλη όταν πούλησαν οι δικοί του κάποια χωράφια και πήρε το μερίδιό του. Δεν άφησε τη σωστή διεύθυνση· έδωσε ενός φίλου του. Φοβόταν ακόμα και τη σκιά του.

Το πείσμα της να τον φέρει πίσω δε σταματούσε με τίποτε.

Πήγε και δούλεψε σ' ένα γυμναστήριο. Μετά σε

άλλο. Ώσπου βρέθηκε η θέση στο ιδιωτικό του Ψυχικού. Και εκεί ηρέμησε αρκετά.

Κυριακή ήταν. Διάβαζε την εφημερίδα όλη μέρα. Στο τέλος έφτασε και στις αγγελίες γάμων, θανάτων και μνημόσυνων.

Αύριο κηδεύουμε την αγαπημένη μας Δανάη, σύζυγο και μητέρα.

Ο σύζυγος
Τα παιδιά

Δύο είχε. Έκανε ένα κρακ μέσα του τόσο δυνατό, που έκοψε την τότε ζωή του από τη σημερινή.

Πέρασε από το σχολείο του Παλαιού Φαλήρου μια βδομάδα μετά. Έμαθε πως πέθανε από καρκίνο. Δεν ένιωσε ενοχές. Το ξεχώρισμα στις ζωές τους το είχε κάνει η Δανάη πριν από πολλά χρόνια...

Ο κόκκινος ήλιος είχε χαθεί. Δεν είχε βάλει πινελιά τόση ώρα. Μαβιά χρώματα στη δύση. Δεν είχε ομολογήσει ακόμα τίποτα από την ιστορία του με τη Δανάη στην Ανατολή. Μα δεν υπήρχε και λόγος πια... Καιρό τώρα, είχε ξεφτίσει...

Τον τύλιξε μια αγκαλιά με το άρωμά της.

— Τελείωσε το ηλιοβασίλεμα, Ρήγα μου.

Την πήρε στα γυμνασμένα χέρια του χωρίς άλλη σκέψη. Έγιναν τα κορμιά τους αναμμένα δαδιά, που δεν έσβησαν ούτε στη θάλασσα μέσα... Μπλέχτηκε η αλμύρα με τα φιλιά τους. Κόλλησε η άμμος επάνω τους, σαν γιατρικό στον πόνο. Καράβια και αέρας άλλαξαν πορεία μην τους ταράξουν. Και είδαν τη δύση όπως δεν την έχουν δει παρά μόνο οι αληθινά ερωτευμένοι...

Τόσο ξαφνικά όλα. Δεν κάθισε να μετρήσει πόσο θα κρατούσε αυτή η ευτυχία... «Ανατολή του ήλιου και της ζωής μου», τα λόγια του Ρήγα που γράφτηκαν στην καρδιά της για πάντα.

Η Κωστούλα τους είδε να έρχονται ξημέρωμα στο

259

σπίτι που είχαν νοικιάσει. Κατάλαβε πως για το ζευγάρι είχε αρχίσει μια άλλη ζωή κι έκανε το σταυρό της.

Την πονούσε αυτή την κοπέλα. Τη θαύμαζε που μεγάλωνε ένα παιδί μόνη. Όσο για τον Ρήγα, τον είχε σε μεγάλη εκτίμηση για την αφοσίωσή του στον ανάπηρο Στέφανο.

—Κωστούλα, ετοίμασε τα παιδιά. Φεύγουμε σήμερα. Δεν πρόλαβε από την έκπληξη να τον ρωτήσει η Ανατολή και συμπλήρωσε: Πάμε Κεφαλονιά να γίνει ο γάμος μας...

—Μπράβο, παιδιά μου.

Πρόταση χωρίς να περιμένει το δικό της «ναι». Σίγουρος για την αγάπη της. Δε χρειαζόταν να ρωτήσει τίποτε άλλο... Αρραβώνας δίχως βέρα.

Το έλεγε συχνά στην Ευδοκία όταν χώρισε με τον Νικηφόρο...

«Δε θα μ' αγαπήσει αληθινά άντρας εμένα».

«Μη βάζεις τέτοιες σκέψεις... Για τον καθένα υπάρχει ένας άνθρωπος στην παρακάτω γωνία».

«Μάνα, κάνε μια ευχή από 'κεί πάνω. Τον αγαπώ τον Ρήγα!» Κρυφή προσευχή καρδιάς, που ακούστηκε από την Ευδοκία. Μάνα ήταν και ξέχασε πόση άρνηση είχε βγάλει η κόρη της για το δικό της γάμο με το δάσκαλο...

Ανέβηκαν, κατέβηκαν καράβια. Ξέχασε πόσο φοβόταν τη θάλασσα. Χωμένη στην αγκαλιά του έβλεπε το αφρισμένο κύμα και νόμιζε πως ταξίδευε χρόνια.

Όλη η διαδρομή τού έφτασε να της μιλήσει για εκείνον. Ο μικρότερος γιος από τρία παιδιά. Μεγάλωσε στο νησί του. Πλούσια κόρη η μάνα του και μάλιστα γραμμένη η οικογένειά της στο Libro d'Oro! Παπάς ο πατέρας του. Μια αδελφή παντρεμένη εκεί. Ναυτικός ο αδελφός του, ο μεγάλος. Κατέβηκε στην Αθήνα όταν μπήκε στη Γυμναστική Ακαδημία. Τελευταία τους έβλεπε συχνά. Του άρεσε να πηγαίνει στο χωριό του κοντά στο Αργοστόλι.

— Δε θα ξαφνιαστούν, Ρήγα μου;

— Με ξέρουν καλά. Οι αποφάσεις μου πάντα μετρημένες.

Καιρό ήθελε να κάνει την ερώτηση μα την απέφευγε.

— Αγάπησες ποτέ;

— Ναι... Φοιτητής...

— Και;

— Παντρεύτηκε άλλον...

Δεν της άφησε περιθώρια να συνεχίσει. Πολλές οι δικές της ιστορίες. Αλλά και ο Ρήγας δεν είχε τι να πει πια. Μπορεί μια μέρα σαν παραμύθι να της μιλούσε για τη Δανάη, τότε που γερασμένοι θα έκαναν τον απολογισμό τους.

Εκείνη την ώρα, κρατήθηκαν από τα χέρια σφιχτά και είπαν να προχωρήσουν στο διάβα που απλωνόταν μπροστά τους.

Μαζεύτηκε όλη η γειτονιά. Τους καλοδέχτηκαν σαν να τους περίμεναν καιρό. Κανένας δε ρώτησε λεπτομέρειες για τα παιδιά. Μάλιστα, ο παπάς έσκυψε, τα φίλησε και τα ευλόγησε. Η μάνα του έβγαλε από το σεντούκι νυφικό με βενετσιάνικες δαντέλες. «Δε χρειάστηκε να το φορέσω. Ο παπάς μου ήθελε να με παντρευτεί μ' ένα φουστάνι μόνο. Η κόρη μου ήθελε τη μόδα. Έτσι, το φύλαξα για τη γυναίκα του Ρήγα μου...»

Ο γάμος έγινε ανήμερα του Σωτήρα. Τους πάντρεψε ο πατέρας του, ο παπα-Γιάννης. Κουμπάροι η αδελφή του και ο αδελφός του. Παράνυμφοι ο Στέφανος και ο Ορφέας. Οικογένεια δεν είχε και βρήκε. Δεν ομολογούσε ούτε στον εαυτό της τόση ευτυχία...

Γύρισαν στην Αθήνα μέσα στην παραζάλη της χαράς. Και ήρθε και το άλλο καλό νέο από τον Ρήγα: «Θέλω να υιοθετήσω το γιο σου...» Το άκουσε και έβαλε τα κλάματα. Έβλεπε πόσο δεμένος ήταν ο μικρός μαζί του. Τέτοια απόφαση, όμως... Πώς να την περίμενε; Εδώ ο πατέρας του, ο Νικηφόρος, και δεν είχε δώσει σημεία ζωής ούτε είχε έρθει σ' επαφή μαζί του. Είχε να ακούσει γι' αυτόν από τότε που έμαθε τυχαία από την Ελένη πως βρισκόταν στη Σαουδική Αραβία. Τίποτε άλλο. Κι αν τη ρωτούσες, δεν ήθελε να ξέρει αν ζει ή αν πέθανε. Καλύτερα έτσι. Και να που τώρα ο γιος της θα είχε πατέρα όπως του ταίριαζε.

Αγκάθι μέσα της κάθε φορά που τη ρωτούσε ο Ορφέας.

— Πού είναι ο δικός μου ο μπαμπάς;
— Ταξίδι... Μακριά...
— Δε θα γυρίσει;
— Μάλλον όχι...

Άφηνε ένα μικρό περιθώριο μ' αυτό το «μάλλον» μην τυχόν φανεί στα ξαφνικά. Κι εκεί ήταν που πάθαινε πανικό η ίδια.

Μετέφεραν τα πράγματα του Ρήγα στο σπίτι στο Μαρούσι. Το άλλο στην Πεντέλη θα έμενε για εργαστήρι του. Τότε βρήκε και την ξεχασμένη από χρόνια διαθήκη της Σμαρώς.

— Υπάρχει ένα μεγάλο κομμάτι της ζωής μου που δεν ξέρεις...

Ταράχτηκε ο Ρήγας. Τι θα μπορούσε να του αποκαλύψει;

— Αν είναι να σε κρατήσει μακριά από μένα, δε θέλω να το μάθω.

Του έδειξε το φάκελο.

— Μέσα εδώ κρύβεται μια μεγάλη περιουσία. Δική μου. Έτσι μου είπαν κάποτε...

Τη διάβασαν μαζί και δεν πίστευε ο άνθρωπος τι είχε κληρονομήσει η Ανατολή.

— Γιατί δεν ασχολήθηκες τόσο καιρό;

— Ήθελα να βρω τον εαυτό μου, να ισορροπήσω τη ζωή μου. Να αφοσιωθώ στο γιο μου και σε απλά πράγματα...

— Θα ήταν πιο εύκολα όλα...

—Αν είναι τα λεφτά να φέρνουν την ευτυχία... Μπορεί... Τη δική μου οικογένεια τη διέλυσαν.

—Σ' αγαπώ γι' αυτό που είσαι.

—Κατάφερες ν' αλλάξεις πολλά σε μένα...

Άφησαν να δουν το θέμα μελλοντικά. Ούτε και τον Ρήγα τον συγκίνησε πως η Ανατολή ήταν πλούσια μ' αυτή τη διαθήκη.

Ο ηλικιωμένος άντρας είχε εγκατασταθεί στα ερειπωμένα εργοστάσια μεταξουργίας και μεταξωτών εδώ και μέρες. Λίγοι το πρόσεξαν, άλλοι τόσοι το σχολίασαν. Χαράματα έβγαινε από εκεί και καθόταν απορημένος, για ώρες, μπροστά στην πινακίδα που μόλις διακρίνονταν από το ξεθώριασμα τα γράμματα: *Εργοστάσια Μεταξουργίας και Μεταξωτών Σμαρώς Σταύρου.* Μετά έμπαινε στο πρώτο λεωφορείο για Αλεξανδρούπολη. Έσερνε βαριά τα βήματά του και έφτανε στην οδό 14ης Μαΐου.

Έμπαινε στο χορταριασμένο κήπο του στοιχειωμένου αρχοντικού και καθόταν στα μαρμάρινα σκαλοπάτια. Έβγαζε από την τσέπη του τριμμένου παλτού του ένα μπουκάλι ούζο. Έπαιρνε δυο τρεις ανάσες να διευκολύνει την αναπνοή και έπινε λίγες γουλιές.

Μετά σηκωνόταν αργά και έμπαινε μέσα στο σαλόνι. Ξάπλωνε στο σάπιο βελούδινο καναπέ κι έκλεινε τα μάτια. Γύριζε πίσω· τόσο πίσω, που δεν μπορούσε να μετρήσει τα χρόνια.

—Γάλλε, μπάσταρδε, μην ξαναπειράξεις τα κοτσύφια με τη σφεντόνα σου! Τον πρόδιδε η Γκιουλέ στην κυρά της.

— Να πεθάνεις, μάγισσα Σμαρώ! Να πεθάνεις! Ακούει τη φωνή του, δεκατριών χρονών αγόρι. Ήταν ψηλός και όμορφος σαν αρχαίος Έλληνας και έδειχνε δεκαοκτώ· ίδιος ο Αναστάσης Σταύρου.

— Ποιος σε μάλωσε, γιε μου; Βάλσαμο η φωνή της Ραλλούς.

— Αφού δεν είμαι παιδί σου, γιατί μ' αγαπάς;

— Γιατί ήθελα ένα αγόρι σαν εσένα, Λάμπρο μου.

— Η μάνα μου ζει;

— Ποιος ξέρει; Έφυγε για τη Γαλλία· μεγάλη χώρα...

Τη Ραλλού την αγαπούσε. Όπως αγαπούσε και τη μεγάλη του αδελφή, την Ευδοκία. Δυο χρόνια είχαν διαφορά. Τον πατέρα του τον έβλεπε όταν τον έπαιρνε μαζί του στα εργοστάσια.

— Κάτσε να μάθεις τη δουλειά. Εσύ θα την κληρονομήσεις.

— Σιχαίνομαι τα κουκούλια! Τα έβλεπε να κολυμπούν μέσα στις λεκάνες με το ζεστό νερό και τον έπιανε αηδία. Ιδίως όταν τα ανακάτευε η σκούπα να πάρει από πάνω τους την κόλλα εκείνη.

— Μη ζωγραφίζεις τα κιβώτια από τα εμπορεύματα!

— Θέλω να γίνω ζωγράφος, πατέρα! Έβαζε τα μολύβια του μέσα στα καρούλια από πεπιεσμένο χαρτί που τύλιγαν τη μεταξωτή κλωστή. Και ύστερα ό,τι χαρτί έβρισκε μπροστά του το ζωγράφιζε.

Γέλασε στον ύπνο του. Τι φασαρία έγινε με τη Σμαρώ όταν κουβάλησε ένα κοφίνι κουκούλια από το εργοστάσιο στο σπίτι.

—Τι τα μάζεψες, μπάσταρδε, εδώ;

—Θα κάνω λουλούδια και ποτάμια. Τα κολλούσε πάνω σε μαύρο πανί, σε σχήματα και σχέδια φανταστικά. Και έβγαινε πίνακας, θαρρείς, από γλύπτη χέρι.

—Μπράβο, καμάρι μου, ωραίο το έκανες! τον ενθάρρυνε η Ραλλού με γλύκα.

Τον ξύπνησαν τα ποντίκια. Πηγαινοέρχονταν σαν καινούρια αφεντικά εκεί μέσα. Οι αράχνες με τους ιστούς τους έκρυβαν ό,τι είχε απομείνει. Έγιναν σκόνη οι πεταλούδες από τους μεταξοσκώληκες κάτω στα υπόγεια. Σηκώθηκε και στάθηκε μπροστά στο αναπηνιστήριο... Άρχισε να θυμάται... Χιλιόμετρα ήταν το μετάξι που έβγαζε το κάθε κουκούλι.

—Πόσα, πατέρα; ρωτούσε με ανοιχτό το στόμα από θαυμασμό.

—Και πέντε και έξι χιλιόμετρα βγάζει ο κάθε βόμβυξ! Το «βόμβυξ» το έλεγε μιμούμενος τη φωνή της Σμαρώς... «Απόφευγε τη λέξη κουκούλι. Δίνει ύφος στην παραγωγή μας το "βόμβυξ"!»

Φώναζαν οι γείτονες στο δήμαρχο ν' απολυμάνει και να κλειδώσει το διώροφο που γκρεμιζόταν μέρα με τη μέρα. Όλο το ανέβαλλαν όμως...

Στο τέλος, έμειναν μόνο τα ντουβάρια. Μπήκαν, και

έκλεψαν, και λήστεψαν ό,τι άφησε πίσω η Σουλτάνα, αφότου πήρε τη Σμαρώ στην Αθήνα.

Ήπιε μονοκοπανιά το υπόλοιπο ούζο κι έφυγε το ίδιο αργά όπως ήρθε. Λεωφορείο, Σουφλί, εργοστάσια Σταύρου.

Μεσάνυχτα και ύπνος δεν τον έπιανε. Κουρασμένο κορμί και μυαλό. Πολλά χιλιόμετρα, Τασκένδη – Θράκη... Λίγα θυμόταν. Για πολλά πονούσε και βούρκωνε.

Στα είκοσί του χρόνια...
— Θα μπεις στο τρένο για Αθήνα. Θα σε περιμένει φίλος και συνεργάτης μου εκεί. Θα πας αυτά τα δείγματα. Κατάλαβες, Λάμπρο;
— Κατάλαβα, πατέρα.
Του γέμισε και τις τσέπες λεφτά και τον ξαπόστειλε. Ο φίλος του Σταύρου τον πήγε στο ξενοδοχείο *Μπάγκειο* στην Ομόνοια.
— Θα κάτσω μια δυο μέρες να δω την πρωτεύουσα. Βρήκε και δύο γνωστούς, πρώην εργάτες του εργοστασίου, και το έριξε στο γλέντι.

Μήνας πέρασε και είδηση δεν έστειλε επάνω. Μόνο η Ραλλού τρελάθηκε από την ανησυχία.
— Χάθηκε το παιδί στην Αθήνα...
— Σιγά τώρα που θα πλαντάξω για το μπάσταρδο! Μακάρι να ξεμπερδεύαμε από δαύτον! έλεγε ανακουφισμένη η Σμαρώ.

Κατέβαζε η έρμη το κεφάλι και έκανε κρυφά προσευχές να φανεί ο Λάμπρος. Όσο για τον Αναστάση, ρώτησε στην αρχή το φίλο του στην Αθήνα.

— Τον είδα μόνο όταν ήρθε και από τότε...
— Ρώτησες στο ξενοδοχείο πού τον πήγες;
— Ναι, αλλά...
— Αλλά τι;
— Κάθισε μια βδομάδα και τους φέσωσε. Πλήρωσα από το λογαριασμό που έχουμε.

Ο πατέρας του κατάλαβε πώς αλλού είχε μπλέξει ο Λάμπρος.

Έγινε κι ένας ακόμα καβγάς με τη Σμαρώ.
— Θα πάω να ψάξω να τον βρω! επέμεινε ο Αναστάσης.
— Μην κουνηθείς! Με καμιά πουτάνα θα 'μπλεξε! Σου μοιάζει! Άσε που κάτω γίνεται χαμός με τους κουκουέδες!

Δεν είχε πέσει έξω η Σμαρώ. Δεύτερη βραδιά ήταν, που πήγαν σ' εκείνο το καπηλειό με τα μπουζούκια. Εκεί τραγουδούσε η Μάρω. Σαραντάρα, δυο μέτρα ομορφογυναίκα, μέσα στο σατέν και στην πούλια, άνοιξε τα σκέλια της στον μικρό μόλις είδε τις τσέπες φουσκωμένες από το χρήμα.

Τον μάζεψε από τη δεύτερη βραδιά στο σπίτι της στα Καμίνια. Πρώτη ερωτική του ιστορία, ξεχάστηκε στα τραγούδια και τα κόλπα της εκείνος...

Περνούσαν οι μέρες και όσο σκεφτόταν ότι έπρεπε

ν' ανεβεί στον Έβρο, τόσο τον έπιανε σύγκρυο για το μακελειό που θα γινόταν για την καθυστέρησή του. Είχαν αρχίσει και τα γεγονότα... Του έδωσε θάρρος, κρεβάτι, σπίτι και έρωτα η τραγουδίστρια και τον έπεισε να μείνει κοντά της. «Πού να πας, μανάρι μου; Σαν τσόφλι σ' έχουν οι πουτάνες! Άκου να σε φωνάζει "μπάσταρδο" η γεροντοκόρη! Κάτσε εδώ να ζεσταθείς. Να δεις τι θα πει γυναίκα και αγάπη».

Της είχε μιλήσει για τη ζωή του στο αρχοντικό. Της είχε πει πως ήθελε να πεθάνει και η θεία η Σμαρώ... Βρήκε κι αυτή την ευκαιρία και τύλιξε κι άλλο στα δίχτυα της το νεαρό αγόρι. Όπως τον τύλιξε και το κόμμα.

Τελείωσαν τα λεφτά και ήρθαν τα δύσκολα. Δουλειά πού να έβρισκε τέτοιες εποχές; Το έριξε λοιπόν στη ζωγραφική και καμάρωνε η άλλη.

— Σ' αρέσουν, Μάρω;
— Μεγαλουργείς, μανάρι μου! Σαν τον Τουλούζ Λοτρέκ στα καμπαρέ! Τώρα, πώς το ήξερε αυτό, μέσα στην αμορφωσιά της, μόνο εκείνη το γνώριζε.

Γέμισαν σιγά σιγά τους τοίχους στο καπηλειό με ζωγραφιστά χαρτόνια και καμάρωνε όλη η παρέα για τον καλλιτέχνη!

Ήρθε εκείνο το βράδυ, όμως, που μπερδεύτηκαν αισθήματα και γεγονότα. Βρισκόταν στο μαγαζί. Η Μάρω τραγουδούσε *Πέφτουν της Βροχής οι Στάλες*, του Τσιτσάνη. Φαινόταν πολύ ανήσυχη. Ο ιδρώτας έσταζε

270

κόμπους κόμπους στο βαθύ αυλάκι που σχημάτιζαν τα φουσκωτά της στήθια. Κάποια νοήματα με άλλους εκεί μέσα έδειχναν πως κάτι τρέχει.

Ο Λάμπρος στο βάθος του μαγαζιού δεν έπαιρνε χαμπάρι. Ζωγράφιζε με ένα κάρβουνο τη λαδόκολλα στο τραπέζι.

Ντουμάνι ο καπνός από τα τσιγάρα και το τσιγαρι- λίκι. Τύλιγε πρόσωπα και όργανα στην πίστα. Τα τζά- μια θολωμένα από τα χνότα της αγωνίας στην παγωμέ- νη νύχτα του Δεκέμβρη.

Η Μάρω έβγαζε τα λόγια του τραγουδιού ένα ένα. Την ώρα που έλεγε *«Είναι συννεφιά και μπόρα και τι θ' απογίνω τώρα...»* οι τρεις άντρες με τις καμπαρντίνες και τις ρεπούμπλικες την άρπαξαν στα χέρια τους και τη σήκωσαν μέχρι έξω.

Φόβος και βουβαμάρα. Κάποιος τράβηξε τον Λάμπρο παραμέσα. Ήταν ο μαγαζάτορας που έτρεμε σαν φύλλο.

—Τι συμβαίνει;

—Σκάσε! Θα σου εξηγήσω...

Τη Μάρω δεν την ξαναείδε. Σ' ένα νησί την πήγαν, έτσι τον πληροφόρησαν. Μετά κατάλαβε ότι ήταν εξο- ρία. Κι έτσι άρχισε να μαθαίνει τι θα πει Αντίσταση, τι Εμφύλιος και τι Κόμμα. Όλα αυτά τα ανέλαβε το αφε- ντικό του καπηλειού. Και όχι μόνο... Όταν κατάλαβε πως το αγόρι αγαπούσε πολύ τη Μάρω τη ρεμπέτισσα, του έδωσε την αφορμή για να ξεσπάσει: «Αν δεν παλέ- ψεις δεν κερδίζεις...»

Μπλέχτηκε για τα καλά. Νόμιζε πως έτσι θα βοηθούσε και την πατρίδα και τη Μάρω. Ήρθε όμως και η είδηση που τον έκανε κομμάτια... Κρεμάστηκε, είπαν, η ρεμπέτισσα εκεί στην εξορία.

Μπρος γκρεμός και πίσω ρέμα. Μια Ελλάδα χωρισμένη στα δυο... Πού να εμφανιστεί με τέτοια αντάρα; Πώς να γυρίσει πίσω στο αρχοντικό; Θα άλλαζε το «μπάσταρδος» με το «προδότης». Η πρόταση από την ομάδα τού ήρθε βολική: «Φεύγεις για την Τασκένδη».

Πού βρέθηκε τόσο μετάξι τυλιγμένο στο λαιμό του να τον πνίξει; Ξύπνησε και πήρε το ούζο να καταλαγιάσει φόβο κι αναμνήσεις... Μούχλα τύλιξε τα πάντα εκεί μέσα. Κοίταξε το ρημαγμένο μεταξουργείο και αναστέναξε. Αν γύριζε τότε, προτού βρεθεί μπροστά του η Μάρω, τώρα θα δούλευαν μηχανές και ζωντανοί εκεί μέσα.

Τίποτα δεν κατάφερε στην ξενιτιά. Μια βαλίτσα με ζωγραφιές, ένα ακορντεόν και τη δίψα του για το πιοτό έφερε πίσω.

Το μπουκάλι τελείωνε. Νύχτα ακόμα και δεν ήθελε να φανερωθεί σε ανθρώπους... Όχι πως θα τον αναγνώριζαν. Ντρεπόταν. Πονούσε. Σαν αρουραίος κρυβόταν στα χαλάσματα παρέα με το χθες και με τον εαυτό του. Ξάπλωσε πάλι στο τσιμεντένιο πάτωμα και αναλογίστηκε την αδελφή του την Ευδοκία. «Ζει; Πέθανε; Ποιος ξέρει...»

Ξημέρωσε. Έφυγε για το πρακτορείο, να πάρει το πρώτο λεωφορείο για Αλεξανδρούπολη. Θα έπαιρνε και το ακορντεόν. Μόνο κέρματα ξέμειναν στις τσέπες. Έπαιζε καλά τις ρώσικες μπαλάντες. Δεν τρόμαζαν πια οι άνθρωποι από τις διαφορές που τους λάβωσαν τόσο...

Ε βαλαν και την τελευταία υπογραφή στην υιοθεσία. Στα χαρτιά γράφτηκε: Ορφέας Δενδρινός, γιος του Ρήγα και της Ανατολής.

— Τελείωσε κι αυτό...

— Δε μου φτάνει ένας γιος. Θέλω κι άλλον...

— Αν τύχει, Ρήγα μου.

— Τον Στέφανο...

Αν μπορούσε ν' αγκαλιάσει την καρδιά του, θα το έκανε. Της έδωσε κι άλλη χαρά μ' αυτό το νέο. Συμφώνησε μαζί του αμέσως. Άλλωστε, και τα δυο παιδιά καιρό τώρα αποκαλούσαν μπαμπά τον Ρήγα.

Είπαν να το γιορτάσουν με όλη την οικογένεια. Μια εκδρομή στα χιόνια. Ήταν Αποκριές και πάλι. Μέρες που τους θύμιζε την πρώτη συνάντησή τους...

Πάλι το στέισον φορτωμένο. Στριμωγμένη πίσω η Κωστούλα. Είχε έρθει κι άλλος στην παρέα... Το λυκόσκυλο που χάρισαν στα παιδιά, τη μέρα του γάμου, ο παπα-Γιάννης και η παπαδιά. Σαν μέλι το χρώμα του, τον βάφτισαν Μέλιο.

— Φορτηγό χρειαζόμαστε πια, αγάπη μου!

— Μάλλον τρένο!

Μια αγκαλιά, ένα φιλί, «σ' αγαπώ» και ξεκίνησαν...

Είχε κακό προαίσθημα εκείνο το βράδυ η Κωστού
λα. Το ζευγάρι είχε βγει να διασκεδάσει. Όλη μέρα
τριγυρνούσαν με τα παιδιά στην εξοχή και στα χιόνια.
«Άντε να βγείτε και λίγο μόνοι σας... Εγώ είμαι εδώ».
Πιάστηκαν από το χέρι και περπάτησαν στα δρομά
κια της Αράχοβας. Είχαν ανάγκη από τέτοιες ώρες.

Στο μπαράκι του χωριού λίγα ζευγάρια. Ο Ρήγας
σηκώθηκε να τηλεφωνήσει στο ξενοδοχείο αν χρειαζό
ταν κάτι για τα παιδιά η Κωστούλα. Έπαιζε το ποτήρι
με το μαρτίνι και σιγά ψιθύριζε το κομμάτι της μουσι
κής που ακουγόταν. Ήταν το τρίτο που έπινε κι ακόμα
δεν είχε ζαλιστεί.

— Έτσι που είμαι ζαλισμένη από έρωτα τι να πιάσει
αυτό; Χαμογέλασε.

Προτού προλάβει να γυρίσει να δει πού είναι ο
Ρήγας, ένιωσε δυο χέρια να της σφίγγουν το λαιμό.
Κάποιος τη φιλούσε στα μαλλιά. Δεν ήταν ο Ρήγας.
Πάγωσε με τη φωνή.

— Μου έλειψες...

Αν είναι έτσι ο θάνατος, τότε ήταν πεθαμένη! Ούτε
σφυγμός ούτε αίμα. Ακόμα και όταν είδε τον Νικηφό
ρο να κάθεται απέναντί της, συνέχιζε να είναι σαν
πτώμα. Κοκαλωμένη, κίτρινη, αμίλητη...

Της χαμογέλασε ηλίθια και έπιασε τα χέρια της στα
δικά του. Σταμάτησε το βλέμμα στη βέρα της. Τη στρι
φογύρισε λίγες φορές στο δάχτυλό της.

—Φύγε! Από πού βγήκε η λέξη δεν κατάλαβε. Απ' την καρδιά, το μυαλό, το μίσος ή την εκδίκηση; Σημασία είχε ότι βρήκε τη δύναμη να την πει...

—Παντρεύτηκες λοιπόν...

—Φύγε!

—Ήσυχα, Ανατολή. Ο γιος μου;

Τα δόντια της πήγαιναν πάνω κάτω. Ήθελε να του φωνάξει «Ποιος γιος σου, κτήνος; Τον θέλησες; Ρώτησες; Πόνεσες; Τον αναγνώρισες; Ποιος γιος σου, λοιπόν;» Δεν πρόλαβε. Τα μάτια της, ορθάνοιχτα από τον τρόμο, κόλλησαν στο πρόσωπο του Ρήγα. Στεκόταν πίσω από την πλάτη του Νικηφόρου. Σίγουρα είχε ακούσει...

Κάθισε ήρεμα ανάμεσά τους σαν να μη συνέβαινε τίποτε. Παρακαλούσε ν' ανοίξει η γη να την καταπιεί... Η ζεστασιά του χεριού του στο δικό της, της έδωσε κουράγιο. Ο Ρήγας απευθύνθηκε στον Νικηφόρο:

—Σε μισή ώρα θα βρίσκομαι εδώ... Περίμενέ με... Πάμε, αγάπη μου... Σχεδόν τη σήκωσε σαν σακί. Της έβαλε το μπουφάν και την πήρε από τους ώμους. Ο άλλος κοίταζε σαν βλάκας, ρουφώντας το μαρτίνι της Ανατολής.

Αν αυτό δεν είναι σύμπτωση κακιά της μοίρας, τότε τι άλλο είναι; Σενάριο έργου; Να βρεθούν σ' ένα μέρος μια σταλιά. Μια χούφτα άνθρωποι και ανάμεσά τους ο Νικηφόρος!

Δεν μπορούσε να σύρει τα πόδια της μέσα στο χιόνι. Κάθε τόσο επαναλάμβανε:

— Ρήγα, μην πας...

— Πρέπει...

— Ρήγα, φοβάμαι...

— Άσ' το σε μένα...

— Είναι μεθυσμένος!

Την άφησε στο ξενοδοχείο, αφού του υποσχέθηκε πως δε θα μετακινηθεί.

— Θα γυρίσω γρήγορα. Μη φοβάσαι. Μια εκκρεμότητα που πρέπει να τακτοποιηθεί... Ζήτησε από την Κωστούλα να την προσέχει και έφυγε.

Χρόνια είχε ν' ανοίξει την ψυχή της σε άνθρωπο εκτός από τον Ρήγα. Μιλούσε και άκουγε η Κωστούλα. Σαν μάνα τη χάιδεψε και την ηρέμησε: «Έχεις άντρα βράχο! Άφησέ τα σ' εκείνον. Όλα θα πάνε καλά. Ξέρει...»

Δεν τον βρήκε στο μπαράκι. Ήταν έτοιμος να του εξηγήσει πώς και γιατί αγάπησε την Ανατολή και το γιο της· ή μάλλον το γιο τους τώρα πια.

Άναψε την πίπα του και βγήκε από το μαγαζί. Με βήματα αργά σκεφτόταν τι θα γινόταν... Πού θα πήγαινε αυτή η ιστορία με τον Νικηφόρο. Πάντα φοβόταν μη φανεί στη ζωή τους και την ταράξει. Και να τώρα, από το πουθενά...

Φευγαλέα του πέρασε και εκείνος ο εφιάλτης τότε με το κυνηγητό της Δανάης. Γιατί δεν παραδέχονται τα λάθη τους οι άνθρωποι; Γιατί δημιουργούν καταστάσεις στους άλλους;

Ο άντρας έξω από το σπορ αυτοκίνητο με το μπουκάλι στο χέρι πήγαινε μια εδώ μια εκεί...

Ο Ρήγας προχώρησε και βρέθηκε μπροστά του.

— Είμαι ο άντρας της Ανατολής...

— Και;

— Πρέπει να μιλήσουμε...

— Δε με νοιάζει για την κυρία!

— Κι όμως...

— Το γιο μου θέλω εγώ!

— Ξέχασέ το! Πήγε να τον αρπάξει, αλλά ο Ρήγας του έπιασε το χέρι.

— Ηρέμησε και άκου. Για πρώτη και τελευταία φορά! Ο Ορφέας είναι γιος μου! Τον υιοθέτησα!

Ξέσπασε σε γέλια ο άλλος και παραπάτησε πέφτοντας στο χιόνι. Έτσι γελοίος που ήταν, μεθυσμένος και με τα πόδια επάνω, ήταν να τον φτύσεις.

Τον κοίταξε ένα λεπτό και έκανε να φύγει όταν τον άκουσε να λέει:

— Ο κόσμος να χαλάσει είναι δικός μου!

Δεν έδωσε συνέχεια. Έφυγε γρήγορα, προτού ξεσπάσει και γίνει κακό. Έπρεπε, όπως έκανε πάντα, να σκεφτεί με ψυχραιμία.

Γύρισε αργά στο ξενοδοχείο. Τη βρήκε ξάγρυπνη. Η αγωνία τής είχε αλλοιώσει το πρόσωπο.

— Τι έγινε;

— Του είπα πως υιοθέτησα τον μικρό...

— Αυτός;

279

—Απειλεί και θα συνεχίσει...

Προσπάθησε να την καθησυχάσει. Της είπε πως, ακόμα και με δικαστήρια, ο Ορφέας δε θα πάψει να είναι γιος του.

Έφυγαν ξημέρωμα από την Αράχοβα.

Όσο και αν το πάλευαν να βρουν τον προηγούμενο ρυθμό της ζωής τους, ο Νικηφόρος πλανιόταν ανάμεσά τους. Έγινε νευρική κι απότομη. Ένιωθε εγκλωβισμένη στο λάθος του χθες. Ξεσπούσε σε κλάματα με το παραμικρό. Οι φόβοι της είχαν αρχίσει πάλι να την κυνηγούν σαν εφιάλτες. Πήγε κρυφά σε ψυχίατρο. Μόνο η Κωστούλα πήρε είδηση τα ηρεμιστικά που έπαιρνε. Έκανε αγώνα μαζί της για να την πείσει να τα σταματήσει. Πες πες, για τις ευθύνες που είχε, για τα παιδιά και τον άντρα της, την κατάφερε.

Ο Ρήγας έβαλε μπροστά και την υιοθεσία του Στέφανου. Η Ανατολή ξεχάστηκε κάπως μ' αυτές τις διαδικασίες. Δεν ήταν όμως εύκολο να γίνει. Το μόνο που κατάφεραν με την πρόεδρο του ιδρύματος ήταν να μείνει μαζί τους ο μικρός μέχρι να ενηλικιωθεί και να αποφασίσει εκείνος.

Ούτε δύο μήνες δεν πέρασαν και φάνηκε στην τράπεζα ένα μεσημέρι ο Νικηφόρος. Στάθηκε ειρωνικά μπροστά στο γραφείο της.

—Μόλις τελειώσεις έλα να συζητήσουμε.

Ο κρύος ιδρώτας που την έλουσε ήταν σημάδι πως άρχιζε πάλι αυτό το συναίσθημα του φόβου.

— Δεν έχουμε να πούμε τίποτα, αντέδρασε.

— Μην τολμήσεις! Θα σε κάνω ρεζίλι εδώ μέσα! την απείλησε και, προτού φύγει, της είπε το μέρος του ραντεβού.

«Πώς με βρήκε; Ανόητη! Φυσικά από την Ελένη», σκέφτηκε. Δούλευε ακόμα στο υποκατάστημα στο Σύνταγμα και γνώριζε για τη μετάθεσή της.

Αν έπαιρνε τηλέφωνο τον Ρήγα να 'ρθεί μαζί της; Όχι... Γιατί να τον μπερδέψει κι άλλο; Δικό της θέμα. Έμπλεξε μ' έναν άνανδρο τότε, καιρός να ξεμπερδέψει τώρα. Ακόμα κι αν τον σκότωνε, ο γιος της είχε πατέρα. Ζήτησε άδεια να φύγει πιο νωρίς. Χρειαζόταν χρόνο να σκεφτεί πώς θα τον αντιμετωπίσει.

Περπάτησε για ώρα στους δρόμους γύρω από την τράπεζα, μέχρι να πάει στο καφέ που την περίμενε. Έβρεχε, μα δεν άνοιξε ομπρέλα. Το νερό τής έκανε καλό.

Τον είδε να κάθεται και να κοιτάζει προς την πόρτα. Ήταν αγριεμένος. Τον παρατηρούσε και δεν μπορούσε να θυμηθεί ούτε πώς τον είχε γνωρίσει.

Μόλις την αντιλήφθηκε σηκώθηκε, την πήρε από το μπράτσο και την έβαλε απέναντί του. Η Ανατολή παράγγειλε διπλό καφέ. Αυτός έπινε ήδη.

— Χωρίς πολλές κουβέντες. Θέλω να δω το γιο μου, και όχι μια φορά. Τον θέλω συνέχεια.

Άρχισε όσο μπορούσε πιο ήρεμα τη συζήτηση για το

πώς ήταν η κατάσταση ανάμεσά τους, τότε που ήταν έγκυος. Την καθοριστική επίσκεψη της μητέρας του εκείνο το πρωινό.

—Είχες πει πως δε σε νοιάζει για το παιδί.

—Πέρασαν χρόνια και ωρίμασα. Έχεις πρόβλημα;

—Το είχα και το ξεπέρασα.

—Ωραία λοιπόν! Είναι πιο εύκολο τότε για σένα.

—Ποιο πράγμα;

—Να συνεννοηθούμε για το παιδί μας.

—Βγάλε αυτό το «μας»!

Άρχισε να γελάει εκνευριστικά. Της ήρθε να του ανοίξει το κεφάλι με την τσάντα της. Κάποιοι εκεί μέσα τους κοίταξαν ενοχλημένοι. Εκείνος δεν έδωσε σημασία και φώναξε δυνατά:

—Είσαι τρελή! Με μένα το έκανες!

—Τότε δεν το αρνήθηκα. Εσύ και η μάνα σου το αρνηθήκατε! Όταν το γέννησα, το δήλωσα αγνώστου πατρός! Κατάλαβες;

Το πρόσωπό του σκλήρυνε κι άλλο. Της έσφιξε το χέρι πάνω στο τραπέζι, τόσο που νόμιζε πως έσπασε.

—Υπάρχουν άνθρωποι να επιβεβαιώσουν πως είναι γιος μου!

—Μην το τολμήσεις, Νικηφόρε!

—Ο κόσμος να χαλάσει, κυρία μου, εγώ θέλω το γιο μου!

—Δεν ξέρει για σένα...

—Να το μάθει, Ανατολή! Δεν μπορείς να το κρατάς με έναν ψεύτικο πατέρα!

Της ήρθε να του πετάξει στα μούτρα το ζεστό καφέ. Κρατήθηκε.

— Είναι καλύτερος από σένα. Μόνος του πρότεινε να τον υιοθετήσει.

— Επειδή δεν κάνει αυτός παιδιά, δε θα καλύψει το κενό με το δικό μου!

Κόντρα στην κόντρα. Έπρεπε να κερδίσει το παιχνίδι. Το τασάκι γέμισε γόπες. Περισσότερες οι δικές της. Ο λαιμός της είχε στεγνώσει. Κατέβασε το ποτήρι με το νερό.

— Εσύ έχεις το κενό. Δεν το ζητάς από αγάπη...

— Δε θα ψυχαναλυθώ σε σένα τι έχω και δεν έχω! Λέγε! Πότε;

Δεν άντεχε αυτή την πίεση. Σηκώθηκε.

— Δώσε μου χρόνο να του μιλήσω. Κι αν θέλει...

— Θα θέλει!

— Τι να θέλει αφού δεν ξέρει...

— Θα του εξηγήσω εγώ. Πατέρας του είμαι, γαμώ το!

— Σε παρακαλώ, μην το ταράξεις. Άσ' το σε μένα...

— Αν δεν το κάνεις σε μια βδομάδα, θα πάω στα δικαστήρια κι εκεί θα φανεί η απάτη σου!

— Νικηφόρε...

— Σκασμός! Κι αν χάσω κι εκεί, θα τον βουτήξω και θα εξαφανιστούμε!

Βγήκε γρήγορα από το καφέ. Πιάστηκε στη βιτρίνα του διπλανού καταστήματος. Κόντευε να καταρρεύσει. Ο εφιάλτης του Νικηφόρου φαίνεται πως θα είχε συνέχεια. Πανικό της έφερε το αγκάλιασμα στη μέση της.

—Προχώρα και μη βγάλεις άχνα. Σχεδόν την έσερνε παρά περπατούσε.

—Πού με πας;

Κάποιοι κοντοστάθηκαν και τους κοίταξαν. Κάποιοι τους προσπέρασαν αδιάφοροι. Συνέχισαν λίγα βήματα ακόμα. Σταμάτησαν μπροστά στο παρκαρισμένο αυτοκίνητο. Άνοιξε την πόρτα χωρίς να την αφήσει. Την κρατούσε ακόμα πιο σφιχτά.

—Μπες μέσα. Την έσπρωξε με τη βία. Ούτε που πρόλαβε να αντιδράσει και ο Νικηφόρος ξεκίνησε αμέσως κλειδώνοντας τις πόρτες.

—Άφησέ με να κατεβώ!

—Θα σε έχω εδώ μέχρι να σκεφτείς πιο ήρεμα!

Βγήκε στην Κηφισίας αναπτύσσοντας μεγάλη ταχύτητα. Περνούσε ακόμα και με κόκκινα φανάρια.

—Σε ικετεύω!

—Σκάσε!

Έφτασαν στο Διόνυσο. Η βροχή είχε δυναμώσει. Ο ουρανός είχε αγκαλιάσει τη γη. Έπαιρνε τις στροφές σαν παλαβός. Η Ανατολή κουνιόταν σαν εκκρεμές στο κάθισμά της. Ο γρήγορος ρυθμός από τους καθαριστήρες τής έφερνε ζάλη.

—Σου υποσχέθηκα να του μιλήσω...

—Τώρα!

—Πώς;

—Θα πάμε μαζί εκεί που βρίσκεται!

—Δε γίνεται, Νικηφόρε. Είναι παιδί. Θα τρομάξει.

—Τον πατέρα του θα δει, όχι δράκο! Λέγε! Πού είναι;

Έτρεμε σαν το ψάρι. Δεν έβρισκε τον τρόπο ν' ανοί-
ξει την πόρτα και να πεταχτεί έξω. Εκείνος συνέχιζε να
οδηγεί επικίνδυνα. Τόσο που τρεις φορές χτύπησε το
αυτοκίνητο στα βράχια. Πήγαιναν προς τη Νέα Μάκρη.
Έφτασαν στη θάλασσα. Οδήγησε ως την άκρη της. Δεν
ξεχώριζες τίποτα από την ομίχλη και την καταιγίδα.
Δεν υπήρχε άνθρωπος. Μέσα στο αυτοκίνητο έμοιαζαν
σαν στοιχειά που τα ξέρασε η θάλασσα το ένα δίπλα
στο άλλο.

Πήρε από το πίσω κάθισμα ένα μπουκάλι με ουίσκι
κι άρχισε να πίνει.

— Θέλω να γυρίσουμε πίσω.

— Θα πάμε στο γιο μας;

— Όχι τώρα...

— Ωραία! Όταν πεις το «ναι» θα φύγουμε. Χαλάρω-
σε στη θέση του, κρατώντας σφιχτά το χέρι της σαν να
φορούσε χειροπέδες.

Έπιασαν τη σχέση τους από την αρχή. Τα λόγια τους
καρφιά. Του πέταξε κατάμουτρα ότι την πονούσε τόσα
χρόνια. Και στο τέλος του πέταξε και το πιο σκληρό:

— Σε χρησιμοποίησα για να κάνω ένα παιδί!

Την άρπαξε από τους ώμους και τη γύρισε προς το
μέρος του.

— Ψέματα! Μ' αγαπούσες... Ομολόγησέ το!

— Φέρθηκες τόσο απαίσια και άνανδρα που ακόμα
κι αυτή η αγάπη έγινε μίσος!

Έμεινε αμίλητος για λίγα λεπτά. Την κοίταζε με
βλέμμα που δεν καταλάβαινε αν ήταν εκδίκηση ή ένα

ξαφνικό πάθος. Τον φοβήθηκε. Πήγε ν' ανοίξει την πόρτα. Και τότε έγινε αυτό που δεν υποψιαζόταν. Την έριξε στο κάθισμα κι άρχισε να τη φιλάει. Όσο πάλευε μαζί του τόσο αυτός επέμενε.

— Άφησέ με, κτήνος!

— Σε θέλω...

— Βοήθεια!

— Δε σ' ακούει κανείς!

— Μηηη!

Καμιά κραυγή της δεν τον σταμάτησε. Την ακινητοποίησε. Το κορμί του πάνω στο δικό της. Ο εξευτελισμός και η ταπείνωση πλημμύρισαν όλα τα κύτταρά της.

Το χέρι της άγγιξε το μπουκάλι. Τα μάτια της γυάλισαν. Η ελπίδα φώλιασε στο μυαλό της. Το έσφιξε γερά και το έφερε στο κεφάλι του. Κάθε κίνηση του Νικηφόρου σταμάτησε με έναν αναστεναγμό πόνου. Τον έσπρωξε στο κάθισμά του με όση δύναμη της είχε απομείνει. Από 'κεί και πέρα τα έκανε όλα σαν υπνωτισμένη. Άμμος, βροχή και δάκρυα μπερδεύτηκαν στα μάτια της μέχρι να φτάσει στο δρόμο. Μέσα στο ταξί, το μυαλό της σταματημένο. Ολόκληρη ένα άδειο κέλυφος.

Ο Ρήγας απών από τη σκέψη της. Αυτό που έγινε θα το έπαιρνε μαζί της όταν θα έφτανε ο θάνατος...

Πέρασε ώρα ώσπου να συνέλθει από το χτύπημα ο Νικηφόρος. Το πρώτο που χρειάστηκε ήταν το ουίσκι. Η αγριεμένη θάλασσα φούντωνε κι άλλο το θυμό του. Έμεινε εκεί μέχρι που άδειασε όλο το μπουκάλι.

287

Μέχρι που πήρε τη μοιραία απόφαση. Χρειαζόταν καιρό, αλλά θα έκανε αυτό που νόμιζε σωστό μέσα στο μεθύσι του...

Δεν πήγε στο σπίτι στο Μαρούσι. Πήγε στην Πεντέλη. Μπήκε στο μπάνιο και τρίφτηκε να βγάλει από πάνω της τη βρομιά του Νικηφόρου. Κούρνιασε στον καναπέ σαν πληγωμένο ζώο.

«Μην τον ξαναδώ μπροστά μου, Θεέ μου», μουρμουρούσε κάθε τόσο.

Ο Ρήγας ανησύχησε που δεν τη βρήκε σπίτι, το ίδιο ανήσυχη φαινόταν και η Κωστούλα.

Πολλές φορές της άρεσε να πηγαίνει στο εργαστήρι του, ακόμα και μόνη της. Η πόρτα δεν ήταν καν κλειστή. Δεν της είπε κουβέντα. Την έβαλε στην αγκαλιά του σφιχτά.

— Εκείνος;

— Ναι...

— Για το παιδί...

— Θέλει να το βλέπει. Θα πάει στα δικαστήρια...

— Να πάει. Θα χάσει...

— Κι αν... δεν;

— Θα δούμε. Τόσο καιρό, αγάπη μου, έχουμε την τύχη με το μέρος μας.

Βγήκε το φεγγάρι και φώτισε το αγαπημένο ζευγάρι. Τη σήκωσε στα χέρια και την έβαλε στο κρεβάτι. Πόσο αγαπούσε αυτή τη γυναίκα. Πόσο ήθελε τα μάτια της να μη δακρύζουν. Χάθηκε για άλλη μια φορά μέσα στο κορμί της. Σαν βάλσαμο ήταν αυτός ο έρωτας. Αφέθηκε με πάθος. Δεν παραξενεύτηκε καν. Θαρρείς και το νερό ξέπλυνε καθετί από αυτά που πέρασε με τον Νικηφόρο λίγες ώρες πριν, εκεί δίπλα στη θάλασσα. Σαν να ήταν μια άλλη γυναίκα...

Τίποτα δεν είχε αλλάξει τόσα χρόνια με τον Ρήγα. Όπως την πρώτη φορά· εκεί στο νησί που έδυε ο ήλιος...

Έπειτα από μια βδομάδα ακριβώς, της τηλεφώνησε στην τράπεζα. Του είπε πως άλλαξε γνώμη. Δεν ήθελε να πληγώσει το παιδί. Της κοπάνησε το τηλέφωνο φωνάζοντας: «Θα τα πούμε στα δικαστήρια!»

Ο Ρήγας και η Ανατολή πήγαν πρώτοι σε δικηγόρο και εισαγγελέα. Φαινόταν πως τα πράγματα ήταν ευνοϊκά για εκείνους.

Όταν γέννησε, είχε δηλώσει αγνώστου πατρός. Και στις διαδικασίες για την υιοθεσία το ίδιο υποστήριξε. Της ήρθε τρέλα όταν τη ρώτησε ο δικηγόρος ποιος άλλος ήξερε για τον αληθινό πατέρα. Υπήρχαν τρεις μάρτυρες: η Ελένη, ο άντρας της και η μητέρα του Νικηφόρου.

Πρώτα έψαξε να βρει στον κατάλογο το όνομα και το επίθετο εκείνης της γυναίκας που την είχε προσβάλει τόσο.

Ο άντρας που απάντησε στη γραμμή τής έδωσε φτερά για να πετάξει. «Η κυρία έχει πεθάνει. Εμείς αγοράσαμε το διαμέρισμα από το γιο της. Θέλετε το τηλέφωνό του;» Έκλεισε το ακουστικό μέσα στη χαρά. Είχε γλιτώσει από τον έναν. Η Ελένη τώρα!

Την περίμενε την ώρα που έβγαινε από την τράπεζα.

—Ανατολή...

Είχαν να βρεθούν από τότε που χώρισε με τον Νικηφόρο. Γέννα, άδεια και μετάθεση. Δεν ήθελε να την ξαναδεί.

Όση ώρα έτρωγαν, η Ελένη ήταν παγερή σε όσα της έλεγε. Της περιέγραψε πόσο ευτυχισμένη ήταν με το γάμο της. Πως υπήρχε μεγάλη αγάπη με το γιο της και τον Ρήγα. Την παρακάλεσε να τη βοηθήσουν αυτή και ο Γιώργος.

—Δεν είναι δυνατόν να ζητάει ύστερα από τόσα χρόνια το παιδί μου!

—Είναι και παιδί του...

—Εσύ δε φώναζες να το ρίξω; Πως είναι μικρός για να γίνει πατέρας; Τώρα δηλαδή που μεγάλωσε θέλει να παίξει αυτόν το ρόλο; Γιατί;

—Ρώτησέ τον...

—Ποτέ δεν ήσουν φίλη! Γι' αυτό σε απέρριψα!

—Και τώρα που βρήκες τα δύσκολα με θέλεις ξανά; της πέταξε ειρωνικά και με κακία.

—Σε παρακαλώ, Ελένη, δεν έχεις παιδιά και δεν μπορείς να καταλάβεις. Ήταν δηλητήριο αυτό που της ξέφυγε. Και πήρε τη ρεβάνς η άλλη, την ώρα που σηκώθηκε να φύγει.

—Κι εσύ που έχεις, βγάλ' τα πέρα μόνη σου! Ο Νικηφόρος είναι φίλος μας και του στεκόμαστε εγώ και ο άντρας μου στο αλκοολίκι του!

Πέρασαν πέντε λεπτά για να συνειδητοποιήσει τις τελευταίες λέξεις... Είναι αλκοολικός!

Μέχρι να φτάσει σπίτι επαναλάμβανε ξανά και ξανά τις λέξεις. Θαρρείς και της είπε το καλύτερο νέο. Ποια συμπόνια και ποια λύπη; «Μακάρι και να πέθαινε το κτήνος!»

Η κατάσταση του Νικηφόρου επιβεβαιώθηκε και από τον ίδιο. Μεσάνυχτα ήταν και η πόρτα κόντευε να γκρεμιστεί. Φωνές και απειλές ξεσήκωσαν τη γειτονιά στο Μαρούσι.

—Θέλω το γιο μου! Πουτάνα, άνοιξε! Θα σας σκοτώσω όλους!

Πετάχτηκαν από τον ύπνο τους.

—Είναι μεθυσμένος! Μην του ανοίγεις, Ρήγα!

Την έστειλε στο δωμάτιο των παιδιών. Του άνοιξε και είδε ένα ρεμάλι μέσα στο μεθύσι. Μέχρι να 'ρθεί η αστυνομία, του έλεγε δήθεν πως η Ανατολή προσπαθούσε να ξυπνήσει το παιδί.

Γλίτωσαν τη μια φορά. Από 'κεί και πέρα άρχισε η αγωνία τους ώσπου να βγει η δικαστική απόφαση.

Ο Ρήγας πηγαινοέφερνε το παιδί στο σχολείο. Όλοι ήξεραν πως έπρεπε να το προστατεύσουν από τις απειλητικές επισκέψεις του Νικηφόρου.

Η Ανατολή πήρε άδεια άνευ αποδοχών. Το κέφι τους άρχισε να χάνεται. Μετρούσαν τον καιρό.

—Πληρώνω, Ρήγα...

—Πληρώνεις τι;

—Αυτά που θεωρούσα κάποτε απλά κι εύκολα.

Ξεκίνησε πάλι να επισκέπτεται ψυχολόγους. Ήθελε ν' αναλύει τα πράγματα και τις καταστάσεις. Ο Ρήγας αντιδρούσε σ' όλα αυτά. Δεν μπορούσε να πιστέψει πως η ανάμειξη του Νικηφόρου στη ζωή τους θα διέλυε την Ανατολή οριστικά.

Και ήρθε αναπάντεχα. Μια ανυποψίαστη καθυστέρηση. Μια επίσκεψη στο γυναικολόγο, και...

—Είσαι έγκυος, Ανατολή, της είπε.

—Δεν το περίμενα!

Πέταξε ο Ρήγας από χαρά.

—Μετά τους δυο γιους χρειαζόμαστε κορίτσι! Και το έδεσε κόμπο.

Φυσικά και το κράτησαν. Ούτε έγινε κουβέντα για κάτι άλλο.

Αυτό το απρόσμενο έφερε τέτοια αλλαγή μέσα της που πήρε την απόφαση να πάει για τελευταία φορά στον ψυχολόγο της.

—Το καλύτερο που μπορούσε να μου συμβεί αυτή την εποχή. Δώρο Θεού! Για δεύτερη φορά, ένα παιδί στεριώνει την ύπαρξή μου.

Η πρώτη φορά ήταν όταν έφυγε η Ευδοκία.

Εκείνος χαμογέλασε γλυκά, κούνησε το κεφάλι και της είπε:

—Συμφωνώ μαζί σου. Η μητρότητα δίνει δύναμη και ευθύνη στη γυναίκα.

Είχε δίκιο.

Εγώ, η Ανατολή

Σαράντα και... πλέον, και ετοιμάζω μωρουδιακά. Γελούν τα παιδιά με τις ροζ κουδουνίστρες που έχει κρεμάσει πάνω από το κρεβάτι μας ο Ρήγας.

— Μόνο με μια γυναίκα δε βγαίνει η ζωή μου.

Πόσο καλά είμαστε πάλι. Ξεχνάω ακόμη και την υπόθεση με τον Νικηφόρο. «Σχηματίστηκε δικογραφία σε βάρος του. Ο αλκοολισμός και οι απειλές θα παίξουν αρνητικό ρόλο γι' αυτόν. Η απόφαση θα είναι ευνοϊκή για σας». Τα νέα από το δικηγόρο λίγο προτού γεννήσω.

Δεν έχω νιώσει άλλοτε τόσο κακομαθημένη. Με φροντίζουν και με προσέχουν τρεις άντρες σαν τα μάτια τους.

Ο Στέφανος ετοιμάζεται για το Πανεπιστήμιο. Απλωμένα βιβλία και χάρτες με ουράνια σχήματα στους τοίχους.

Ο Ορφέας έχει μπει στο γυμνάσιο. Κουβάλησε στο σπίτι ολόκληρη ορχήστρα. Ντραμς, συνθεσάιζερ και κιθάρες. Έχει πανέμορφη φωνή. Ταλέντο, λένε όλοι. Ταιριάζει το όνομα που του έβγαλα τυχαία, σαν το μυθικό ήρωα από τη Θράκη.

— Πώς θα τον βαφτίσουμε, Ανατολή; ρώτησε τότε ο γυναικολόγος που έγινε και νονός.

— Ορφέα.

— Γιατί;

— Δεν ξέρω. Μ' αρέσει!

Κοιμήθηκε βαθιά. Δε βρισκόταν στο κρεβάτι της κλινικής που γέννησε την κόρη της. Άγνωστο μέρος αυτό που περπατούσε. Ποτέ δεν είχε δει τόσο πολλά λουλούδια. Ρόδα κόκκινα. Ροζ. Μοβ. Πορτοκαλιά...

Κατάφορτα δέντρα με καρπούς μπλέχτηκαν στα μαλλιά μου. Λούστηκε στο φως... Τι φως ήταν αυτό; Δεν ήταν ήλιος. Δεν ήταν φωτιά. Δύσκολο... Πώς θα μπορούσε να περιγράψει στον Ρήγα το χρώμα για τις ζωγραφιές του;

Ποια τραγουδούσε για βασίλισσες και βασιλιάδες; Δεν ξεχώριζε... Προχώρησε κι άλλο. Τότε την είδε... Ναι, ήταν η μάνα της. Η Ευδοκία, όμορφη και νέα, κρατούσε μωρό στην αγκαλιά. Νανούρισμα ήταν το τραγούδι της. Μιλούσε σιγανά χωρίς να την κοιτάζει.

«Δεν μπορείς να της δώσεις άλλο όνομα. Μέσα στα λουλούδια και στην αγάπη γεννήθηκε».

«Κορίτσι;»

«Ναι. Ροδάνθη να την πεις».

«Το όνομά σου θέλω...»

«Μη θυμάσαι εμένα. Προχωράει τόσο καλά η ζωή σου».

«Μου λείπεις, μαμά...»

«Ξέχασε τα παλιά και τις πίκρες, Ανατολή μου. Σ' αγαπάει ο Ρήγας».

«Κι εγώ».

«Πάρε την κόρη σου...» Την έβαλε στην αγκαλιά της. Την έσφιξε δυνατά πάνω της και προχώρησε μέσα στον απέραντο κήπο.

Λάτρευε τα πρόσωπα που ήταν γερμένα πάνω από το δικό της. Έλαμπαν τα γενναιόδωρα χαμόγελά τους...

—Να μας ζήσει! Κορίτσι!

Οι τρεις άντρες πετούσαν από χαρά.

—Πώς θα τη βγάλουμε;

—Ροδάνθη! ψέλλισε δειλά η Ανατολή.

Κανένας δεν έφερε αντίρρηση. Κοιτάχτηκαν, γέλασαν και τους άρεσε πολύ.

—Τα μάγουλά της ροδαλά σαν ανθός, είπε ο Ρήγας.

—Πρέπει να τη δεις, μαμά... Μια αδελφή ροζ μπου-μπούκι.

—Ολόκληρο κορίτσι! Δείχνει με τα χέρια του ο Στέφανος.

—Την είδα... απάντησε αργά και πονηρά.

Κοιτάχτηκαν σαν να πίστευαν πως ήταν ακόμα ναρκωμένη. Τους κράτησε μυστικό το όνειρο που είδε... Καμάρωνε την κόρη της και καταλάβαινε γιατί η μάνα της διάλεξε το πιο σωστό όνομα για την εγγονή της.

Γύρισαν στο σπίτι με το μωρό, τα παιδιά και την απόφαση του δικαστηρίου. Ο Ορφέας ήταν οριστικά πλέον

298

γιος του Ρήγα! Όταν θα ενηλικιωθεί θα πρέπει να μάθει. Ν' αποφασίσει αυτός ποιον θέλει για πατέρα...

Και αποφάσισε σαν ήρθε εκείνος ο καιρός. «Μη μου πείτε ούτε το όνομά του, ούτε τίποτ' άλλο! Μπαμπά μου...» απευθύνθηκε στον Ρήγα, «πήγαινε όπου χρειάζεται να υπογράψω και επίσημα πως είναι άγνωστος ο κύριος για μένα».

Εκείνη η αγκαλιά τους δε θα σβήσει ποτέ από το μυαλό της. Θα την κουβαλάει ακόμα κι όταν φύγει...

Ο Ρήγας έκανε τη δεύτερη ατομική του έκθεση ζωγραφικής. Η μονοκατοικία στο Μαρούσι δε τους χωρούσε πια... Έπρεπε να πάρουν καινούριες αποφάσεις, ν' αλλάξουν ζωή.

Έξι μήνες είχαν κυλήσει από τη μέρα που γεννήθηκε η Ροδάνθη και ο εφιάλτης του Νικηφόρου ξεθώριασε στην καθημερινότητά τους. Σπάνια περνούσε από τη σκέψη της. Κι όταν συνέβαινε αυτό αγκάλιαζε σφιχτά τα παιδιά της. Έπαιρνε δύναμη για να πολεμάει τους φόβους της και τον πανικό της.

Το συζητούσαν καιρό. Ο Ρήγας το αποφάσισε.

— Ο Στέφανος πρέπει να κάνει την επέμβαση.

— Θα βελτιωθεί η κατάστασή του;

— Ναι! Το πιστεύω βαθιά!

— Αμερική;

— Ναι, αναλαμβάνει το ίδρυμα.

— Εντάξει...

— Έχεις την Κωστούλα και τα παιδιά... Ένα μήνα θα λείψουμε.

— Σ' αγαπώ!

— Κι εγώ, Ανατολή και φως μου!

Τηλέφωνα πρωί, μεσημέρι, βράδυ, Αθήνα – Βοστόνη. «Φτάσαμε...» «Μπήκαμε νοσοκομείο...» «Την Τρίτη η εγχείρηση...» «Όλα καλά...» «Μαμά κουνάω τα χέρια μου!» «Φίλησέ μου τον Ορφέα και τη Ροδάνθη».

Αυτή είναι η ζωή· μια πάνω μια κάτω, μια καλά μια άσχημα.

Ετοίμαζε το σπίτι για την επιστροφή τους την Πέμπτη. Το γλυκό με τ' αμύγδαλα που άρεσε στον Στέφανο. Το κρέας με μανιτάρια για τον Ρήγα...

Τετάρτη βράδυ του Οκτώβρη. Τρεις μέρες που η βροχή δεν έλεγε να κοπάσει. Ετοιμάστηκε βιαστικά. Σε λίγο θα έκλειναν τα σούπερ μάρκετ.

—Πάω για ψώνια, Κωστούλα.

—Πρόσεχε, κορίτσι μου.

Δεν έφευγε ποτέ από το σπίτι, χωρίς να της πει πάντα αυτά τα λόγια. Είχε τρομάξει κι αυτή με τις απειλές του Νικηφόρου. Αλήθεια, είχε χαθεί πια από τη ζωή τους... Κάποιος τους είπε πως η Ελένη και ο άντρας της τον είχαν βάλει σε κλινική για αποτοξίνωση.

Ο δρόμος σκοτεινός και έρημος. Σκιές που τρόμαζαν φύση και ανθρώπους. Θρόισμα στα φύλλα απ' τη βροχή και τον αέρα πάγωνε το περπάτημά της.

Έσφιξε το αδιάβροχο στο σώμα της και σταμάτησε για λίγο να αφουγκραστεί. Ο μεταλλικός θόρυβος ακούστηκε μια δυο φορές. Μετά ησυχία. Η αστραπή της έφερε τρέμουλο. Να, πάλι, ο φόβος της καταιγίδας.

Η ώρα περνούσε. Έπρεπε να συνεχίσει... Τα πόδια της κολυμπούσαν στα νερά και στις λάσπες καθώς άρχισε να περπατάει πιο γρήγορα.

Νύχτα βγαίνουν τα φαντάσματα. Στιγμές που δεν τα περιμένει κανείς...

Ο άντρας, κρυμμένος πίσω από το αυτοκίνητο, πρόβαλε με το όπλο στα χέρια. Πήρε τα χνάρια της και την ακολούθησε. Μετρούσε ο ένας τα βήματα του άλλου. Μίκραινε η απόσταση ανάμεσά τους. Γύρισε σαν ελατήριο να δει. Ήρθαν πρόσωπο με πρόσωπο. Αγνώριστος. Γερασμένος ο Νικηφόρος.

—Αν δε μ' αφήσεις να τον δω, να του μιλήσω, θα σε σκοτώσω!

—Μη... μόλις και πρόλαβε να βγει η λέξη από τα χείλη.

Αυτός δε σταμάτησε. Πήγε να την αγγίξει. Τότε όρμησε πάνω του σαν θεριό. Μπερδεύτηκε το σιδερικό στο πάλεμά τους. Αίμα πηχτό έτρεξε στη γη· κόκκινο στα χέρια της και στο κορμί του.

Φωνές ανθρώπων και η λαχτάρα της Κωστούλας... Μπαίνει σαν τρελή στο ασθενοφόρο μαζί της.

Κι άλλη δοκιμασία. Την τύφλωνε το φως στο δωμάτιο του νοσοκομείου. Οι γάζες στα μάτια έκλειναν ερμητικά τις εικόνες απ' έξω.

— Δε βλέπω...

Αισθάνθηκε το χάδι σαν φάρμακο από αυτή τη δεύτερη μάνα.

— Κάνε υπομονή, κορίτσι μου. Θα περάσει.

— Μη μάθει ο Ρήγας... Τα παιδιά...

Δε ρώτησε αν ζούσε ή αν πέθανε ο Νικηφόρος.

— Κυρία Δενδρινού... Δεν κατάλαβε τον άνδρα που μιλούσε.

— Από την αστυνομία είναι, διευκρίνισε η Κωστούλα.

— Πρέπει να πάρω κατάθεσή σας. Βγαίνετε έξω, κυρία μου...

Υπάκουσε.

— Πήγαινε στο σπίτι, Κωστούλα... Η Ροδάνθη και ο Ορφέας...

— Το κανόνισα με μια γειτόνισσα. Μην ανησυχείς...

Σηκώθηκε αργά κι έφυγε.

— Τι σχέση έχετε με τον τραυματισμένο;

Άρα ζούσε το κάθαρμα!

Άρχισε η ανάκριση. Εξήγησε τη σκηνή και τις απειλές του. Σημείωνε ο αστυνομικός... Ναι, ήξεραν πως εκπυρσοκρότησε το όπλο. Ευτυχώς, δεν ήταν ένοχη. Γι' αυτόν ήταν η κατηγορία. Απόπειρα φόνου.

— Θέλω να πάω σπίτι μου. Τα παιδιά μου... Ο Ρήγας γυρίζει.

— Τα ξέρουμε... Μας τα είπε η κυρία που ήταν προηγουμένως μαζί σας.

— Η Κωστούλα...

— Πρέπει να μείνετε στο νοσοκομείο. Ο γιατρός θα αποφασίσει... Τραυματιστήκατε στα μάτια.

Ο φόβος αυτός χειρότερος από όλους. Θα τον ξεπερνούσε; Κρυμμένη πίσω από το σκοτάδι. Θα έχανε τις μορφές που αγαπούσε. Εικόνες που λάτρευε... Τα χρώματα στους πίνακες του Ρήγα πάντα μαύρα... Τα μάτια της κόρης της δεν είχαν καθαρίσει ακόμα· μπλε, πράσινο ή γκρι; Έξι μηνών. Δεν πρόλαβε να τα καμαρώσει.

Θα 'πρεπε να μαντεύει πώς και τι βρίσκεται μπροστά της... Να μυρίζει τα λουλούδια και να μη βλέπει την ομορφιά τους. Μόνο τα μπουκαλάκια με τα αρώματα της γιαγιάς Μακρίνας θα μπορεί να ξεχωρίζει... Θα τα καταλαβαίνει από τις μυρωδιές. Ξέρει απ' έξω τα γυάλινα σχήματά τους. Νύχτα και μέρα το ίδιο... «Όχι, δε θα το αντέξω», φώναξε.

Ούτε το γλυκό με τα αμύγδαλα έγινε, ούτε το κρέας με τα μανιτάρια...

Ο Ρήγας έφτασε σαν τρελός από το αεροδρόμιο στο νοσοκομείο. Η Κωστούλα δεν είπε τίποτε μέχρι την ώρα που κατέβηκε με τον Στέφανο από το αεροπλάνο.

Την ξύπνησε με τα φιλιά του.

— Ρήγα...

— Είμαι εδώ και μη φοβάσαι.

Δε φοβήθηκε από 'κεί και πέρα. Κι ας άρχισαν όλα μαζί... Δικαστήρια με τον Νικηφόρο και θεραπείες.

Άρχισε να βλέπει, όχι βέβαια όσο πριν. Φορτώθηκε πολλά η Κωστούλα. Ο Ρήγας δεν προλάβαινε. Το ένιωθε και την έπιανε τρέλα που δεν μπορούσε να βοηθήσει. Τα παιδιά έγιναν τα δεύτερα μάτια της σε όλα.

Αχ, αυτή η αγάπη και το δέσιμο στην οικογένεια! Πόσα καταφέρνει κανείς.

Θα βελτιωθούν σιγά σιγά, είπαν οι γιατροί στα δύο ταξίδια που έκαναν – ένα Λονδίνο, ένα Ελβετία.

Στα δυο χρόνια που πέρασαν, η Ανατολή άρχισε να βλέπει καλύτερα. Ο Νικηφόρος μπήκε φυλακή. Κανένας δε μίλησε ξανά γι' αυτόν.

*Ε*γώ, η Ανατολή

Γαλήνη και ηρεμία με πλημμυρίζει. Μ' έχει βάλει στην αγκαλιά του όπως κάθε βράδυ. Αργεί να μιλήσει.

— Το σκέφτηκα πολύ... Πρέπει ν' αλλάξουμε ζωή...

— Πώς και πού;

— Το θέλεις;

— Ναι...

— Θα πάμε στα μέρη σου. Ένα ταξίδι προς το παρόν. Θέλεις;

Θετική η απάντησή μου. Κάνει σαν παιδί.

— Γιατί τόση χαρά, Ρήγα μου;

— Ο Έβρος με γιάτρεψε κάποτε. Φαντάρος ήμουν...

— Δεν καταλαβαίνω...

— Θα 'ρθει ο καιρός, Ανατολή μου...

Παράπονο το είχε η Ευδοκία.

«*Δε μ' αξίωσε ο Θεός να πάω μια βόλτα επάνω...*»

«*Να δεις τι; Αυτά που σε πλήγωσαν;*»

«*Οι άνθρωποι έκαναν το κακό... Η γη μου με περιμένει... Σαν τη μάνα... Δεν ξεχνάει...*»

Φεύγουμε χωρίς τα παιδιά, την Κωστούλα και τον Μέλιο. Ταξίδι μέλιτος μοιάζει. Δεν το έχουμε, αλήθεια, κάνει. Περνάμε έξω από τη Θεσσαλονίκη. Ακόμη οι πληγές από αυτή την πόλη...

Καβάλα. Από τη στροφή του Αγίου Σίλα φαίνονται

πιο λιγοστές οι κόκκινες κεραμιδένιες σκεπές. Έχουν αλλάξει πολλά. Το σπίτι στη συνοικία της Παναγίας απέναντι από το Ιμαρέτ, το ίδιο...

Το δημοτικό δεν έχει δάσκαλο τον Ζήση. Η μάνα μου δεν αγναντεύει τη θάλασσα από το φάρο. Η γιαγιά Μακρίνα δε στεγνώνει στον ήλιο τα ροδοπέταλα για τα αρώματά της.

Δε θυμάμαι το χωριό που γεννήθηκα. Δε θέλω να πάω. Με πειράζει κι εμένα η μυρωδιά από τα καπνοχώραφα. Μου φέρνει δυσφορία η μνήμη από τον πατέρα μου, τον Γιαννακό Ιωσηφίδη.

— Θες να ρωτήσουμε αν γύρισε;

— Όχι, Ρήγα μου... Προχωράμε...

Αρχίζω και βλέπω πιο καθαρά τα τοπία καθώς τρέχει το τζιπ. Έχουμε αλλάξει αυτοκίνητο. Δεν πουλήσαμε όμως το στέισον. Το αγαπάμε όλοι...

ΝΟΜΟΣ ΕΒΡΟΥ, γράφει η πινακίδα. *Ευδοκία, φτάσαμε στην Αλεξανδρούπολη*. Το ξενοδοχείο πάνω στη θάλασσα. Νύχτα είναι. Πάμε βόλτα στην παραλία... Ο φάρος που αγάπησα μέσα από το ταξίδι της μάνας μου με τη βαρκούλα, είναι εδώ. Άρα δεν ήταν παραμύθι.

«Έστειλε εμένα...» του ψιθυρίζω σιγά. Δε βγάζει λέξη. Στέλνει αργά το φως του από τη μια άκρη στην άλλη στο λιμάνι. Μου φαίνεται θαμπό· από τη συγκίνησή του είναι, το νιώθω. Πρόσμενε και την Ευδοκία...

Σταματημένοι έξω από το αρχοντικό του Σταύρου. Δεν υπάρχουν χρυσά και στολίδια. Δεν ανεμίζουν μεταξωτές κουρτίνες. Σάπια βελούδα, κρύσταλλα σπασμένα... Το κλείδωσε καλά. «Αμπάρωσα το σπίτι με διπλές κλειδαριές και πήρα τη Σμαρώ μαζί μου», είχε πει τότε η Σουλτάνα.

Δε σεβάστηκαν πόνο και ζωές οι άνθρωποι. Μπήκαν και τα ρημάξαν όλα.

Κήπος ξερός... Τοίχοι γδαρμένοι... Ξεθώριασαν τα χρώματα στα βιτρό τζάμια. Δεν ακούγονταν φωνές και τραγούδια... Κουκουβάγιες έκαναν τη φωλιά τους... Τρομάζει κανείς από τη μοναξιά του... Δε μοιάζει με το παλάτι που είχε φτιάξει η Ανατολή στα όνειρά της. Καλύτερα που δε γύρισε η Ευδοκία να το δει έτσι ξεχασμένο και μόνο. Δεν προχώρησε μέσα. Μουντά και διαλυμένα... Δε θέλησε...

Όλα και όλοι είχαν αλλάξει. Κανένας δε θυμόταν πια τους Σταύρου. «Ο δήμος το πήρε... Δεν ξέρω... Είμαι δέκα χρόνια εδώ...» μας απάντησε κάποιος περαστικός. «Στοίχειωσε αυτό... Φαντάσματα μπαίνουν, βγαίνουν... Όπως ο τρελόγερος με το ακορντεόν... Παραμιλάει μέρα νύχτα. Δεν καταλαβαίνουμε τα λόγια του», συμπλήρωσε κάποιος άλλος.

—Νιώθεις καλά; τη ρώτησε ο Ρήγας.

—Πολύ. Και μου φαίνεται παράξενο...

—Ποιο;

—Οι εικόνες που είχα μέχρι τώρα δεν ταράζονται απ' αυτό που βλέπω...

—Γιατί;

313

Χαμογέλασε.

— Τους έχω όλους ζωντανούς μέσα μου...

— Τους συγχώρεσες;

— Ναι, το θέλησε η μάνα μου... Μόνο γι' αυτήν πονάω.

Την έσφιξε δυνατά επάνω του. Χάθηκε ο πόνος...

Ο Ρήγας επέμενε να ρωτήσουν αρμόδιες υπηρεσίες για το αρχοντικό – πού και σε ποιον ανήκει. Δεν έφερε αντίρρηση. Τίποτα συγκεκριμένο. Δικηγόρος ανέλαβε τη διαθήκη της Σμαρώς. Θα φαινόταν η αλήθεια...

— Πάμε και στο Σουφλί;

— Ναι... Πάμε, Ρήγα μου.

Δειλινό έφτασαν στην πόλη. Παραξενεύτηκαν οι άνθρωποι που έψαχνε το ζευγάρι τα εργοστάσια Σταύρου. «Δε ζει κανείς απ' αυτούς», η απάντηση μιας γυναίκας.

Η στρογγυλή τούβλινη καμινάδα του μεταξουργείου είχε πάρει χρώμα γκρι... Πανύψηλη, ξεχώριζε από μακριά. Αυτήν έβλεπε η Σμαρώ σαν έφτανε στο Σουφλί και κορδωνόταν έτσι...

Φοβόταν να μπει στα χαλάσματα... Της κρατούσε σφιχτά το χέρι. Πρώτα σ' αυτό που έκαναν το μετάξι. Μετά στο διπλανό, εκεί που έφτιαχναν τα μεταξωτά και τα κουκουλάρικα υφάσματα. Αργαλειοί σκουριασμένοι... Δε γνέθουν πια οι γυναίκες... Μηχανές που ο ήχος τους χάθηκε στο χρόνο.

Πέρασε το τρένο.... Το σφύριγμά του ανακατεύτηκε με τη φωνή του χότζα στο τζαμί...

Έκανε να γυρίσει πίσω. Το πόδι της μπλέχτηκε σε ύφασμα λεπτό... Προσπάθησε να το ξεμπερδέψει· αδύνατον. Τυλίχτηκε επίμονα επάνω. Ολόκληρο τόπι από μετάξι. Πώς βρέθηκε ανέπαφο μέσα στη λάσπη και τη σκόνη; Είχε χρώμα πράσινο βαθύ. Τρόμαξε. «Ποιος θέλει να με κρατήσει στο ερείπιο; Δε βλέπω μορφή. Δεν ακούω λόγια... Στοιχειό κρυμμένο είναι», σκέφτηκε.

Χώθηκε στην αγκαλιά του Ρήγα. Το έσκισε με τα χέρια του. Έσκυψε και πήρε κομμάτι στην τσάντα της.

— Τι θα το κάνεις;

— Δεν ξέρω... Το θέλω... Σημάδι μοιάζει...

Νύχτωσε. Η πόλη σκοτείνιασε. Ο άντρας πλησίαζε με βήμα αργό. Στις πλάτες του κρεμασμένο ένα ακορντεόν. Βαρύ φορτίο. Κορμί, μοναξιά και όργανο... Τους προσπέρασε με το κεφάλι κάτω... Μπήκαν στο τζιπ. Μπήκε στα χαλάσματα ο γέρος... Ακούστηκε η μπαλάντα.

— Ακούς;

— Ναι... Ωραία παίζει...

— Αυτός με το ακορντεόν...

— Δυστυχισμένος άνθρωπος...

— Μένει εδώ μέσα.

— Πάμε, Ανατολή.

Έκανε στολίδι το πράσινο μεταξωτό. Το έβαλε σάλι στο λαιμό, ζώνη στη μέση, πέπλο στα μαλλιά της.

Της άρεσε... Ποτέ δε φόρεσε μεταξωτά Σουφλίου.

Μια βδομάδα έμειναν στην Αλεξανδρούπολη. Η διαθήκη ήταν γνήσια. Της ανήκε όλη η περιουσία Σταύρου.

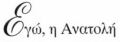
Εγώ, η Ανατολή

Στέκω με τα λουλούδια στα χέρια και διαβάζω. *Οικογενειακός Τάφος Αναστάση και Ραλλούς Σταύρου. Λείπουν τα ονόματα της Ευδοκίας, της Σμαρώς και του Λάμπρου...* Τον είχα ξεχάσει τελείως. Κι ας υποσχέθηκα τότε στη μάνα μου πως θα τον βρω...

Σήμερα θα πάω μόνη στο σπίτι της 14ης Μαΐου. Θα τολμήσω να μπω μέσα. Βοηθάει ο δυνατός ήλιος. Φωτίζεται ο χώρος καλύτερα. Δε φοβάμαι! Νιώθω πως με προστατεύουν χέρια τριγύρω...

Οι άγγελοι στο ταβάνι του σαλονιού υπάρχουν. Ξεθωριασμένοι, αλλά είναι εκεί πάνω, όπως στο όνειρό μου... Ο πολυέλαιος λείπει από τη θέση του. Υπήρχε όμως, γιατί φαίνεται το κρέμασμά του... Ανεβαίνω τη σκάλα που τρίζει. Μαντεύω τα δωμάτια επάνω. Μια σκουριασμένη σιδερένια κούνια... Σ' αυτή νανούριζαν τη μάνα μου. Το μεγάλο διπλό κρεβάτι με τα μπρούντζα. Σ' αυτό έζησε το στερημένο έρωτα η Ραλλού. Εδώ γεύτηκε τον έρωτα της Γαλλίδας νταντάς ο Αναστάσης. Σάπια μεταξωτά πεσμένα στο πάτωμα... Το γραμμόφωνο κομμάτια... Το δωμάτιο της Σμαρώς...

Πάλι η μουσική από το ακορντεόν... Κοιτάζω κάτω. Ο ίδιος γερασμένος άντρας είναι... Το ίδιο τριμμένο παλτό φοράει. Το ίδιο βλέμμα ταραγμένο... Δε φαίνεται καθαρά το πρόσωπό του από την ομίχλη του μυαλού μου. Φταίνε τα μάτια μου ή που δεν τον γνωρίζω;

Σηκώνεται και ψιθυρίζει:

— Θα φύγω αμέσως.

Νιώθει ξένος εκεί μέσα. Κρεμάει στην πλάτη το ακορντεόν και κάνει να φύγει. Ποιος μου δίνει τη δύναμη να μιλήσω;

— Περίμενε...

Σταματάει.

Κατεβαίνω τη σκάλα και στέκομαι μπροστά του. Δε σηκώνει το κεφάλι.

— Συγγνώμη, κυρία...

Άσπρο μπαμπάκι τα μαλλιά. Πώς μου έρχεται η ιδέα; Ποιος μου τη βάζει στο μυαλό;

— Κοίταξέ με... Αργό το ανέβασμα των ματιών του. Ποιος είστε;

— Ξένος... Δικό σας το σπίτι;

Σπασμένα τα λόγια.

— Της οικογένειάς μου, Σταύρου...

Ταλανίζεται. Πιάνεται από τη σπασμένη κουπαστή.

— Εσείς;... Λυγμός είναι ή λέξη; Δεν ξεχωρίζει.

Η Ανατολή αργεί ν' απαντήσει.

— Η κόρη της Ευδοκίας.

Βαραίνει το ακορντεόν στην πλάτη του. Κάθεται στα σκαλιά. Τρέμουν χέρια και πόδια. Κλαίει.

Ο Λάμπρος μένει στο διπλανό δωμάτιο του ξενοδοχείου μας. Κοντά του είναι ο Ρήγας και τον φροντίζει.

318

Δεν έχει να μας πει πολλά. Μάλλον δε θέλει να μας ταράξει. Μόνος στη ζωή· χωρίς γυναίκα και παιδιά.

— Έχουμε τρία... Φτάνουν για όλους! λέει ο Ρήγας και του χαϊδεύει την πλάτη.

Κι εγώ δεν έξυσα πληγές. Ο καθένας σηκώνει τα δικά του.

Γυρίζω μόνη στην Αθήνα. Καιρό τώρα δε φοβάμαι τα αεροπλάνα. Οι άντρες μένουν εκεί. Θα επιστρέψω όταν τακτοποιηθούν όλα. Τα ανέλαβαν ο Λάμπρος και ο Ρήγας. Το αρχοντικό πουλήθηκε καλά λεφτά. Τα εργοστάσια τα αγόρασε κάποιος από το Σουφλί. Νέος και αγαπάει τα μεταξωτά... Το οινοποιείο το κάναμε δωρεά στο δήμο κι έγινε μουσείο.

Το μόνο που θέλησε από τη διαθήκη ο Λάμπρος ήταν να μείνει επιστάτης στα εργοστάσια. Να μείνει όσο ακόμα αντέχει. Το επίθετο Σταύρου, γραμμένο έστω και στα χαρτιά της μισθοδοσίας.

— Θα σας βλέπω... είπε όταν από αποχαιρετηθήκαμε. Έκανε νόημα... Έπειτα από καιρό κατάλαβα το κλείσιμο του ματιού του στον Ρήγα.

Πραγματικά, τώρα η ζωή τους είχε έρθει τα επάνω κάτω! Άδειασαν το σπίτι στο Μαρούσι. Ο Ρήγας αποφάσισε να μην πουληθεί. Το σπίτι στην Πεντέλη νοικιάστηκε. Μάζεψαν όλοι τα αγαπημένα τους πράγματα. «Μόνο τα απαραίτητα μαζί σας!» φώναζε συνέχεια στην Κωστούλα, στον Ορφέα, στον Στέφανο και στη Ροδάνθη.

Ολόκληρη ορχήστρα! Πλανητικοί χάρτες ρολά! Πίνακες δεκάδες! Φωτογραφίες στα κιβώτια που κόντευαν να ξεχειλίσουν. Όλη η ζωή τους σε φιλμ! Κούκλες και παιχνίδια, θαρρείς και θα έπαιζε χρόνια η μικρή...

Η βιτρίνα με τα γυάλινα αρωματικά μπουκαλάκια της γιαγιάς Μακρίνας χρειάστηκε ειδική συσκευασία.

Στη δερμάτινη βαλίτσα έβαλε μνήμες και τα στέφανα του γάμου· ό,τι μικρό και αγαπημένο είχε μαζέψει αυτά τα χρόνια. Ακόμα και τα μωρουδιακά του γιου της και της κόρης της.

«Πάμε στα μέρη σου, μάνα. Το υποσχέθηκε ο θείος Λάμπρος. Θα μας βλέπει... Μια χαρά είναι... Μαθαίνει πώς γίνεται το μετάξι... Δεν ξέρω πότε θα σε ξαναδώ...

321

Μα τι λέω; Μαζί μας έρχεσαι κι εσύ... Μέσα στην καρδιά μας... Σ' αγαπώ. Φιλιά».

Φορτηγό τριαξονικό. Πίσω το τζίπ με τον Ρήγα οδηγό. Μαζί τους και ο Μέλιος. Στη διαπασών η μουσική! Τα νιάτα! Πιο πίσω εκείνοι με το στέισον! Τα κατάφερνε ακόμα.

Η Κωστούλα κρατούσε στην αγκαλιά της τη μικρή.

— Μην τρέχεις, μπαμπά!

— Πήρες τις συνταγές της μάνας μου;

— Μόνο αυτές; είπε η Κωστούλα γελώντας. Πήρα και τα σκεύη της! Πώς θα φτιάχνω τραχανά χωρίς τη σήτα της! Πώς θ' ανοίγω πίτες χωρίς τη βέργα της;

— Και το χοντρό ρεντέ για το γλυκό κυδώνι;

— Κι αυτόν, Ρήγα, αγόρι μου...

— Σ' αγαπώ, Ανατολή...

— Κι εγώ....

— Πού πάμε, μανούλα;

— Στον παράδεισο, Ροδάνθη μου!

*Ε*γώ, η Ανατολή

Καιρό μετά...

Το κτήμα με τα διακόσια στρέμματα αμπελώνα, που αγόρασε ο Ρήγας χωρίς να με ρωτήσει, είναι ο δικός μας παράδεισος.

Έξω από την Καβάλα. Προς τα Λουτρά των Ελευθερών. Εκεί κοντά στον παλιό πύργο. Απλώνεται ως κάτω στη θάλασσα. Το σπίτι σαν ζωγραφιά με καμινάδα και κεραμίδι, ανάμεσα στα κλήματα με άσπρα και κόκκινα σταφύλια. Παράθυρα μεγάλα. Να κλείνουμε μέσα τον ήλιο και να μας ζεσταίνει.

Το παλιό οινοποιείο με τα βαρέλια και τα ξύλινα πατητήρια δε θα αλλάξουν. Έδωσε εντολή ο Ρήγας στους εργάτες: «Παραδοσιακά τα θέλω όλα. Κρασοστάφυλα από ελληνικές ποικιλίες. Αγύρτικο! Μαλακουζιά! Αθήρι και Ντεμπίνα!»

Κρεμιούνται οι πίνακές του μέχρι και τη σκεπαστή βεράντα! Η μικρή ορχήστρα του Ορφέα στήνεται στην παραλία. Ο Στέφανος κυλάει το καροτσάκι του στην αποβάθρα και μελετάει τ' αστέρια. Στη βάρκα, που τη λένε *Ευδοκία*, μπαίνει η κόρη μας με τον Ρήγα. Πιάνουν μύδια, πεταλίδες κι αχινούς από τα απέναντι βράχια.

Τι χρώμα ο ουρανός και η θάλασσα! Τόσο γαλάζιο! Καθαρίζουν τα μάτια μου από τη θολούρα. Αγαπησιάρης Αύγουστος. Αλλιώτικος ο έρωτας εδώ. Μεστωμένος, σαν τα τσαμπιά των σταφυλιών.

323

Σμιλεύονται καλά τα κορμιά μας. Δεν ξεχωρίζουν μέσα στη νύχτα. Πόσο τον αγαπώ!

— Ζήλεψα τα μέρη αυτά... Ήθελα να ζήσουμε εδώ.

— Σ' ευχαριστώ, Ρήγα μου.

— Ήλιε κι Ανατολή μου.

Έχει έρθει και ο Λάμπρος στον πρώτο τρύγο – μέσα Σεπτέμβρη. Έχουν έρθει και τα παιδιά από Θεσσαλονίκη. Σπουδάζει φυσικός ο Στέφανος και μουσική ο Ορφέας.

Γεμίζει το τραπέζι φαγητά από την Κωστούλα.

Μπαίνουμε όλοι στο πατητήρι. Καμαρώνω τα ψηλά πόδια της κόρης μου, το στητό της κορμί, τα μάτια της στο χρώμα του Ρήγα. Φωνή γλυκιά σαν της μάνας μου. Της μοιάζει...

Η Ροδάνθη ζαλίζεται από τη μυρωδιά κι εμείς από το μούστο. Το κτήμα μας βγάζει το καλύτερο κρασί.

Περπατώ ξυπόλυτη στην άμμο ντυμένη στα μεταξωτά Σουφλίου! Έχω κληρονομήσει την αγάπη της Σμαρώς... Τα παραγγέλνω συχνά από το πρώην εργοστάσιο του Αναστάση Σταύρου.

Οι περασμένες αγάπες πίσω μένουν,
μια θλιβερή σειρά σβησμένα
τα πιο κοντά βγάζουν καπνόν ακόμα,

κατάμαυρα, κεριά, κυρτά, λιωμένα.

δεν θέλω να τα βλέπω· με λυπεί η μορφήν των
και με λυπεί το πρώτο φως των να θυμούμαι.
Εμπρός κοιτάζω τ' αναμμένα μου κεριά.

Κωνσταντίνος Π. Καβάφης

Πόσο μου ταιριάζουν σήμερα οι στίχοι του ποιητή...

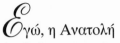 Εγώ, η Ανατολή

Δε βρίσκομαι πάνω στην υγρή ταράτσα της εξαώροφης πολυκατοικίας παραμονή Πρωτοχρονιάς. Είμαι στο *Κτήμα Ροδάνθη*. Πατάω πάνω στην καλοκαιριάτικη γη που χρυσίζει από τον ήλιο. Απλώνω τα χέρια κι αγκαλιάζω αέρα κι ουρανό.

Τα μάτια μου στεγνώνουν από τις μορφές του Ρήγα, των αγοριών μου και της κόρης μου.

Ρουφάω τη ζωή. Μεθάω από τη μυρωδιά των σταφυλιών. Αλλάζω το αίμα μου με κόκκινο κρασί, που κατεβαίνει γουλιά γουλιά στο λαρύγγι.

*O*ι άλλοι δίπλα μου

Ο Ρήγας καβαλάει το άσπρο άλογό του και φεύγει για την καθημερινή βόλτα δίπλα στο κύμα. Ζωγραφίζει πουλιά, δέντρα και κοχύλια. Φωτογραφίζει κάθε στιγμή ζωής που περνάμε μαζί σε τούτο το μέρος. Το παραμύθι για τη Δανάη μου το είπε, εκεί δίπλα στο τζάκι και μετά ρίξαμε στη φωτιά όλα τα περασμένα.

Ο Ορφέας παίρνει τη βάρκα κι απλώνει τα δίχτυα στη γαλάζια θάλασσα, που δε σηκώνει κύμα από τη γαληνεμένη ζωή μας. Η μουσική του πλημμυρίζει όλη τη φύση. Κυκλοφόρησε το πρώτο του σι ντι!

Ο Στέφανος έχει γυρίσει από το Λονδίνο. Κοιτάζει τη νύχτα φεγγάρι και ουρανό από το τηλεσκόπιο, στην άκρη της αποβάθρας. Πάμε παρέα σε πλανητικά ταξίδια. Σπουδάζει τώρα αστροφυσικός!

Κοντά στ' αγόρια μου, τα όμορφα κορίτσια που αγαπούν. Άντρες έχουν γίνει πια. Καινούριοι έρωτες. Δεν τους καταλαβαίνω πολύ. Άλλαξα... Αλλάξαμε... Άλλαξαν...

Η Ροδάνθη στολίζει τα μαλλιά της με χάντρες και λουλούδια. Πριν από ένα μήνα έγινε γυναίκα...

Η Κωστούλα φτιάχνει τις μυρωδάτες γιαννιώτικες πίτες και φουρνίζει το ψωμί στο φούρνο. Γερνάει μαζί μας μια χαρά...

Ο Μέλιος δε ζει... Έχουμε το γιο του να τριγυρνάει μες στα αμπέλια.

Τους καμαρώνω όλους και δακρύζω. Τόσο απλή που είναι η ευτυχία...

Ο Λάμπρος φορτώθηκε πέρυσι το ακορντεόν και πήγε μακρινό ταξίδι. Μας άφησε κληρονομιά μια βαλίτσα ζωγραφιές.

*Ε*κείνοι που έφυγαν

Κοιτάζω στην απέναντι στεριά. Εκεί όπου βρίσκο-
νται οι αγαπημένες ψυχές· η Ευδοκία, ο δάσκαλος, η
Σμαρώ και η Σουλτάνα. Να και η Ραλλού πίσω από τις
μοβ αραχνοΰφαντες κουρτίνες. Το βλέμμα τους είναι
συνέχεια στραμμένο προς τα 'δώ...

Τους βλέπω κάθε πρωί και κάθε ξημέρωμα, ήρεμους
και χαμογελαστούς. Πολλές φορές ακούν τον Λάμπρο
εκεί δίπλα τους, που παίζει στο ακορντεόν αγαπημένα
τους τραγούδια.

Σε απόσταση ο Αναστάσης· μόνος και ξεχασμένος...
Λίγο πιο κάτω ο παπα-Γιάννης κάνει τρισάγια. Τον
βοηθάει η παπαδιά.

Κάπου κάπου κουνάνε μαντίλια μεταξωτά. Να κατα-
λάβω πως είναι καλά...

Το ίδιο κάνω κι εγώ. Κουνάω το πράσινο μεταξωτό
ύφασμα – το τελευταίο της παραγωγής Σταύρου.

Τα λόγια περιττεύουν. Τους κουβαλάω στην καρδιά
μου. Μ' έχουν στο νου τους.

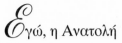*γώ*, η Ανατολή

Είμαι δυνατή κι ευτυχισμένη. Δε φοβάμαι πια ανθρώπους, ύψη και στοιχειά... Δε φοβάμαι εμένα. Δε φοβάμαι τίποτα και κανέναν. Τον μόνο που φοβάμαι είναι τον Θεό και Τον δοξάζω.

γώ, η Ανατολή